JN074095

中国山地の
旧石器時代

中国地方最高峰の大山（標高1,709m）は、旧石器時代に
3,000m以上の標高であったと推定されており、遊動生活を
していた旧石器人は中四国地方一円から眺望できる大山をラ
ンドマークとして移動していたことが考えられる。（白石　純）

蒜山からみた大山

約35,000年前の下郷原田代遺跡（写真手前の平坦な部分）からみた大山。

**東遺跡出土
尖頭器石器群**

旧石器時代終末の東遺跡で
は、大小（10~5cm）の尖頭器
を製作し、狩りをしていたと
考えられる。

佐山東山窯跡は、岡山県南東部の備前
市に位置する。岡山理科大学考古学研
究室と博物館学芸員養成課程が、2013
～17年に発掘調査を行った。その結果、
水平長16.02m、最大幅2.6mの奈良時代
後半の半地下式登窯を確認した。奈良時
代の須恵器窯跡としては、日本列島最大
の大きさである。焚き口近くの床面は、
高温でバリバリに焼かれ、ひび割れを起
こしていた。

遺物は「□□十六年」ヘラ書き銘文塼（744
年、または797年）、「葛原小玉女」ヘラ
書き須恵器壺、「福」押印須恵器、施文
風字硯などの貴重な資料が出土した。

（亀田修一）

バリバリの硬化面

佐山東山窯跡全体写真（オルソ画像）

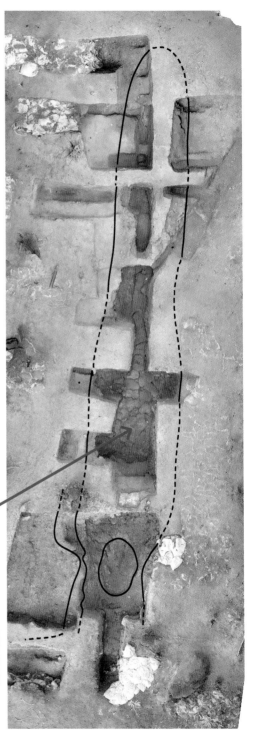

「□□十六年」ヘラ書き銘文塼

「葛原小玉女」ヘラ書き須恵器壺

「福」押印須恵器底部

風字硯（上：上面　下：側面）

「□□十六年」ヘラ書き銘文塼は墓誌または買地券と推測され、とても貴重な資料。「葛原小玉女」は、備前地域で名前がわかる初期の女性だ。「福」は写真では禾偏だが、奈良時代にはこのように書くものもあるようだ。右下の上下２点は、「風字硯」という「風」の文字の形をしたやきものの硯で、側面には秋草文のような文様が描かれていて、とても珍しい。

メコンデルタのバテ山の麓には、扶南の
外港とされるオケオ港市があり、南シナ
海を通じて東西貿易の船が往来した。オ
ケオ港市遺跡群では、腕輪等のさまなな
ガラス製品が出土している。また、直径
1mm未満〜3mm程度の青、緑、黄、橙等の
インドパシフィックビーズが大量に出土
し、ムティサラと呼ばれる特徴的な赤色
ビーズが含まれている。　　　（平野裕子）

バテ山とオケオ遺跡（德澤撮影）

オケオ・ロンルン遺跡出土ビーズ
（ベトナム南部発展院所蔵・山形撮影）

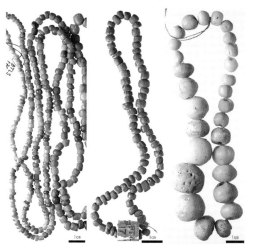

オケオ遺跡出土ビーズ（中央がムティサラ）
（ホーチミン市歴史博物館所蔵・平野撮影）

ガラス職人は身分制の中での世襲であり、その一生の多くをガラス
製作に費やす。炉と製作道具は資本家からのレンタルであり、職人
は低賃金で長時間労働に従事している。ガラス腕輪等の装飾品のほ
かに、家畜マーキング用のカウビーズ等も製作している。　（德澤啓一）

カウベルとカウビーズ
（ブラダルプール）

溶融炉バタとガラス職人
（ブラダルプール）

◉講座

考古学と関連科学

亀田修一・白石　純 編

はじめに

　現代の考古学の調査や研究においては、自然科学との共同研究は欠かせない
ものとなっています。関連科学を応用した研究は、考古学の合理的説明を生む
源泉となっています。

　本書の書名の「考古学と関連科学」は、1988 年に刊行した「鎌木義昌先生
古稀記念論集」と同じものです。編集会議でいくつもの書名を検討しました
が、岡山理科大学の考古学と関連する自然科学の書籍をまとめるには、この
書名こそが相応しいという意見が上がり、鎌木先生と先人の方々に敬意を込め
て、「講座」という冠を付して書名とすることとしました。

　本書は、第Ⅰ部を「アジア・日本・地域の考古学」、第Ⅱ部を「関連科学と
考古学」と題し、関連したコラムを挿入する形で、岡山理科大学の教員と卒業
生、そして、非常勤講師の先生方に執筆をお願いしました。

　第Ⅰ部「アジア・日本・地域の考古学」では、各地域考古学で先端的な研
究を展開されている方々に、「わかりやすく」を意識して執筆していただきま
した。

　亀田は、渡来人や古代山城をキーワードに、古代日韓関係の研究を進めてお
り、本書では「吉備の考古学－吉備の渡来人―備中を中心に―」と「日本の考
古学－西日本の古代山城―備中鬼ノ城を中心に―」と題して、5 〜 7 世紀の古
代吉備の対外交流についてまとめました。

　三阪一徳さんは、日本列島・朝鮮半島・中国東北部における先史時代の土器
を素材とした研究をしています。本書では「東北アジアの考古学―東北アジア
の農耕伝播と日本列島における文化変化―」と題して、中国大陸において開始
されたイネ・アワ・キビ農耕が、朝鮮半島や日本列島にどのように伝播し、そ
のとき日本列島では文化がどのように変わったかという点について、学史の整
理と土器の分析を通じて検討しています。

　山形眞理子さんは、東南アジア大陸部、とくにベトナムの鉄器時代から初期
歴史時代の遺跡を発掘し、研究を進めています。本書では「東南アジアの考古
学―海を越えた移動と交流―」と題して、原人段階の人類が初めて海を渡った
証拠、鉄器時代に大洋を航海した人々の遺跡、国家の出現と古代南海交易の関
係などの論点から、東南アジアの海を通路とした人々の移動と交流について論

じています。

　白石は「石器や土器の材質分析から生産と流通」について研究しています。本書では「生産と流通の考古学─石器・土器の産地推定から─」と題して、中国地方の旧石器時代遺跡出土石器石材からみた人々の移動と石材の獲得状況、古代吉備地方における初期須恵器の生産と流通について書きました。

　また、第Ⅰ部のコラム①では、「鎌木義昌と瀬戸内考古学研究」と題して、岡山理科大学の考古学研究を拓き、日本考古学に大きな足跡を残された鎌木義昌先生をご紹介させていただきました。

　第Ⅱ部「関連科学と考古学」では、考古学と関連する自然科学のそれぞれに軸足を置く研究者の方々に執筆をお願いしました。初めて考古学を勉強する方でも理解しやすいように入門的な内容で書いていただきました。

　宮本真二さんは、アジア・モンスーン地域の土地開発史をおもな研究テーマとして調査研究しています。本書では「地理学と考古学」と題して、地理学の立場から展開してきた環境考古学の研究史を概説し、琵琶湖南東部地域の遺跡立地研究の事例を記述しました。

　「年代学と考古学」については、地球科学系の畠山唯達さんにいろいろな年代決定の方法について概説してもらい、考古学系の富岡直人さんには考古学調査でよく使われている放射性炭素年代測定法について、そして植物学系の那須浩郎さんには最も安定した年代法の一つである年輪年代法について、最先端の酸素同位体比による年輪年代法も含めて述べてもらいました。

　畠山唯達さんは、地球磁場（地磁気）の様子と変化の研究、および岩石や考古資料に含まれる磁石（磁性鉱物）に関する研究を行っていますが、本書では「古地磁気学・岩石磁気学と考古学」と題して、地球の磁場とそれを記録する熱を受けた考古資料（遺物や遺構）から年代、土器などの焼成環境を推定する方法、また、磁場を利用して遺跡の位置や大きさを特定する手法について述べてもらいました。

　能美洋介さんは、地質学や地形学が専門で、本書では「地質学と考古学」と題して、考古学の遺構や遺物に使われている石材などについて述べるとともに、火山噴火によるテフラを用いた年代決定の方法などについて述べてもらいました。

　富岡直人さんは、環境考古学・骨考古学の立場で動物考古学と自然人類学と

の学際的研究を行っており、本書では「人類学と考古学」「動物学と考古学」を書いてもらいました。

　那須浩郎さんは、東アジアや中米の遺跡から出土する植物を分析して、人と植物の関係の歴史について研究しています。本書では「植物学と考古学」と題して、「遺跡から出土する植物の分析方法と原理」について説明し、その具体例として、栽培植物の進化と農耕の起源、文明の盛衰と環境変動について述べてもらいました。

　徳澤啓一さん・平野裕子さんは、東南アジア大陸部からインド亜大陸にかけての「ものづくり」の民族誌をおもに調査・研究しています。本書では「民族誌研究と考古学」と題して、インド北部のガラス製作民族誌を参照しながら、メコンデルタから出土したガラス腕輪の製作技法を復元する民族考古学の手続きを述べてもらいました。

＊

　以上のように、本書は多少不十分なところはあるとは思いますが、考古学においても、関連する科学においても多様な興味深い内容になっていると思います。一部のテーマ、たとえば「備前邑久窯跡群の研究」では、このなかの数名のメンバーで、共同研究を行い、多くの成果をあげました（口絵2参照）。

　鎌木義昌先生が1966年に岡山理科大学に来られてから56年、当初は考古学と人類学で始まり、その後民俗学、考古科学のメンバーなどが加わり、岡山理科大学の「考古学と関連科学」の幅が広がり、現在の多様さに至っています。1998年の『鎌木義昌先生古稀記念論集　考古学と関連科学』の専門的な論文集刊行から34年、今回の『講座　考古学と関連科学』はわかりやすさをキーワードとして、関係するみなさんに書いていただいたものです。

　岡山理科大学の考古学と関連する科学に関わる人々の調査・研究の成果を見ていただき、何らかの収穫を得ていただければ幸いです。

　2022年1月

亀田修一・白石　純

●講座　考古学と関連科学●目次

第Ⅰ部

アジア・日本・地域
の考古学

第1章

吉備の考古学－吉備の渡来人
備中を中心に

亀田修一　*KAMEDA Shuichi*

　吉備は、日本列島の西部、瀬戸内海の北岸に位置し、筑紫、出雲、尾張、毛野などとともに有力な地域勢力としてよく取り上げられる。それは5世紀代の造山古墳・作山古墳など、畿内の巨大古墳に匹敵する規模の巨大古墳を築いていることにもよるが、当然のことながら、それだけではなく、多くの特長をみることができるからでもある。肥沃な平野による豊かな農業生産、鉄・鉄器生産、海上交通、塩生産などの産業、そして地理的な位置、南北（おもに陸路・河川交通）・東西（おもに陸路・海上交通）の交通網における拠点性などがある。

　そして、筆者は古代吉備のこれらの多様な産業を支えた背景には朝鮮半島との関わり、「渡来人」の移住・存在などがあると考えている。

　小稿では、おもに備中地域の朝鮮半島系の渡来人・渡来系の人々を対象に述べてみたい。時期は吉備と朝鮮半島との関わりが比較的わかりやすい5～7世紀を扱う。なお、用語の問題であるが、「渡来人」は厳密には渡って来た人（1世）であるが、もう少し幅を持たせて使っている。「渡来系の人々」は「渡来人1世」も含め、より広い範囲で2世、3世、そして自らの出自に関して朝鮮半島との関わりを意識している人々として使っている。

　また、小稿の内容に関しては、これまで亀田が発表してきた論文（亀田1997・2000b・2004a・b・2019a・b ほか）を基礎として再構成したものであることを明示しておく。

1. 渡来人をさがす

　考古学で古墳時代の渡来人をさがす方法について述べる。

　基本的に当時の日本列島の人々が知らなかった、使っていなかった道具、技

術、儀礼などを探し出し、その周辺のもともとの日本列島の人々が使っていた道具や技術、行っていた儀礼などと比較し、どうしても生み出すことが難しいものが存在する場合、その近くに渡来人の存在を推測できると考えている（亀田1993・2003・2012ほか）。

　吉備地域に関わる具体的な例をいくつか挙げると、まず初期のカマドとそこで使用された甑、平底鉢などの煮炊き具が渡来人の存在を教えてくれる（亀田1993・2003）。基本的に5世紀頃までの日本列島の調理・暖房などには囲炉裏（炉）が使用されていた。一部北部九州や近畿地方に4世紀以前のものもあるが、大多数は5世紀に入るころからみられるようになる。

　例えば、吉備では5世紀初め頃までカマドはなく、5世紀中頃までのカマド・甑などに関しては渡来人たちが造り、使用していたと考えている。5世紀後半頃から日本列島の人々もカマドを造り、使用するようになったようであり、これ以降のカマドでは渡来人の存在をより強く述べることはできない。

　次に、お墓では釘や鎹を使用した木棺の存在も渡来人の存在を推測させるものである。埋葬のあり方は一般的にそれまでの方法が残ることが多く、釘・鎹使用木棺は4世紀までの日本列島では見ることができない（亀田2004b）。つまり、5世紀中頃までの木棺で釘や鎹が使用されている場合、渡来人や渡来系の人々が埋葬されている可能性が高いと考えている。

　また、棺の中や石室の中に土器を納める行為ももともとの日本列島では基本的にみることができず、やはり渡来人との関わりが推測されるものである（土生田1985）。

　以上のようなもともとの日本列島の人々の知識や技術などでは説明できない遺構・遺物・儀礼を検討することで渡来人さがしを行うのである。

2．備中中枢部の朝鮮半島関連遺跡

　備中南部地域には造山古墳（岡山市2014）、作山古墳（総社市2016）という巨大古墳がある。前者は墳長350mの前方後円墳で、全国第4位の大きさである。時期は5世紀初め頃と考えられている。後者は墳長282mの前方後円墳で、全国第10位の大きさである。時期は造山古墳に後出する5世紀前半頃と考えられている。この2つの巨大古墳はまさに畿内の大王陵に匹敵する規模であり、備中南部地域の朝鮮半島系考古資料はこの2つの巨大古墳周辺で多く見られる

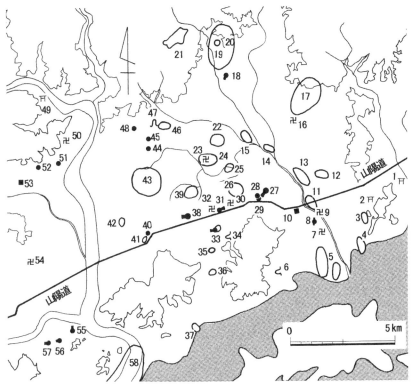

図 1　吉備中枢部の朝鮮半島関連遺跡分布図（1/150,000）

1：吉備津彦神社　2：吉備津神社　3：東山遺跡　4：川入遺跡　5：上東遺跡　6：二子御堂奥窯跡群　7：日畑廃寺　8：楯築弥生墳丘墓　9：惣爪廃寺　10：矢部遺跡　11：足守川加茂遺跡　12：加茂政所遺跡　13：津寺遺跡　14：高塚遺跡　15：長良小田中遺跡　16：大崎廃寺　17：大崎古墳群　18：随庵古墳　19：千引カナクロ谷遺跡　20：奥坂遺跡群　21：鬼ノ城　22：窪木遺跡　23：栢寺廃寺　24：大文字遺跡　25：窪木薬師遺跡　26：法蓮古墳群　27：造山古墳　28：榊山古墳　29：千足古墳　30：備中国分尼寺跡　31：こうもり塚古墳　32：備中国分寺跡　33：宿寺山古墳・宿寺山遺跡　34：末ノ奥窯跡群　35：前山遺跡　36：狸山積石塚群　37：菅生小学校裏山遺跡　38：作山古墳　39：三須河原遺跡　40：三輪山6号墳　41：殿山古墳群　42：樋本遺跡　43：備中国府推定地　44：西山44号墳　45：小寺2号墳　46：中山古墳群　47：奥ヶ谷窯跡　48：すりばち池1号墳　49：姫社神社　50：秦原廃寺　51：秦金子1号墳　52：金子石塔塚古墳　53：長砂2号墳　54：岡田廃寺　55：天狗山古墳　56：勝負砂古墳　57：二万大塚古墳　58：酒津遺跡

のである（亀田 2019a）。

　まず古墳関係では、造山古墳周辺の榊山古墳（岡山市 2015）（5 世紀前半、35m、円墳）において馬形帯鉤や龍文透金具、加耶系陶質土器が出土し、法蓮古墳群（総社市 1985）（小円墳・小方墳約 40 基）内の 37 号墳（5 紀前半）におい

て陶質土器の形を写した土師器甕、吉備産初期須恵器、土師器形態の吉備産初期須恵器高杯などが出土している。少し離れるが、造山古墳の北北西約 5km に位置する随庵古墳（鎌木ほか 1965）（5 世紀前半、40m、帆立貝形古墳）は、当時の日本では極めて珍しい舶載鍛冶具をセットで副葬し、これも当時の日本ではほとんど使用されていなかった鋲使用の割竹形木棺を納めていた（亀田 2004b）。

　墓関係以外の生産遺跡や集落などにおいても朝鮮半島との関わりを見ることができる。まず造山古墳の北西約 2km に位置する窪木薬師遺跡（岡山県 1993b）の 13 号住居（5 世紀前半）には初期のカマドが造り付けられ、住居内から初期須恵器、軟質系土器などとともに加耶地域の東萊福泉洞 21・22 号墳（釜山大学校博物館 1990）出土例と類似した鉄鏃や鉄鋌、そして鉄滓、砥石が出土している。この遺跡ではその後も 7 世紀前半まで鍛冶が行われているが、この初期段階はおそらく加耶地域の人が渡ってきて工房（と住居？）を作り、鉄器生産を行っていたものと推測される。

　高塚遺跡（岡山県 2000）は窪木薬師遺跡の東約 1.7km に位置し、5 世紀前半から 6 世紀後半の竪穴住居が約 100 棟、そのうち 5 世紀代のものが約 50 棟検出されている。そのうち 25 棟に造り付けカマドがあり、そのうちの 16 棟で朝鮮系土器が出土している。このカマド住居の古い段階のものは 5 世紀前半のもので、窪木薬師遺跡のカマド住居とともに吉備最古段階のものである。147 号住居から出土した初期須恵器の蓋は法蓮 37 号出土例とよく似ている。また 5 世紀代の竪穴住居のうちの 5 棟から鍛冶滓も出土している。窪木薬師遺跡の鍛冶工房で仕事をしていた人々もこのムラに住んでいたのかもしれない。

　以上の遺跡群は造山古墳の周辺、半径 5km 以内に位置しており、何らかの有機的な関係が推測される。造山古墳（墳長 350m）の被葬者を頂点として、おそらく自ら朝鮮半島に赴いたことがある榊山古墳（直径 35m）の被葬者や最先端の鍛冶具をセットで副葬し、鋲使用割竹形木棺に葬られた随庵古墳（墳長 40m）の被葬者などが中間管理職クラスとして渡来人たちを管理する。そしてその管理下で渡来人たちが窪木薬師遺跡などにおいて鉄器生産などを行い、高塚遺跡などで生活し、法蓮古墳群などに葬られたものと推測される。

　また作山古墳の北約 4km に位置する奥ヶ谷窯跡（岡山県 1997）では、5 世紀前半の加耶系初期須恵器を生産している。ハケを使用する甕など大阪府陶邑

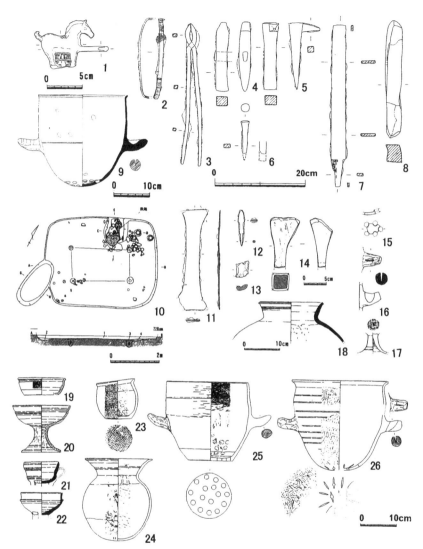

図2　吉備中枢部の朝鮮半島関連遺構・遺物
（1：1/5、2〜8・11〜14：1/8、9・15〜26：1/10、10：1/150）
1：榊山古墳　2〜8：随庵古墳　9：長良小田中遺跡　10〜18：窪木薬師遺跡　19〜26：菅生小
学校裏山遺跡（図出典〔いずれも一部改変〕1：岡山市 2015　2〜8：鎌木ほか 1955　9：総社市
2011b　10〜18：岡山県 1993b　19〜26：中野 1990）

大庭寺窯（大阪府 1995）の製品と類似した特徴もあるが、陶邑とは別に朝鮮半
島から独自に工人がやってきてこの地で生産した可能性も考えられる。大文字

遺跡（平井 2013）は作山古墳の東北東約 2.5km、奥ヶ谷窯跡の南東約 2.5km に位置し、5 世紀前半の平底深鉢などの軟質系土器を出土する竪穴住居群が検出されており、渡来系の人々の存在が推測できる。この遺跡のすぐ西側が栢寺廃寺である（岡山県 1979）。

　さらに作山古墳の南約 4km、かつての海（阿智潟）に面したところに菅生小学校裏山遺跡（岡山県 1993a、中野 1993）がある。港そのものは検出されていないが、立地から港に関わる遺跡であると推測される。加耶系、新羅系、百済系、馬韓系など多様な系譜の陶質（系）土器・軟質（系）土器、吉備産初期須恵器など 5 世紀前半の土器が出土している。造山古墳・作山古墳周辺の朝鮮半島系考古資料が基本的に洛東江下流域の加耶地域と関わるのに対し、この系譜の多様さは「港」ならではであろうか。

　以上のように 5 世紀前半の造山・作山古墳時代の備中南部地域は渡来人の移住を含め朝鮮半島、おもに加耶地域と深く関わっていたことがわかる。

　ただ 5 世紀後半以降はこの備中南部地域と朝鮮半島との関わりを示す資料は極めて少なくなり、造山古墳・作山古墳周辺ではあまりよくわからない。その数少ない 5 世紀後半の朝鮮半島と関わる遺跡が中山 6 号墳である（岡山県 1997）。一辺約 13m の方墳で、2 基の竪穴式石室内に鋲が検出されており、第 1 主体からはやや形の崩れた算盤玉形紡錘車と推測されるものと曲刀子、比較的古い段階の U 字形鋤鍬先などが出土している。この中山 6 号墳を含む中山古墳群は奥ヶ谷窯跡の東に隣接している。

　また奥ヶ谷窯跡の西約 700m の福井大塚 12 号墳（高橋 1994）（墳長 13m、帆立貝形古墳（？）、横穴式石室、6 世紀後半）でこの時期としては珍しい須恵器の有溝把手付鍋が出土している。この古墳のすぐ北東側には「金黒池」など鉄生産に関わる地名が残り、鉄との関わりが推測できる。

　窪木薬師遺跡の北西約 500m に位置する窪木遺跡（岡山県 2008）の 6 世紀前半～後半の竪穴住居から三叉鍬が出土している。三叉鍬はこれまで全国で 4 ～ 5 世紀代のものが 6 例出土しているだけで、珍しい朝鮮半島系考古資料である。この三叉鍬出土住居から北東約 800m の溝の中から 6 世紀中頃の須恵器・鉄滓とともに軟質系土器が出土している（岡山県 1998）。

　このように窪木薬師遺跡から奥ヶ谷窯跡周辺地域は、数は少ないが、6 世紀代にも朝鮮半島からの渡来人が入ってきて、鉄・鉄器生産に関わっていたこと

が推測される。

　また、これらから少し南に離れ、6 世紀後半の備中最大の前方後円墳であるこうもり塚古墳（墳長約 100m、横穴式石室、鉄滓）の北側に位置する緑山古墳群内の 17 号墳（直径約 13m、円墳、6 世紀末〜 7 世紀前半）から柄頭に八葉蓮華文が銀象嵌された大刀が出土しており、鉄滓も出土している（総社市 1984）。この時期の蓮華文装飾は極めて珍しく、この被葬者の性格が注目される。

　この地域の 7 世紀代の朝鮮半島系考古資料は極めて少ないが、前述の大文字遺跡の西に位置する栢寺廃寺（岡山県 1979）（賀夜郡服部郷、7 世紀中葉）は賀夜氏の氏寺と考えられている。明確な畿内系瓦ではなく、朝鮮半島系の可能性も考えられる素弁蓮華文軒丸瓦で創建されている。この瓦の范型はのちに備後寺町廃寺（広島県 1980 〜 1982）で創建時に使用されている（岡本 1992）。この寺町廃寺は『日本霊異記』に記された「三谷寺」と考えられており、備後三谿郡の大領の先祖が白村江の戦い（663 年）に参戦し、百済から僧弘済を連れて帰って創建したといわれている寺である。そのような寺の造営に備中栢寺廃寺の瓦の范型が使用されているのである。

　また、吉備最古の確実な古代寺院は総社市の秦原廃寺（葛原 1987）（下道郡秦原郷）で、7 世紀第Ⅱ四半期頃創建と考えられている。その所在地名（秦）からも山背の秦氏との関わりが推測されるが、出土瓦も山背広隆寺（石田 1936）出土の素弁蓮華文丸瓦と類似している。秦氏は当時の政権中枢部に大きな力を持った渡来系氏族の雄の 1 つである。吉備南部地域を代表する製鉄遺跡の一

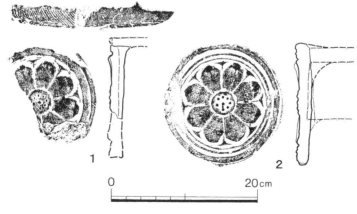

図 3　備中栢寺廃寺（1）と備後寺町廃寺（2）の瓦（1/5）

つである西団地内遺跡群（総社市 1991）（6 世紀末〜 8 世紀）は秦原廃寺の南西約 4.5km の場所である。

　そして、7 世紀後半に築かれたと考えられている古代山城備中鬼ノ城（きのじょう）は、『日本書紀』などの記録には見られないが、朝鮮半島からの渡来人や渡来系の人々がその造営に関与したことは間違いないと考えられる（総社市 2005・2006・2011a、亀田 2020 など）。

3.　文字史料にみる備中南部地域の渡来人

　考古学の成果を安易に記録や文献史学の成果に結びつけることは当然注意しなければならないが、備中南部地域の渡来人史料を挙げると、表 1 のようになる。このような直接的な史料だけでなく、555・556 年に吉備に置かれた白猪屯倉（しらいの）（みやけ）・児島屯倉（こじまのみやけ）は、ヤマト政権が吉備の乱ののちに吉備地域をより明確に押さえ込むために設置したものと理解されているが、その実質的な支配に畿内の渡来人である王辰爾（おうしんに）の甥である胆津が派遣され、白猪史胆津（しらいのふひといつ）という名前を賜っていることも重要である。

　このような屯倉設置に伴い、畿内にいた渡来人やその子孫たちを吉備に派遣したことは表 1 からも推測できる。この備中国都宇郡（つう）・賀夜郡（かや）の渡来系の人々の多くの名前は『正倉院文書』の「備中国大税負死亡人帳（びっちゅうのくにたいぜいふしぼうにんちょう）」（739 年）にみられ、8 世紀前半の史料ではあるが、そのいずれもが当時の中央で活躍していた渡来系氏族と関わる名前である。屯倉の設置以後、畿内から吉備へ派遣され定着した人々と考えられる。

　このように、吉備と朝鮮半島は直接的な関係とともに、畿内地域を介した二次的な渡来人の移住を通した間接的な関係もみることができるのである。

4.　考古資料・文字史料が語る吉備（備中）の渡来人

　これまで、吉備地域に見られる朝鮮半島系考古資料と朝鮮半島と関わる文字史料を大まかに見てきた。ここではそれらをあわせ、関連する考古資料も含め検討してみたい。

（1）備中南部地域の渡来人の役割

鉄・鉄器生産　これまで述べてきた朝鮮半島系考古資料の説明の中で鉄に関わるものが比較的みられたことにすでに気がつかれたことと思う。筆者はすで

表1　備中の渡来人

郡	郷	里	人　　名	年	出典
都宇	建部	岡本	西漢人志卑売（戸口）	天平11年(739)	1
都宇	河面	辛人	（戸主）秦人部稲麻呂・（戸口）秦人部弟嶋	天平11年(739)	1
都宇	撫川	鳥羽	服部首八千石（戸口）	天平11年(739)	1
都宇	撫川	鳥羽	（戸主）史戸置嶋・（戸口）史戸玉売	天平11年(739)	1
賀夜	庭瀬	三宅	忍海漢部真麻呂（戸主）	天平11年(739)	1
賀夜	庭瀬	山埼	（戸主)忍海漢部得嶋・（戸口)忍海漢部麻呂	天平11年(739)	1
賀夜	大井	粟井	東漢人部刀良手(戸主)	天平11年(739)	1
賀夜	阿蘇	宗部	西漢人部麻呂(戸主)	天平11年(739)	1
賀夜	阿蘇	磐原	（戸主)史戸阿遅麻佐・（戸口)西漢人部事无売	天平11年(739)	1
下道	－	－	西漢人宗人	貞観5年(863)	2

[出典]1.『正倉院文書』正集35「備中国大税負死亡人帳」　2.『三代実録』貞観5年1月条

に鉄と渡来人との関わりについて述べてきたことがある（亀田2000b）が、それをふまえ、以下この備中南部地域の鉄・鉄器生産と渡来人との関わりについて述べてみたい。

　まず、吉備地域における鉄器生産に関してはすでに弥生時代から行われているが、本格化するのは5世紀前半からと考えられている。その拠点となる遺跡が加耶との関わりを見せる窪木薬師遺跡である。おそらく造山古墳の被葬者との関わりで、吉備に渡って来た洛東江下流域地域の人々がその運営に関わったものと推測される。この窪木薬師遺跡は5世紀前半に操業を開始し、後半に縮小し、6世紀第Ⅱ四半期に再び活発化する。この遺跡の遺構・遺物のあり方は、吉備の反乱（463年）による生産の縮小、屯倉設置前段階からの一部てこ入れ、そして白猪屯倉設置による再活性化と比較的うまく対応するようであり、白猪屯倉設置が吉備の鉄器生産と関わる可能性を推測させる（亀田2000a）。

　そして屯倉設置より少し遅れる6世紀後半代に、現時点で日本列島最古段階の鉄生産遺跡である千引カナクロ谷遺跡（総社市1999）の操業が開始する。これは鉄器生産だけでなく、新たな鉄生産技術が屯倉設置を契機としてこの地に導入され、吉備の鉄がより活性化され、その生産物がヤマト政権のもとへ大量に送られるようになったものと推測される。この千引カナクロ谷遺跡は周辺の製鉄関連遺跡6ヵ所を含めて奥坂遺跡群と呼ばれているが、6世紀後半から8

世紀前半までの製鉄炉が 20 基、横口付木炭窯が 24 基確認されており、吉備を
代表する製鉄遺跡である。ただ、この製鉄炉と類似するものは朝鮮半島では確
認されていないようである。

　この千引カナクロ谷遺跡を含む奥坂遺跡群が位置する地域は律令期には賀夜
郡阿蘇（曽）郷に属している。この遺跡群が操業していた最後の時期と重なる
貴重な史料である「備中国大税負死亡人帳」（739 年〔天平 11〕）には阿蘇郷宗
部里に「西漢人部麻呂」、阿蘇郷磐原里に「史戸阿遅麻佐」「西漢人部事无売」
など渡来系の人々の名前が見られる。この史料を検討した直木孝次郎は千引カ
ナクロ谷遺跡などが発掘調査される以前からこれらの渡来系の人々と鉄との関
わりを述べていた（直木 1983）。さらにこの地域の東隣である賀夜郡大井郷粟
井里にも「東漢人部刀良手」など渡来系の人物の名前が見られるが、この大井
郷は平城宮跡出土木簡の「大井鍬十口」の「大井」と考えられており、まさに
この地域において渡来人たちの新しい技術を導入して鉄が造られ、鍬などが生
産され、そして都へ運ばれていたことがわかるのである。

　ちなみに阿蘇郷宗部里の「宗部」は宗我部であろうと吉田晶によって指摘さ
れており（吉田 1990：p.103）、この地域が前述の蘇我稲目による白猪・児島屯
倉設置と関わることがわかるのである。

　さらに「備中国大税負死亡人帳」には、賀夜郡庭瀬郷に「三宅里」があり、
そこに「忍海漢部真麻呂」という人物がいたことも記されている。この「三
宅里」は素直に読めばこの地域に屯倉関連のものがあったと推測できる。ま
た「忍海漢部真麻呂」は本来大和葛城地域と関わる渡来系の人物と考えられ
る。この葛城地域は 5 世紀後半の雄略天皇代に勢力を削がれ、その後その権益
を蘇我氏が受け継いだと考えられている（加藤 1983）。このことから「忍海漢
部」も蘇我氏の白猪屯倉・児島屯倉に関わって吉備の地へ移住させられた渡来
系の人物の子孫である可能性が考えられるのである。さらに忍海部に関して
は、『肥前国風土記』に記された三根郡漢部郷の忍海漢人が武器を作ったとい
う記事から「忍海部」はもともと武器武具製造に関わっていたと考えられてい
る（関 1966）。そうすると窪木薬師遺跡が位置する賀夜郡服部郷とは郷が異な
り、距離も約 6.5km 離れているが、6 世紀代に鏃・刀子・直刀などが作られて
いた窪木薬師遺跡と何らかの関わりがあった可能性は無視できない。

　このように今後の検討は必要ではあるが、吉備南部地域における鉄・鉄器生

産に屯倉・畿内系渡来人が関与していた可能性は十分考えられる。

　また6世紀後半代、畿内地域を除く西日本において最大級の前方後円墳であるこうもり塚古墳（葛原ほか1986）（墳長100m、前方後円墳、長さ19.4mの全国第4位の横穴式石室）では貴重な副葬品とともに鉄滓が出土している。この鉄滓はこうもり塚古墳の被葬者が鉄・鉄器生産を管理していた可能性を示すもので、白猪屯倉管理下の窪木薬師遺跡などにおける鉄器生産に関わっていた可能性を推測させるものである。

　須恵器生産　吉備地域最古の須恵器窯跡は5世紀前半の総社市奥ヶ谷窯跡である。前述のように加耶系の初期須恵器が軟質系土器とともに出土している。初期の須恵器窯構築には渡来系の人々の知識や技術が必要であり、この奥ヶ谷窯跡の窯構築には渡来系の人々が関わっていたと考えることが素直であろう。ただこの渡来系の人々が直接加耶地域から来たのか、畿内経由なのかは明確ではない。少なくとも加耶系渡来人が関与したことは間違いないであろう。また、軟質系土器の存在も渡来人・渡来系の人々の存在を推測させるものである。

　備中南部地域の初期須恵器を胎土分析した白石純によれば、奥ヶ谷窯跡で作られた須恵器が高塚遺跡や菅生小学校裏山遺跡などに運ばれたことが確認されているが、産地（窯）が分からないものもあり、奥ヶ谷窯跡以外にも須恵器窯が存在する可能性が推測されている（白石2018）。今後の調査が楽しみである。

　いずれにせよ、5世紀前半に吉備（備中）地域に入ってきた渡来人たちの仕事の一つに須恵器生産があることがわかる。

　海上交通・港湾管理　次に、菅生小学校裏山遺跡の評価に関わるが、筆者はこの遺跡の立地が当時の海岸線を復元すると海の近くになること、すぐ近くに山が迫っており、農耕などに適した場所といいづらいことなどの地理的な状況と、5世紀前半の多様な系譜の朝鮮半島系土器、7世紀末〜8世紀初め頃の「官」に関わる遺物（ヘラ書き土器、墨書土器、円面硯など）、10世紀前半の100点近い緑釉陶器などの存在などから、調査者である中野雅美も指摘している（中野1993）ように、「阿智潟」の港と推測して問題ないと考えている。また、この遺跡から北側に山を越えると作山古墳があり、そのような点においても、海上交通・陸上交通の要衝であったと考えている。

　5世紀前半の多様かつ多量の朝鮮半島系土器は、その立地と合わせてこの遺跡が吉備の港の一つであり、そこに多くの渡来人たちが立ち寄り、それぞれの

地域の土器などを使っていた姿を想像させるものである。つまり彼らの仕事としては、朝鮮半島と河内などの往復に関わる海上交通、そしてこの港の管理などであった可能性が推測できそうである。

　また、造山古墳や作山古墳の周辺で確認されている土器のほとんどが加耶系のものであるのに対して、ここでは、百済系、馬韓系、加耶系、新羅系など多様な土器が見られることは大きな特徴であり、港と推測していることと対応すると考えている。

　その他の仕事　以上、備中南部地域の渡来系の人々の仕事として、鉄・鉄器生産・須恵器生産・海上交通・港湾管理などを挙げたが、そのほかにも現在の考古資料では十分説明はできないが、中山6号墳のU字形鋤・鍬先や窪木遺跡の三叉鍬、高塚遺跡・法蓮37号墳の曲刃鎌などを使った土地開発、農耕、水路掘削、道路整備などの土木工事、養蚕、前山遺跡や中山6号墳などの算盤玉形紡錘車を使った糸紡ぎ・織物などいろいろな仕事が推測できる。馬の飼育や船造りなどもあったかもしれないが、現時点ではよくわからない。

（2）渡来人の故郷

　これまでに述べてきたように、備中南部地域の渡来人、渡来系の人々の故郷は基本的に朝鮮半島南東部の加耶地域である。榊山古墳の陶質土器、馬形帯鉤、龍文透金具、奥ヶ谷窯跡の初期須恵器、窪木薬師遺跡13号住居の鉄鏃・鉄鋌・甑、長良小田中遺跡の甑、随庵古墳の石室構造などいずれも洛東江下流域の加耶地域との関わりが推測できる。一部新羅地域との関わりも無視できないが、やはり基本は加耶地域とつながりそうである。

　このようなあり方は、4世紀末〜5世紀初めの朝鮮半島南部地域への高句麗の南下、それに伴う混乱、そこへヤマト王権を中心とした日本列島の地方豪族たちが関わっていると思われる。加耶地域からの渡来人たちは、強制、半強制、自由意志などいろいろな状況が想像できるが、いずれにせよこのような混乱の中で吉備地域へ渡って来て、定着したものと推測される。そして彼らの知識・情報・技術は吉備の大豪族たち、中小の豪族たち、そして一般の人々に受け入れられ、彼らの子孫たちは吉備の人々になっていたと考えている。

　ただ、港であったと推測される菅生小学校裏山遺跡では、加耶だけでなく、百済、馬韓、新羅などの土器も見られる。これは、まさにこの遺跡が単なる定着の場ではなく、往来の場であったことを示しているのではないであろうか。

5. おわりに

　以上述べてきたように、吉備は5世紀初め頃には当時の大王陵に匹敵する規模の造山古墳を造り、絶頂期を迎える。その後作山古墳・両宮山古墳と中央の大王陵や大豪族たちの墓に準ずる200m台の巨大前方後円墳を造る。その背景には4世紀末〜5世紀前半の朝鮮半島における混乱に吉備の首長たちがヤマト王権との関わりを持ちながらもある面では独自に関与し、そして受け入れたおもに洛東江下流域からの渡来人たちの技術・情報などがあるものと推測される。

　しかしその後6世紀後半のこうもり塚古墳まで約100年間、吉備の大首長の墓と呼びうるものはみることができない。

　この5世紀中葉の大きな変化は、『日本書紀』に記された吉備の反乱伝承（463年）を反映していると考えられている。555年、556年に白猪・児島屯倉が設置され、吉備は反乱以後の弱体化を受けて、ヤマト政権の強い支配を受けるようになったと考えられている。屯倉設置前後から鉄器生産や鉄生産、塩生産、須恵器生産などの産業においてもヤマト政権とのより深い関わりがみられるようになり、吉備はヤマト政権の一地方になっていったようである（亀田2008）。

　その鉄・鉄器生産の新たな展開や須恵器生産にはそれまでの吉備の渡来人たちとは別に、ヤマト政権から新たに派遣された渡来人たちが関与していると推測される。ただ、6世紀後半に造られたこうもり塚古墳は当時の西日本では最大級の古墳であり、やはり一地方になったとはいえ、それなりの力を持っていたことがわかる。

　7世紀になると、下道郡に秦原廃寺が山背秦氏の関連で吉備最古段階の本格的寺院として創建され、7世紀中頃には賀夜郡に栢寺廃寺が建立される。そしてこの創建瓦の范型が、百済僧弘済が創建に関与した備後寺町廃寺の創建に使用される。

　7世紀後半には、660年の百済滅亡、663年の白村江の戦いにおける敗戦を契機として備中に鬼ノ城、備前に大廻小廻山城が築かれる。この2つの古代山城は記録には見えないが、百済からの亡命貴族・将軍たちが関与したことが『日本書紀』に記されている朝鮮式山城との類似性で推測できる。これら古代山城はヤマト政権が国土防衛のために築いたもので、その築造に関する知識・

技術には渡来人や渡来系の人々の関与があったことは間違いないであろう。特に鬼ノ城築城には、地元賀夜郡の渡来系の人々が関与していたと推測できる（亀田 2020）。

　このように吉備（備中）地域には、5世紀以降に朝鮮半島からの渡来人、渡来系の人々が移住・定着し、吉備の繁栄を支えるとともに、6世紀以降には新たに近畿地方を経由した渡来人たちが屯倉設置などを契機として入って来て、鉄器生産・鉄生産などの仕事をしつつ、彼らも「吉備の人」になっていったと考えている。さらに、7世紀後半の鬼ノ城築城においても彼らおよび彼らの子孫たちの力が活用されたものと考えている。

引用・参考文献

石田茂作　1936『飛鳥時代寺院址の研究』第一書房
大阪府教育委員会　1995『陶邑・大庭寺遺跡Ⅳ』（財）大阪府埋蔵文化財協会調査報告書 90
岡本寛久　1992「「水切り瓦」の起源と伝播の意義」近藤義郎編『吉備の考古学的研究』山陽新聞社、pp.349-384
岡山県教育委員会　1979『栢寺廃寺緊急発掘調査報告書』岡山県埋蔵文化財発掘調査報告 34
岡山県教育委員会　1993a『山陽自動車道建設に伴う発掘調査 5』岡山県埋蔵文化財発掘調査報告 81
岡山県教育委員会　1993b『窪木薬師遺跡』岡山県埋蔵文化財発掘調査報告 86
岡山県教育委員会　1997『藪田古墳群・金黒池東遺跡・奥ヶ谷窯跡・中山遺跡・中山古墳群・西山遺跡・西山古墳群・服部遺跡・北溝手遺跡・窪木遺跡・高松田中遺跡』岡山県埋蔵文化財発掘調査報告 121
岡山県教育委員会　1998『窪木遺跡 2』岡山県埋蔵文化財発掘調査報告 124
岡山県教育委員会　2000『高塚遺跡・三手遺跡 2』岡山県埋蔵文化財発掘調査報告 150
岡山県教育委員会　2008『南溝手遺跡・窪木遺跡』岡山県埋蔵文化財発掘調査報告 214
岡山市教育委員会　2014『史跡造山古墳　第一、二、三、四、五、六古墳保存管理計画書』
岡山市教育委員会　2015『千足古墳』
加藤謙吉　1983『蘇我氏と大和王権』吉川弘文館
鎌木義昌・間壁忠彦・間壁葭子　1965『随庵古墳』総社市教育委員会
亀田修一　1993「考古学から見た渡来人」『古文化談叢』30-中、九州古文化研究会、pp.747-778
亀田修一　1997「考古学から見た吉備の渡来人」武田幸男編『朝鮮社会の史的展開と東アジア』山川出版社、pp.131-178
亀田修一　2000a「第 2 章　古代吉備の鉄と鉄器生産」『長船町史 刀剣編通史』長船町、pp.43-129
亀田修一　2000b「鉄と渡来人―古墳時代の吉備を対象として―」『福岡大学総合研究所報』240、pp.165-184
亀田修一　2003「渡来人の考古学」『七隈史学』4、七隈史学会、pp.1-14
亀田修一　2004a「5 世紀の吉備と朝鮮半島―造山古墳・作山古墳の周辺を中心に―」『吉備地方文化研究』14、就実大学吉備地方文化研究所、pp.1-19
亀田修一　2004b「日本の初期の釘・鎹が語るもの」『考古学研究会 50 周年記念論文集 文化の多様性と比較考古学』考古学研究会、pp.29-38
亀田修一　2008「吉備と大和」土生田純之編『古墳時代の実像』吉川弘文館、pp.19-71
亀田修一　2012「社会構造Ⅳ　渡来人」土生田純之・亀田修一編『古墳時代研究の現状と課題 下』同成社、pp.287-309

亀田修一　2019a「造山古墳と作山古墳周辺の渡来系遺物」造山古墳蘇生会編『造山古墳と作山古墳』吉備人出版、pp.25-54

亀田修一　2019b「古代吉備の対外交流—5・6世紀を中心に—」『一般社団法人日本考古学協会2019年度岡山大会研究発表資料集』日本考古学協会2019年度岡山大会実行委員会、pp.11-24

亀田修一　2020「古代山城と地域社会—備中鬼ノ城を中心として—」熊本県教育委員会編『令和2年度（2020年度）鞠智城座談会　地域社会からみた鞠智城』pp.17-31

葛原克人　1987「秦原廃寺」『総社市史—考古資料編』総社市、pp.336-348

葛原克人・近藤義郎・鎌木義昌　1986「こうもり塚古墳」『岡山県史18—考古資料』岡山県、pp.372-375

白石　純　2018「須恵器の胎土」『季刊考古学』142、雄山閣、pp.28-32

関　晃　1966『帰化人』至文堂

総社市教育委員会　1984『緑山17号墳・すりばち池3号墳・山津田遺跡・清水角遺跡』総社市埋蔵文化財発掘調査報告1

総社市教育委員会　1985『法蓮古墳群』総社市埋蔵文化財発掘調査報告2

総社市教育委員会　1991『水島機械金属工業団地協同組合西団地内遺跡群』総社市埋蔵文化財発掘調査報告9

総社市教育委員会　1999『奥坂遺跡群』総社市埋蔵文化財発掘調査報告15

総社市教育委員会　2005『古代山城鬼ノ城』、同2006『古代山城鬼ノ城2』

総社市教育委員会　2011a『鬼城山—国指定史跡鬼城山環境整備事業報告—』

総社市教育委員会　2011b『長良小田中遺跡』総社市埋蔵文化財発掘調査報告22

総社市教育委員会　2016『国指定史跡作山古墳測量調査報告書』総社市埋蔵文化財発掘調査報告25

髙橋進一　1994「福井新田地区ほ場整備事業に伴う発掘調査」総社市教育委員会編『総社市埋蔵文化財調査年報（平成5年度）』4、pp.28-29

直木孝次郎　1983「吉備の渡来人と豪族」藤井駿先生喜寿記念会編『岡山の歴史と文化』福武書店、pp.73-91

中野雅美　1993「菅生小学校裏山遺跡出土の初期須恵器」『韓式系土器研究』Ⅳ、pp.107-119

土生田純之　1985「古墳時代の須恵器（1）」『末永先生米壽記念献呈論文集 乾』末永先生米寿記念会

平井典子　2013「南溝手地内の保育所建設に伴う発掘調査概要報告」総社市教育委員会編『総社市埋蔵文化財調査年報（平成23年度）』22、pp.27-46

広島県草戸千軒町遺跡調査研究所編　1980〜1982『備後寺町廃寺—推定三谷寺発掘調査概報—第1次〜第3次』

釜山大学校博物館　1990『東莱福泉洞古墳群Ⅱ』

吉田　晶　1990「第1章 吉備と大和　第4節 吉備の部民」『岡山県史3 古代Ⅱ』岡山県、pp.97-120

＊紙数の関係で、各遺跡の報告書・参考文献については代表的なもののみを挙げた。ご了承ください。

Column 1

鎌木義昌と
瀬戸内考古学研究

白石　純　*SHIRAISHI Jun*

　瀬戸内考古学研究の発展に寄与した鎌木義昌（1918 ～ 1993）は、大阪に生まれ、倉敷考古館主事のあと 1967 年に岡山理科大学教授に就任し、同大学理学部長などを歴任した。

　1957 年（昭和 32）に山内清男、島五郎らと大阪府国府遺跡の再調査や 1960 年には芹沢長介と長崎県福井洞穴の調査を行った。また、標式遺跡となっている岡山県鷲羽山遺跡、香川県井島遺跡、岡山県黄島貝塚・磯の森貝塚・田井遺跡など瀬戸内地方の旧石器・縄文時代遺跡を精力的に調査し、この時代の編年研究を進め、指導的役割を果たした。なかでも高橋護とともに国府遺跡出土資料から国府型ナイフ形石器の製作工程を復元し「瀬戸内技法」と命名したことは、学史に残る研究である。1990 年代以降は、旧石器時代の年代をより明確にするため火山灰編年学を応用し、火山灰の堆積が良好な中国山地の蒜山原遺跡群の発掘調査に専念した。そのほか弥生・古墳時代以降の研究でも多くの業績を残している。

　ここでは、旧石器・縄文時代を中心に業績を述べてみたい。

1.「瀬戸内技法」の提唱

　後期旧石器時代の近畿西部・瀬戸内中央部の石器石材であるサヌカイト地帯で発達した石器製作技術。大阪府国府遺跡出土資料から提唱した。図2 ⑦の翼状剝片を量産するために考えられた剝離工程で、最終には国府型ナイフ形石器を仕上げる技法である。

2. 瀬戸内地方の「旧石器時代編年表」

　1954 年以降、鷲羽山遺跡、井島遺跡の発掘調査を始め瀬戸内海の旧石器

図1　鎌木義昌

遺跡の調査を実施した鎌木は、高橋護と共著で、1965 年に『日本の考古学Ⅰ　先土器時代』（河出書房新社）に「瀬戸内地方の先土器時代」と題して表1に示した瀬戸内地方先土器（旧石器）文化の編年表をまとめた。この表では、刃器（石刃）→国府型ナイフ→細石器という変遷を示している。そして、この地方文化の特色として、瀬戸内技法やサヌカイト製石器は、自然・地理的環境などの影響で地域的統一性があることを述べている。

3.　長崎県佐世保市福井洞窟遺跡の調査

「細石刃」と「隆線文土器」が、同じ層から出土することがわかり、後期旧石器時代末から縄文時代草創期への移り変わりが層位的に示され、考古学における重要な発見となった。そして、隆線文土器から爪形文土器へ変遷することも判明した。また、放射性炭素による年代測定を行い、隆線文土器が出土した3層が 12,700 ± 500 年前と推定され、縄文土器の出現を知るうえで重要な調査となった。この調査成果は、福井洞窟ミュージアム（2021 年4 月 28 日開館）で見ることができる。

表1　瀬戸内海地方の先土器時代編年表
（鎌木・高橋 1965a より一部改変）

	文　　　化	
蔽打器	城山ⅠA・B・C（？）	
刃　器	鷲羽山ⅠA	
	鷲羽山ⅠB（城山Ⅱ）	
ナイフ形石器	（城山Ⅲ）？	
	国府	
	（鷲羽山Ⅱ）？	
	宮田山　　（鷲羽山ⅢA）	
細石器	幾何形	井島Ⅰ（鷲羽山ⅢB）（太島）
	細刃器	（出崎）？ 井島Ⅱ（鷲羽山Ⅳ）
土器文化？	有茎尖頭器(上黒岩)(馬渡)土器伴存 石鏃（井島Ⅲ）有茎尖頭器（重石ノ鼻）無文土器？	

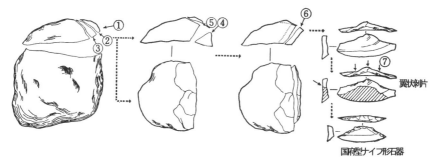

図2　瀬戸内技法概念図（矢印は打撃の方向）（鎌木・高橋 1965a より一部改変）

4. 瀬戸内における縄文式土器の編年研究

　旧石器と同じく縄文式土器の編年研究も精力的に行っていた。この成果も『日本の考古学Ⅱ　縄文時代』の「瀬戸内」（鎌木・高橋1965b）で、表2のように現在の基礎となる編年表を提示した。また、岡山県南部を中心とした瀬戸内海地域の遺跡分布や主要な遺跡の継続時期などから定住や移住の実体について述べ、その後の研究の基礎となった。

　以上、旧石器・縄文時代の業績を述べてきたが、これ以外にも弥生・古墳時代の中国地方の土器編年研究にも取り組んでいる。

　このように鎌木が取り組んだおもな研究をまとめると、瀬戸内における旧石器時代の編年を探る研究、縄文文化の起源を探る研究、瀬戸内の縄文土器の編年を探る研究となる。

引用・参考文献

鎌木義昌・高橋　護　1965a「瀬戸内海地方の先土器時代」『日本の考古学Ⅰ』河出書房新社

鎌木義昌・高橋　護　1965b「瀬戸内」『日本の考古学Ⅱ』河出書房新社

鎌木義昌　1966「縄文式土器、縄文文化の起源について」『岡山理科大学紀要』第2号　岡山理科大学

鎌木義昌　1996『瀬戸内考古学研究』河出書房新社

表2　瀬戸内の縄文土器編年表
（鎌木・高橋1965bより一部改変）

期	岡山・広島	香川・徳島	高知	愛媛	山口	周辺地域（九州）
早期				上黒岩Ⅰ		
				上黒岩Ⅱ		
	（畑ノ浦A）					
	黄　島→	（小蔦島）→	「佐　川」	（上黒岩Ⅲ）		
	（畑ノ浦B）					
	羽島下層Ⅰ（前期?）					
前期	羽島下層Ⅱ←					轟式（細隆線）
	羽島下層Ⅲ→	「伊喜末下層」			《月崎下層》	
	（磯ノ森下層）					
	磯　ノ　森	「南草木」				
	彦崎ZⅠ					
	彦崎ZⅡ	「南草木」				
	田　井					
中期	《中期初》	→「神子浜」		→「宿　毛」		
	船　元	→「神子浜」	→「玉星敷」		汐　待	阿高式
	里　木Ⅱ	→「神子浜」				
	福　田C					
後期	中津（福田KⅠ）	→「神子浜」				
	福田KⅡ	→「神子浜」		→「宿毛」	→《月崎上層》	→永犬丸Ⅰ式
	彦崎KⅠ・(津雲A)			→平　城	→《月崎上層》	→鐘ヶ崎式
	彦崎KⅡ					→西平式
	（馬　取）					
	福田KⅢ					
晩期	黒土BⅠ（福田B）	「伊喜末上層」				
	原　下　層					
	黒土BⅡ	「伊喜末上層」	→（入　田）			

第2章

日本の考古学－西日本の古代山城
備中鬼ノ城を中心に

亀田修一 *KAMEDA Shuichi*

　日本列島の古代山城には朝鮮式山城と呼ばれているものと神籠石系山城と呼ばれているものがある。前者は『日本書紀』や『続日本紀』などの記録にみられるもので、後者はその本来の名前は分からないが、列石を伴う土塁や水門の遺構などから古代の山城と考えられているものである。特に後者に関しては、土塁前面下部の列石が大きな特徴として認識されている。

　朝鮮式山城は、663年（天智天皇2）の白村江の戦いにおける敗戦、百済からの多くの人々の亡命、唐・新羅が日本列島へ攻めてくるのではないかという危機感などから築かれたと考えられている（鈴木 2011）。敗戦の翌年、664年に、まず水城（福岡県太宰府市など）が築かれる。翌665年、長門国の城、筑紫国の大野城・椽城が百済からの亡命貴族（将軍）達率答㶱春初、達率憶禮福留・達率四比福夫らによって築かれる。さらに667年、倭国の高安城、讃吉国山田郡の屋嶋城、対馬国の金田城が築かれる。そして698年（文武天皇2）、大宰府に大野・基肄・鞠智の3つの城を繕治させている。一方、高安城は701年（大宝元）に廃され、備後茨城・常城は719年（養老3）に停止されたことが記されている。

　このように記録にみられ、所在地がおおよそ確認されている朝鮮式山城が6ヵ所、記録にはみられないが、その遺跡が確認されている神籠石系山城が16ヵ所、合計22ヵ所の古代山城が確認されている。そして、記録はあるが、その所在地などがわかっていないものが5ヵ所あり、これに中国系山城といわれている怡土城を含めると、合計28ヵ所の古代山城があることになる。小稿では怡土城と所在地不明の5ヵ所の山城は外して述べていく。

　古代山城に関する研究は、古くから進められ、小田富士雄 1983・1985 や宮

小路賀宏・亀田修一1987などで研究の歴史がまとめられ、近年では向井一雄が2017年『よみがえる古代山城』で研究の歴史や現状を整理している。そして、その後も発掘調査、研究が着実に進められている。

　小稿では、諸先学の研究成果によりながら、「完成・未完成」「遺構・遺物の総合化」などをキーワードに、考古学的な検討結果を記録や文字資料と対比することでより具体的な山城の様相などを明らかにしたいと考えている。なお、小稿ではこの約10年間古代山城について述べてきた筆者の考えを整理するとともに、備中鬼ノ城を主な対象として述べる（本章末尾の亀田文献参照）。

1　古代山城の遺跡・遺構

（1）分布・選地・周辺遺跡・規模・縄張・高さ・比高差

　分布　西日本の古代山城は長崎県対馬金田城跡（田中淳2016）から奈良県・大阪府境の大和高安城跡（山田2016）まで、基本的に北部九州（一部中部九州を含む）と瀬戸内海沿岸地域に分布している。しかし、朝鮮半島との関わりを考えれば、その存在が十分推測される山陰地方では確認されていない。

　このような分布は当時の王権に関わる人々が中国・朝鮮半島からの攻撃があるならば、瀬戸内海沿岸ルートを通るであろう、このルートに城を築いていれば、ひとまず何とかなるであろうと考えていた可能性が推測できる。つまり山

A. 大野城跡
B. 基肄城跡
C. 長門城
D. 金田城跡
E. 屋嶋城跡
F. 高安城跡
G. 鞠智城跡
H. 茨城
I. 常城

三野城・稲積城は
所在地不明

図1　古代山城の分布
1：播磨城山城跡　2：大廻小廻山城　3：鬼ノ城　4：讃岐城山城跡　5：永納山城跡　6：石城山神籠石　7：唐原山城跡　8：御所ヶ谷神籠石　9：鹿毛馬神籠石　10：杷木神籠石　11：高良山神籠石　12：女山神籠石　13：おつぼ山神籠石　14：帯隈山神籠石　15：雷山神籠石　16：阿志岐山城跡

陰側からの攻撃をあまり意識していなかったようである。

　選地・周辺遺跡　北部九州から瀬戸内海沿岸地域を経て、大和までの範囲内でどのような場所が選ばれたのか。まず、玄界灘沿岸から有明海北部沿岸までの地域で、大宰府を中心とする地域、朝倉橘広庭宮を中心とする地域などが防御の拠点であると考えられている。海からの攻撃と、上陸してのちの主要交通路（のちの官道など）沿いの重要な場所に山城が築かれたと考えられている。大宰府の周囲には大野城（下原 2016）・基肄城（田中正 2016）・阿志岐山城跡（小鹿野 2016）と水城（杉原 2016）および関連土塁などがあり、朝倉橘広庭宮推定地の近くには杷木神籠石がある。のちの国府などの地域拠点周辺に関しては、高良山神籠石の麓に筑後国府関連遺跡群があるが、そのほかの朝鮮式山城・神籠石系山城の近くには明確な国府関連遺跡などの存在はよくわからない。

　次にこの北部九州から河内・大和までであるが、瀬戸内海沿岸の各国に1、2ヵ所ずつ築かれている。国府関連遺跡との関係が比較的推測しやすい例は備中鬼ノ城（総社市教育委員会 2005、平井 2016）と伊予永納山城跡、そして讃岐城山城跡（古代山城研究会 1996）くらいで、そのほかは交通の要衝にはあるが、特定の拠点との関わりはあまり明確ではないようである。たとえば、備前大廻小廻山城は備前国府推定地とはかなり離れている。

　規模　規模に関しては、大野城、基肄城、鞠智（矢野 2016）など城周が約3.5km を超えるグループと、おおよそ 2 〜 3km のグループに分けることができそうである。最も規模が小さな播磨城山城跡、豊前唐原山城跡でも 1.5km を超えており、日本列島に古代山城を伝えたとされる百済の山城と比較すると、いずれも地域拠点の城、または王城クラスのもので、かなり大規模に作られたことがわかる（亀田 1995）。つまり日本列島の古代山城は少なくとも百済であるならば、地域拠点の城以上の性格を有するものである。これは最も多い筑前が 5 ヵ所、次いで肥前 3 ヵ所、筑後・豊前・讃岐が 2 ヵ所ずつ、そして残りの各国に 1 ヵ所ずつという分布状況、大野城や基肄城などの規模を合わせ考えると、百済の城のあり方に対応していると考えて良いであろう。

　縄張・高さ・比高差　縄張に関しては、基本的に山の周囲を城壁がめぐるもので、尾根線上をおもに使用する日本列島の中世山城とは基本的に異なる。その山のどの部分に城壁をめぐらすのかなどによって鉢巻式、包谷式などに分類されているが、実際には山の形などによって多様である。また標高の高低差

も、最低所がほとんど平地に接する肥前おつぼ山神籠石（鏡山ほか1965）、筑前鹿毛馬神籠石、豊前唐原山城跡などから、最低所と平地との比高差が200m以上ある筑前雷山神籠石、周防石城山神籠石、讃岐城山城跡、讃岐屋嶋城跡など多様である。筑前大野城跡や肥前基肄城跡は平地との比高差は130〜140mであり、肥後鞠智城跡は約30mとかなり近い。また崖の上に築かれた印象がある対馬金田城跡も西から北側は比高差が100m以上あるが、東側、特に二ノ城戸付近では海との比高差は22mほどしかなく、海までの距離も100m弱である。ちなみに備中鬼ノ城の比高差は約250mである。

（2）外郭構造

①城壁

土と石　朝鮮半島の古代山城に関しては、そそり立つ石の城壁がよく紹介され、一般的に石城がほとんどのようなイメージがあるが、少なくとも百済の中心域である忠清南道では土城と石城の数は半々であり、王都が置かれた公州や扶余地域では約7割が土城である（亀田1995）。つまり日本列島に山城を伝えた百済地域の山城は少なくとも土城がそれなりの数は存在するのである。

　西日本の古代山城に関しても、石城は対馬金田城跡のみで、よく石垣の写真が紹介される備中鬼ノ城もほとんどは土で築かれている。また讃岐屋嶋城跡に関しても、確認されている門付近の城壁は石で築かれているが、そのほかの部分に関しては、切り立った崖をそのまま使用した可能性も推測され、その上に土塁が築かれている可能性も無視できないのである。このように西日本の朝鮮式山城・神籠石系山城は基本的に土で築かれた土城で、谷部などに石塁が使用されたと考えられる。そのような意味で対馬金田城跡は特異である。

列石　神籠石系山城の土塁基礎部には基本的に切石や割石の列石を並べ、この列石が朝鮮式山城との区分の大きな目安となり、切石の列石が北部九州の「神籠石」を象徴している。そして瀬戸内海沿岸地域の神籠石系山城では一部周防石城山神籠石に切石加工した石材が使用されているが、基本的に割石・一部自然石で、九州と瀬戸内の神籠石系山城の違いを示している。

　一方、朝鮮式山城ではこのような切石・割石の列石はないと考えられていたが、調査が進む中で、比較的小型の割石や自然石を基礎部に並べた土塁が筑前大野城跡や肥後鞠智城跡で検出され、朝鮮式山城と神籠石系山城の近さが認識されるようになった。特に対馬金田城跡のビングシ門付近の土塁の基礎部でご

く小範囲であるが、備中鬼ノ城の列石と類似した大きめの石材が確認された。この石材をどのように理解するのか、今後の調査に期待したい。

　ちなみに、割石列石の土塁は朝鮮半島ではよくわかっていないが、百済時代のものと推測される全羅北道益山猪土城で確認されている（亀田2016b）。

　列石・石垣の石材加工　上記のように九州の神籠石系山城の列石は基本的にきれいに加工されており、いわゆる切石になっている。特に上前面を鍵形に加工するものが比較的見られる。この上面鍵形加工は、本来この加工面まで土塁を削り出すためのものと推測される。

　九州の列石石材は、上面鍵形加工のほかは基本的に正面を方形に加工しているが、豊前唐原山城跡には逆に上部前面側を少し高くして、後側を低くしたものがある。このような加工は筑前阿志岐城跡で類似した加工をしたものが見られるだけである。筑前阿志岐城跡では正面から見てL字、逆L字の鍵形加工（切り込み）をして石材を積み上げた部分が見られる。豊前唐原山城跡や筑前阿志岐城跡の上前面を一段高く加工して石材を積み上げる方法は高句麗の古墳や山城の石積みにおいて見ることができ、高句麗の石材加工技術とつながる可能性がある。さらに筑前阿志岐城跡ではこのような加工がない石材に関しても積み上げるときに前面を少し下げて階段状に積んだ部分がある。

　柱穴列　九州の神籠石系山城では列石前面の柱穴列も特徴の一つである。その間隔が約3mあることから、唐尺の使用が検討され、年代推定にも使用された（鏡山ほか1965）。ただその後調査が進むにつれて穴の数、大小などいろいろ検出されるとともに、前面に柱穴列が確認できない備前大廻小廻山城の土塁も確認された。また柱穴列は土塁前面だけでなく、土塁中央部でも検出され、土塁構築時の堰板固定のためのものであるとともに、少なくとも土塁中央部の柱穴列は柵列としても使用されたのではないかと推測されるようになった。

　一方、土塁前面に

図2　筑前鹿毛馬神籠石切石列石（左）と備中鬼ノ城割石列石（右）

柱穴列が確認できない場合は、土塁側面の孔の痕跡などから横木などを使用して固定した可能性が推測されるとともに、堰板を使用していなかった可能性も推測されるようになった（亀田 2018）。

　折れ　城壁の築き方において、土塁自体・列石・柱穴列などが平面的に「折れ」を持ちながら直線的に築かれるグループとそれらが曲線をなすグループに分けられる。葛原克人の指摘によるもので前者が瀬戸内海沿岸地域の山城、後者が九州の山城の特徴とされた（葛原 1994）。基本的にこれでよいのであるが、この折れの特徴も近年の調査により、筑前大野城跡、筑前阿志岐城跡、筑前雷山神籠石などにあることが指摘されている（入佐・小澤 2010 ほか）。

　敷石　例は極めて少ないが、備中鬼ノ城の土塁の内外裾部で敷石が確認されている。外面の敷石の場合、土塁前面の柱は切断されるなどしてその上に石が敷かれたことになる。ほかに土塁の外側の敷石は筑前大野城跡小石垣地区でのみ検出されている。朝鮮半島では忠清北道稷山蛇山城跡などで検出されている。ただ、朝鮮半島でも例は少ないようである。

　雉（雉城）　雉は城壁の外面に上から見て、方形または半円形に突出させた構築物で、敵が城壁に迫ってきたときに、側面からも攻撃できる極めて有効な防御施設である。形態、地域によって雉城、曲城、馬面などとも呼ばれている。この雉が角を持つ城のコーナー部分に設けられ、その上に建物が建てられている場合、「角楼」と呼ばれている。

　日本列島ではこの雉に関しては、古くから対馬金田城跡の一ノ城戸が注目されていたが、後世の作り直しではないかとの意見もあった。しかし、備中鬼ノ城の調査で初めて古代山城に伴うものであることが確認され、対馬金田城跡のものは、上部は改変されているが、基礎部は当初のものと考えら

図3　備中鬼ノ城の角楼

れるようになった。さらに讃岐屋嶋城跡の浦生石塁横の突出部もその可能性が検討され、筑前大野城跡にもありそうであると考えられている。

　このような雉に関しては、前述のように中国・朝鮮半島に類例があるのであるが、車勇杰氏によれば、百済地域の雉は横長型で、備中鬼ノ城や対馬金田城跡のものは百済型と考えられるとのことである（車勇杰氏のご教示による）。

　②門

　平門と懸門　古代山城の門は基本的に城外から城内へ多少の傾斜はあるにしてもそのまま入る「平門」と考えられていた。しかし、讃岐屋嶋城跡において門に段差がありそうであることが確認され、備中鬼ノ城の発掘調査においても段差のある門が確認され、朝鮮半島の山城の「懸門」ではないかと注目されるようになった。そしてこのような視点から各地の山城の調査が進められ、現時点では上記2ヵ所のほか、対馬金田城跡、筑前大野城跡でも懸門が確認されている。ちなみに城外面と門床面の高さの差は、讃岐屋嶋城跡城門は約2.5m、備中鬼ノ城北門は約1.6m、対馬金田城跡三ノ城戸は約1.6m、筑前大野城跡北石垣城門は約1.4mである。

　門の平面的特徴：甕城・枡形　甕城、枡形のような平面構造を持つ門は讃岐屋嶋城跡、備中鬼ノ城北門などで確認されている。どちらも懸門で、城内に入ったあと、まっすぐ進むことができず、一度左に曲がってしか入れないようになっている。このような構造の門は百済の錦山栢嶺山城に見ることができる。

　讃岐屋嶋城跡や備中鬼ノ城のような全面的な調査を経たものではないが、筑前大野城跡の懸門である北石垣城門もその地形を見ると、同様の構造になっていると思われる。また、筑前大野城跡の太宰府口城門の場合は、門内を通過したのち同じように直進できないように掘立柱の板塀のようなものが

図4　備中鬼ノ城の北門（懸門）
（中央右寄りの木製スロープは出入り用に新たに作ったもの）

作られていたことがわかっている。このような板塀などによる遮蔽装置は備中
鬼ノ城西門にも見られ、同南門も門を通過して石段を登ると前面に土と石の壁
があり、直進はできないようになっている。

　敷石・排水溝　対馬金田城跡、備中鬼ノ城、讃岐屋嶋城跡と大野城跡の一部
の門の床面には敷石があり、対馬金田城跡と讃岐屋嶋城跡ではそれらが階段を
なすこと、また備中鬼ノ城北門と讃岐屋嶋城跡ではその下部に排水溝があるこ
とも確認されている。

　門礎石：唐居敷・礎石　城門に関する重要な遺物が門礎石である。掘立柱の
柱を添える唐居敷と上に柱を載せる礎石がある（向井1999）。前者は筑前大野
城跡、筑前水城跡、肥前基肄城跡、肥後鞠智城跡、周防石城山神籠石、備中鬼
ノ城、播磨城山城跡、讃岐城山城跡で確認され、九州のものは円形の柱が添
えられるように丸く刳り込まれており、瀬戸内海沿岸地域のものは基本的に方
形の柱が添えられるように方形に刳り込まれている。ただ、備中鬼ノ城の東門
の唐居敷は円形に刳り込まれている。また周防石城山神籠石と播磨城山城跡、
讃岐城山城跡には方形の刳り込みと方立、蹴放の段差などは作られているが、
軸摺穴がないものがあり、讃岐城山城跡では柱を添えるための方形の刳り込
みが貫通していないものもある。少なくとも讃岐城山城跡には未完成の唐居敷
が存在し、未完成の門があったものと推測される。周防石城山神籠石と播磨城
山城跡の唐居敷に関してはこれで完成形の可能性もあるが、未完成品である可
能性もある。また、讃
岐屋嶋城跡では立派な
石組みの門跡が確認さ
れ、一部柱穴跡が検出
されているが、石製の
唐居敷は検出されてい
ない。流出してしまっ
た可能性と木製唐居敷
の可能性が推測されて
いる。

　一方、柱を石の上に
載せる礎石は、対馬金

図5　備中鬼ノ城西門の唐居敷

田城跡、筑前大野城跡で確認され、播磨城山城跡と大和酒船石遺跡にもその可能性のあるものがある。筑前大野城跡太宰府口城門の礎石は唐居敷使用門の改修時に使用されており、8世紀前半のものと考えられている。播磨城山城跡のものはよくわからない。大和酒船石遺跡のものはもし酒船石遺跡の石垣・土塁に伴うものであるならば、7世紀中葉まで遡ることになる。対馬金田城跡の礎石に関しては、石塁の城門に伴うものと城内土塁のビングシ門に伴うものすべてが同じグループのもので、城内土塁が外周の石塁と同じ時期のものか、それとも遡るのかによって使用時期に幅が出てくる。少なくとも現時点まで対馬金田城跡では8世紀に入る土器などは出土しておらず、ビングシ門礎石が遡るならば、筑前大野城跡の礎石建物の門よりも古い段階に礎石建物の門が建てられていたことになる。

　門の建物：掘立柱建物・礎石建物　今述べた唐居敷と礎石を使用した門のほかに、唐居敷を使用しない掘立柱建物の門が肥前おつぼ山神籠石東門などで想定されている。ただ柱穴が大きくなく、門部分の城壁構築用の柱穴という考え、門の柱と工事用支柱を兼ねたものという考えもある（山口2003：註19）。

　この肥前おつぼ山神籠石以外には神籠石系山城で上記の唐居敷関連のものを除くと明確な門跡は確認されていない。

　水門　城内の水は基本的に谷部に排水溝を作って流出させている。通水施設を持たず、そのまま石塁・石垣の間を自然に流れ出るようにしたものも備中鬼ノ城などで確認されているが、西日本の古代山城では一般的に、土塁や石塁の下部に排水溝を作ったいわゆる「水門」がある。その通水口の数は一つの石垣に1ヵ所の例が多いが、2、3ヵ所のものもあり、横に、上下に、また斜めに並ぶものも見られる。

　この排水溝の床面は、一般的には城壁の最下部、地山面をそのまま利用するものがほとんどで、単独の排水溝が地山面から少し高い石塁や土塁内に確認される

図6　備中鬼ノ城第2水門（左）と大韓民国沃川城峙山城水口（右）

ものが筑前大野城跡、豊前御所ヶ谷神籠石、備中鬼ノ城などで確認されている。豊前御所ヶ谷神籠石では現在の外面の床面から数十cmのところに底石を少し突出させ、その側面に側石を立てて丈夫な排水溝を作っている。備中鬼ノ城では石垣の上面に排水溝を作り、その上に土塁を載せている。このような排水溝の高さが何らかの意味を持つのかよくわからないが、百済地域には地山を床面に利用するものが比較的多く見られ、新羅地域では水口が高いところにあるものがみられる。

（3）内部施設

①建物

古代山城においては、掘立柱建物と礎石建物が検出され、管理棟、倉庫、兵舎、作業小屋、祭祀関連建物などの用途が推測されている。

掘立柱建物跡は、筑前大野城跡、肥後鞠智城跡、対馬金田城跡などで検出され、その柱穴の配置や大きさ、柱間の距離などから前二者のものは管理棟や兵舎、倉庫、鼓楼などが推測され、対馬金田城跡のものは柱穴が小さく、並びが不揃いで小規模の兵舎や鍛冶遺構に伴うものと推測されている。備中鬼ノ城の鍛冶場遺構に伴う小型の柱穴列も上屋の可能性が推測されている。

礎石建物跡は、筑前大野城跡、肥前基肄城跡、肥後鞠智城跡、備中鬼ノ城で確認されており、その柱配置などから管理棟、倉庫、鼓楼などが推測されている。特に3×3〜5間の総柱建物は柱の配置状況や前3者の建物跡周辺で出土した炭化米などから倉庫と推測され、近年注目されている（赤司2014）。

また上記の礎石建物跡以外で、大和高安城跡、豊前御所ヶ谷神籠石、豊前唐原山城跡、播磨城山城跡、讃岐城山城跡で礎石建物跡や集石群が確認されている。大和高安城跡のものは8世紀前半のものであることが発掘調査で確認されており、それ以外ものは時期などやや不確実である。

以上のように城内に掘立柱建物や礎石建物が造営され、その遺構が確認できる山城は確実なものが5ヵ所、やや不確実なもの5ヵ所を含めても合計10ヵ所である。城壁遺構が確認されている古代山城は合計22ヵ所であり、確実な建物遺構は5ヵ所、つまり1/4以下しか見つかっていないのである。逆に半数を超える12ヵ所では建物遺構は確認できていないのである。

古く、城内施設の遺構が確認できないことが神籠石系山城の特徴の一つとしてあげられたが、この確認できないことが単に未発見ということなのか、それ

とももともと城内施設が作られなかったことを示しているのか。今後発見される可能性はあるが、そのような意識で検討しておく必要はありそうである。

②貯水施設

貯水施設、および可能性がある遺構は、肥後鞠智城跡、備中鬼ノ城、豊前御所ヶ谷神籠石、讃岐屋嶋城跡、そして筑前大野城跡などで確認されている。籠城するには当然無くてはならない施設である。肥後鞠智城跡の貯水施設では堤防状遺構と岩盤掘削堰堤が検出され、備中鬼ノ城の貯水施設では土手状遺構が調査され、貯水機能とともに城壁の破損防止のために使用された可能性が考えられている。この2ヵ所のほかに、豊前御所ヶ谷神籠石の貯水施設推定地は未調査であるが、その可能性は高い。讃岐屋嶋城跡の貯水施設に関しては、一部が発掘調査されただけで、詳細は不明であるが、地形的には土手状遺構を持つ貯水施設がいくつかつながって築かれていたものと推測される。さらに筑前大野城跡では鏡ヶ池と呼ばれる場所があり、現在も水がたまっている。

③鍛冶場

鍛冶遺構は対馬金田城跡、備中鬼ノ城、伊予永納山城跡などで検出されている。山城の築城開始期から石材加工用工具の製作・修繕などに必要なものであり、完成したあとの維持管理用にも使用される。武器類を作った可能性もある。対馬金田城跡では兵舎と推測されている小型掘立柱建物跡などの近くで鍛冶遺構が確認されている。また備中鬼ノ城の鍛冶場では段状遺構のなかに9基の鍛冶炉跡が並び、7世紀後半の土器が出土している。

④その他

烽火場などが推測されるが、確実なものはわかっていない。ただ、備中鬼ノ城では頂上部付近の大きな岩の上部が焼けて赤化したものが発掘調査で検出されている。烽火場である可能性はある。

2　遺物

古代山城出土遺物は、土器、土製品、鉄製品、青銅製品、木製品など多様なものがある。それらの中には文字を記したものもあり、その城の名前や当時の様子を知ることができる。例えば筑前大野城跡では「大城」墨書土器が出土しており、肥前基肄城跡では「山寺」墨書土器が出土している。また、年号は記されていないが、肥後鞠智城跡内部の貯水池跡で8世紀第1四半期の土器など

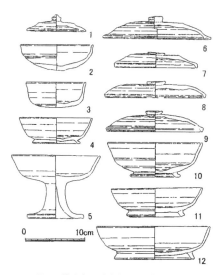

図7　備中鬼ノ城出土土器（1/8）

とともに「秦人忍□（米ヵ）五斗」と記された木簡が出土している。

　筑前大野城跡や肥後鞠智城跡では、発掘調査を長年行っており、その発掘調査面積も広いことから多様でかなりの量の遺物が出土している。須恵器では杯・皿類などのほか、円面硯や転用硯などの管理に関わるもの、甕などの貯蔵容器がある。土師器では杯・皿類などのほか、甕・鍋・甑などの煮炊き具も出土しており、城内での生活の様子も推測できる。土器類以外にも、瓦や鉄器、木器、炭化米、さらに青銅製品なども出土している。

　この両者にはおよばないが、備中鬼ノ城でも比較的多くの遺物が出土している。土器以外に瓦や瓦塔なども出土している。肥前基肄城跡では、一部の建物関連の発掘調査で土器や瓦や炭化米などが礎石建物跡周辺で出土しており、山城の造営時期、機能していた時期などが推測されている。

　一方、城内施設の調査がほとんどなされていない山城では、城壁・門跡・水門跡の調査で、少量の遺物が出土している。今後、貯水施設などを意図的に調査すれば、その量は増加するものと推測される。

　また、筑前大野城跡（665年築城、698年繕治）、肥前基肄城跡（665年築城、698年繕治）、肥後鞠智城跡（698年繕治）では瓦が出土している。665年頃の築城時に使用されたのか、もし使用されたならばどの瓦なのか、未だ決定できていないが、少なくとも698年の繕治工事段階に朝鮮半島系の軒瓦を使用した礎石建物が建てられたものと考えられている。そして、筑前大野城跡や肥前基肄城跡では8世紀前半の大宰府系軒瓦が出土している。ただ、肥後鞠智城跡では大宰府系軒瓦は未確認ではある。

　対馬金田城跡（667年築城）では上記の3つの城とは様相が異なり、7世紀代の土器は出土しているが、8世紀以降の土器はよくわかっていない。これは対

馬金田城に関する繕治記事がないこと、大型礎石建物跡の未確認、そして瓦が確認されていないことと関わる可能性がある。今後城内で礎石建物跡が確認される可能性はあるが、現時点では対馬金田城跡とほかの3つの城の性格が異なる、または途中で変化した可能性を示唆しているものと推測される。

　武器武具類はいずれの山城においてもあまり確認されていない。

3　備中鬼ノ城の築城

　備中鬼ノ城は岡山県総社市奥坂に所在する鬼城山（標高396.6m）に位置する（総社市教育委員会2005・2006・2011、岡山県教育委員会2006・2013、亀田2009）。南に下がる斜面部に城壁がめぐらされた城周2790mの土城である。この山城に関する古代の記録はなく、いわゆる神籠石系山城である。

　古代の「国郡」は、「備中国賀夜郡」で、鬼城山の南東の麓に「東阿曽・西阿曽」という地名が残っていることからこの付近が「阿曽郷（阿蘇郷・阿宗郷）」に比定されている。

（1）備中鬼ノ城の遺構・遺物の特徴

　城壁は基本的に基部に割石列石を配した版築土塁で築かれているが、一部石垣や石塁で築かれている。城壁は全周し、城門跡が4ヵ所（うち3ヵ所が懸門）、通水口をもつ水門跡が5ヵ所、角楼跡が1ヵ所確認されている。4ヵ所の城門跡には方形と円形の刳り込みをもつ花崗岩製唐居敷が使用されている。西門跡南東部のいわゆる高石垣は、上部の石の積み具合の不揃い、石垣背後の掘方、裏込めの状況などから少なくとも一部は修築されたと考えている。

　遺構は、礎石建物跡、土手を持つ貯水施設跡、溜井跡、烽火台跡（?）、鍛冶場跡などが確認されている。礎石建物跡は管理棟と倉庫と考えられている。

　遺物は、土器では杯類が主であるが、須恵器甕や土師質の甕・鍋・甑などの煮炊き具を含み、そのほか円面硯、転用硯、鍛冶関係遺物、瓦塔、水瓶、隆平永寶（初鋳796年）などが出土している。時期的には7世紀後半から8世紀前半、そして9～11世紀のものに区分され、備中鬼ノ城は7世紀後半に築城され、8世紀前半まで城として使用されるが、9世紀からは宗教施設して使用され、これが後の新山寺へつながった可能性が考えられている。

　このように備中鬼ノ城は、城壁は完周し、門も構築され、城内に礎石建物などの施設があり、さらに城壁の修繕の可能性もあり、完成した城といって良い

と思われる。そして、日本のほかの古代山城とは異なる特徴が見られ、いずれも朝鮮半島の山城との関連が推測できる。日本の古代山城はおもに百済との関わりが考えられているが、備中鬼ノ城は百済山城だけでなく、背後に高句麗とつながる朝鮮半島中部地域の新羅山城も合わせて比較研究すべきようである。このような特徴から具体的な築城者を考えると、7世紀後半の朝鮮半島百済などからの亡命者・渡来人たちだけでなく、それ以前からこの吉備地域に移り住んでいた渡来系の人々の存在も無視できなくなるのである。

（2）備中鬼ノ城が築かれた場所

　備中鬼ノ城が築かれた場所は「備中国賀夜郡阿曽（蘇）郷」と推測される。賀夜郡の当時の様子を教えてくれる貴重な文字史料が、『正倉院文書』「備中国大税負死亡人帳」（739年〔天平11〕）であり、阿蘇郷には宗部里の戸「西漢人部麻呂」、戸「羅曳連豊嶋」、磐原里の戸主「史戸阿遲麻佐」、その口「西漢人部事无賣」の4人が記されている。この「宗部里」の「宗部」は「宗我部」であろうと吉田晶によって指摘されており（吉田1990：p.103）、この地域が蘇我稲目による555年の白猪屯倉設置と関わることがわかる。「羅曳連豊嶋」はよくわからないが、残りの3名は近畿地方と関わる渡来系の人々と考えられ、白猪屯倉設置に伴ってこの吉備の地、備中鬼ノ城の麓に入ってきたと考えられる。

　「備中国大税負死亡人帳」の賀夜郡には、ほかに庭瀬郷三宅里：忍海漢部真麻呂、庭瀬郷山埼里：忍海漢部得嶋・忍海漢部麻呂、大井郷粟井里：東漢人部刀良手、さらに、都宇郡には、建部郷岡本里：西漢人志卑賣、河面郷辛人里：秦人部稲麻呂・秦人部弟嶋、撫川郷鳥羽里：服部首八千石・史戸置嶋・史戸玉賣などの渡来系の人々の名前を見ることができる。庭瀬郷「三宅里」には「忍海漢部真麻呂」が記されており、「三宅里」は屯倉関連の場で、「忍海漢部真麻呂」は大和葛城地域と関わる渡来系の人物の子孫である可能性が考えられる。

（3）いつ、だれが、どのように、備中鬼ノ城を築いたか

　備中鬼ノ城はどのように造営されたか。まず、発注者はヤマト王権と考えるべきであろう。次に、だれが、この場所を選んだのか。663年の白村江の戦いにおける敗戦を契機として、664年に筑前水城、665年に長門城、筑前大野城、肥前基肄城が築かれ、そして667年に対馬金田城、讃岐屋嶋城、倭国高安城が築かれた。筆者は備中鬼ノ城もこの頃に造営されたと考えている。朝鮮半島か

ら大和までの陸・海の交通の要衝に山城を築く意図があり、備中鬼ノ城もこの
意図に沿って、この地が選ばれ、築かれたと考えている。

　そうすると、備中鬼ノ城の場所を選んだ人物は、少なくとも山城を使っての
防御体制を理解している人物と考えられる。筆者は、このような山城の配置を
考え、防御網を描くことができた人物は純粋な倭人ではなく、『日本書紀』天
智天皇 4 年（665）条の百済滅亡前後に日本列島に渡って来た将軍・貴族たち、
またはそれ以前に日本列島に来ていた渡来系の人物、その子孫たちであったと
考えている。達率憶禮福留と達率四比福夫のような人物が備中鬼ノ城築城に関
わり、指導して選地・縄張などを行ったのではないかと考えている。

　実際の工事はだれが行ったのか。吉備は瀬戸内海交通の要衝であり、選地・
縄張を行った達率クラスの人物がこの地に張り付いて指導し、造営した可能性
も十分考えられるが、やはり実際の工事においては、現場監督のような現地で
指導する人物が必要である。少なくとも、この地の陸路・海路などの交通網、
土地の様子を知る人物が必要である。つまり、このような現場監督、現地指導
者には、将軍たちの補佐クラスの人物と地元のそのようなことを手伝うことが
できる人物、渡来系の人々がいたと考えることが素直であろう。

　こうして、実際の築城に必要ないろいろな技術者、土塁を築く、版築を指導
する、足場を組む、石材を加工する、水門を含めた石積み城壁の石を積む、門
を建てる、角楼を造る、城内の管理棟・倉庫を建てる、それらの工事に使用す
る鉄製工具類を作る、工事に必要な土・石・木などの素材、実際の作業を行う
人々をどのよう
に集めるのかが、
現場監督および
その周辺の作業
チームの仕事に
なると考えてい
る。このような
総合プランナー
はやはりある程
度の経験者でな
ければ難しいの

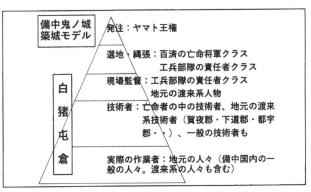

図 8　備中鬼ノ城築城に関わった人々

ではないであろうか。

　百済から亡命してきた人々の中のこのような知識や技術を持った将軍、工兵部隊の責任者クラスの人物などが、地元のそのような作業を行うことができる技術者（おもに渡来系の人々、そして一部倭人）や実際の作業をする人々（おもに在地の倭人たち）を集め、築城していったのではないであろうか。

　以上のような想定をすると、「備中国大税負死亡人帳」に記された人々やその親兄弟の中に備中鬼ノ城の築城や修繕に参加した人物もいたかもしれない。さらに地元である賀夜郡の人々だけでなく、備中国全域の技術者や作業者が動員された可能性は高いのではないであろうか。少なくとも近隣の都宇郡、窪屋郡、そして下道郡の人々は動員された可能性が高いと思われる。

　備中鬼ノ城にはほかの古代山城には見られない多様な特徴がある。これは築城に関わった人々の多様性を反映していると推測される。弥生時代以前からのこの地の人々、5世紀頃におもに加耶南部地域から入ってきた人々の子孫、6世紀後半以降に畿内を経由して入ってきた新たな加耶（・新羅）系の渡来人たちの子孫、そして、白村江の戦い前後以降に入ってきたおもに百済系の人々など、多様な人々が備中鬼ノ城築城に関与することでほかの山城には見られない特徴的・個性的な山城が完成したのではないであろうか。

　また、これらの技術者の動員や具体的な作業の背景には、ヤマト王権中枢部にいた蘇我稲目・馬子親子が関与した白猪屯倉・児島屯倉も大きな意味を持ったと考えている。百済系渡来人の胆津による田部丁籍の検定という作業も大きな意味を持ったのではないであろうか。

4　おわりに

　以上、西日本の古代山城について、遺跡・遺構・遺物の概要を整理して述べるとともに、備中鬼ノ城について述べてきた。西日本の古代山城は、7世紀後半の百済滅亡、白村江の戦いの敗戦を契機に百済からの亡命貴族（将軍）たちの指導のもと築城され、8世紀初め頃にはその役目を終えたようである。

　備中鬼ノ城は古代の記録がなく、神籠石系山城に含まれ、その名前は分からないが、門跡や角楼など特徴的な遺構などから667年に築かれた讃岐屋嶋城とほぼ同時期に築かれたものと推測している。ほかの古代山城にはあまり見られない特徴があり、その特徴が朝鮮半島の古代山城と比較できることから、多様

な渡来系の人々の関与が推測できる。また、神籠石系山城に関しては、多くの
ものが未完成であったことがわかっているが、備中鬼ノ城は完成しており、そ
の違いが何を物語るのか、記録に残された朝鮮式山城とどのように関わるの
か、まだまだわからないことが多い。今後、新たな視座や方法によってさらに
古代山城について検討していきたいと思っている。

引用・参考文献

赤司善彦　2014「古代山城の倉庫群の形成について─大野城を中心に─」高倉洋彰編『東アジア古
　　文化論攷』2、中国書店、pp.385-405
入佐友一郎・小澤佳憲編　2010『特別史跡大野城跡整備事業Ⅴ』福岡県教育委員会
岡山県古代吉備文化財センター編　2006『国指定史跡鬼城山』岡山県埋蔵文化財発掘調査報告203
岡山県古代吉備文化財センター編　2013『史跡鬼城山2』岡山県埋蔵文化財発掘調査報告236
小田富士雄編　1983『北九州瀬戸内の古代山城』日本城郭史研究叢書10、名著出版
小田富士雄編　1985『西日本古代山城の研究』日本城郭史研究叢書13、名著出版
鏡山　猛ほか　1965『おつぼ山神籠石』佐賀県武雄市史蹟調査報告
亀田修一　1995「日韓古代山城比較試論」『考古学研究』42-3、pp.48-66
亀田修一　2009「鬼ノ城と朝鮮半島」岡山理科大学『岡山学』研究会編『鬼ノ城と吉備津神社─
　　「桃太郎の舞台」を科学する』吉備人出版、pp.58-71
亀田修一　2014「古代山城は完成していたのか」熊本県教育委員会編『鞠智城跡Ⅱ─論考編─』
　　pp.17-40
亀田修一　2015「古代山城を考える─遺構と遺物─」岡山県古代吉備文化財センター編『古代山城
　　と城柵調査の現状』全国公立埋蔵文化財センター連絡協議会、pp.1-26
亀田修一　2016a「西日本の古代山城」須田勉編『日本古代考古学論集』同成社、pp.574-595
亀田修一　2018「日本列島古代山城土塁に関する覚書─版築・堰板について─」『水利・土木考古
　　学の現状と課題Ⅱ』ウリ文化財研究院（大韓民国）、pp.325-348
亀田修一　2021「古代山城と地域社会─備中鬼ノ城を中心として─」熊本県教育委員会編『令和2
　　年度（2020年度）鞠智城座談会　地域社会からみた鞠智城』pp.17-31
葛原克人　1994「朝鮮式山城」佐藤宗諄編『日本の古代国家と城』新人物往来社、pp.93-132
古代山城研究会　1996「讃岐城山城跡の研究」『溝漊』6、pp.1-48
鈴木拓也　2011「文献史料からみた古代山城」『条里制・古代都市研究』26、条里制・古代都市研
　　究会、pp.13-28
総社市教育委員会　2005『古代山城鬼ノ城』総社市埋蔵文化財発掘調査報告18
総社市教育委員会　2006『古代山城鬼ノ城2』総社市埋蔵文化財発掘調査報告19
総社市教育委員会　2011『鬼城山─国指定史跡鬼城山環境整備事業報告─』
直木孝次郎　1983「吉備の渡来人と豪族」藤井駿先生喜寿記念会編『岡山の歴史と文化』福武書店、
　　pp.73-91
宮小路賀宏・亀田修一　1987「神籠石論争」『論争・学説日本の考古学6　歴史時代』雄山閣、pp.93-
　　122
向井一雄　1999「石製唐居敷の集成と研究」『地域相研究』27、地域相研究会、pp.7-38
向井一雄　2017『よみがえる古代山城』歴史文化ライブラリー440、吉川弘文館
村上幸雄・乗岡　実　1999『鬼ノ城と大廻り小廻り』吉備考古学ライブラリィ2、吉備人出版
山口裕平　2003「西日本における古代山城の城門について」『古文化談叢』50（上）、九州古文化研
　　究会、pp.65-95
吉田　晶　1990「第1章　吉備と大和　第4節　吉備の部民」『岡山県史3　古代Ⅱ』岡山県、pp.97-
　　120

＊基礎文献である報告書を紙数の関係で提示できない。近年の古代山城関係でまとまったものとして、小田富士雄編　2016『季刊考古学』136、雄山閣がある。小鹿野　亮　2016「阿志岐山城跡」、小田富士雄　2016「おつぼ山神籠石」、亀田修一　2016b「神籠石系山城と朝鮮半島の山城」、下原幸裕　2016「大野城（福岡県）」、杉原敏之　2016「水城（福岡県）」、田中淳也　2016「金田城（長崎県）」、田中正弘　2016「基肄城（佐賀県）」、平井典子　2016「鬼城山（鬼ノ城）」、矢野裕介　2016「鞠智城（熊本県）」、山田隆文　2016「高安城（奈良県）」、渡邊　誠　2016「屋嶋城（香川県）」などが収められている。

第3章

東北アジアの考古学
東北アジアの農耕伝播と日本列島における文化変化

三阪一徳 *MISAKA Kazunori*

はじめに

　本稿では、最新の植物考古学による成果にもとづき、東北アジアにおける農耕がいつ、どこではじまり、その後、どのような過程で日本列島にもたらされたのかについて紹介する。そのうえで、農耕に関連する要素を整理し、日本列島における農耕の実態を検討したい。

　また、自然人類学（形質人類学）と考古学の成果により、日本列島では農耕に伴って新しい文化がもたらされ、これにより縄文時代から弥生時代への文化変化が生じたことが明らかにされてきた。農耕や新しい文化はどこから、誰によって、どのようにもたらされ、それまでの文化がどのように変化したのであろうか。これらの議論に関する先行研究を整理したうえで、土器の分析を通じて検討を行う。

1. 東北アジアにおける農耕の出現と伝播

（1）栽培植物に関する研究の進展

　先史時代にはどのような植物が栽培されていたのであろうか。当時の栽培植物を知る手がかりのひとつは、発掘調査で発見される植物遺存体（植物遺体）である。植物遺存体とは幹・枝・根、種実、葉、芽、花粉・胞子、プラントオパール、表皮細胞などである。植物遺存体は発掘調査で採取した土壌から選別され、その方法には乾燥ふるい選別法、水洗ふるい選別法、浮遊遺物選別法（フローテーション法）などがある（中山 2010）。ただし、植物遺存体はサイズが小さいことが多いため、異なる時期の地層からの混入などにより、所属時期の決定が難しい側面がある。よって、正確な時期を知るためには、放射性炭素年

代測定を行う必要がある。なお、植物遺存体から DNA を抽出することも可能である。

　当時の栽培植物を知るもうひとつの手がかりは、土器に残った植物の圧痕である。この土器圧痕は、土器の素地となる粘土に植物遺存体が混入し、焼成時に植物遺存体が燃え尽きて空隙になることにより形成される。土器圧痕は土器の所属時期がわかれば、圧痕として残った植物遺存体が存在した時期も決定できるという利点をもつ。近年、丑野毅ら（丑野・田川 1991）が開発したレプリカ法による土器圧痕の分析方法により、農耕に関する研究に大きな進展がみられる。レプリカ法とはつぎのような方法である。まず、土器圧痕の凹部にシリコーン樹脂を流し込んでレプリカを作成する。つぎに、被写界深度が深く、低倍率から高倍率の観察が可能である走査型電子顕微鏡（SEM）を用いて、レプリカの表面観察を通じ、植物を同定する、というものである（中山 2010）。

（2）中国大陸における栽培植物の出現

　中国大陸における農耕のはじまりについては、世界的に注目されてきた。現在、中国大陸で栽培化された植物はイネ、アワ、キビが主となることがわかっている（図 1）。

　イネは、紀元前 13,000 ～ 9,000 年頃の長江中・下流域の南部に位置する遺跡で発見されたものが最古とされる。紀元前 7,000 ～ 6,000 年頃になると、長江中流域でイネの出土事例が増加するが、野生種か栽培種かはわかっていない。紀元前 6,000 ～ 5,000 年頃には、浙江省跨湖橋遺跡などで栽培種のイネが確認されている。紀元前 4,900 ～ 4,600 年頃の浙江省田螺山遺跡では栽培種と野生種が半数ずつ認められ、以降、栽培種が定着していく。紀元前 4,400 ～ 3,500 年頃になると、長江中流域の江蘇省草鞋山遺跡などで水田が発見されるようになる（那須 2014）。

　アワとキビの確実な栽培化の事例は、紀元前 6,000 ～ 5,500 年頃の内モンゴル自治区赤峰市興隆溝遺跡で確認されたものとされる。以降、黄河流域およびその北部でアワとキビの栽培が定着していく。なお、紀元前 8,000 年頃に黄河流域で栽培化が開始されていた可能性も指摘されている（那須 2014、宮本 2017）。

　このように、中国南部の長江流域でイネ、中国北部の黄河流域以北でアワとキビの栽培化がはじまり、次第に周辺地域に広がったことが明らかにされている。

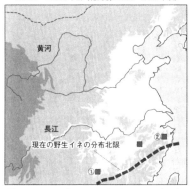

長江：野生イネの採集開始
15000〜11000年前（紀元前13000〜9000年頃）

■長江流域：中流域から下流域南部の丘陵地帯の遺跡
　で野生イネがみつかる
　①玉蟾岩遺跡　②上山遺跡

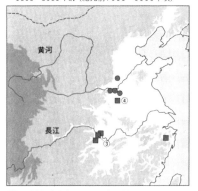

長江：イネの栽培開始？　黄河：雑穀栽培の開始
9000〜8000年前（紀元前7000〜6000年頃）

■長江流域・中流域：イネの記録が増加
■黄河流域・中流域：アワ・キビなどの栽培開始
　③彭頭山遺跡　④賈湖遺跡

長江：栽培イネの出現　黄河：雑穀栽培の拡散
8000〜7000年前（紀元前6000〜5000年頃）

■長江流域：浙江省跨湖橋遺跡で確実な栽培イネの証拠
　がみつかる
■黄河流域：雑穀栽培の拡散、下流域で野生イネの記録
　⑤跨湖橋遺跡

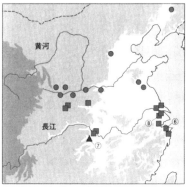

長江：栽培イネの定着　黄河：雑穀栽培の拡散
6900〜6600年前（紀元前4900〜4600年頃）

■長江流域：浙江省田螺山遺跡などで栽培イネが野生イ
　ネよりも多くなる
■黄河流域：雑穀栽培の拡散および南下
　⑥田螺山遺跡　⑦城頭山遺跡　⑧草鞋山遺跡

　　3000m以上　　　■ イネ出土遺跡

　　200〜3000m以上　● 雑穀（キビ・アワ）出土遺跡

　　0〜200m以上　　　▲ イネ＋雑穀出土遺跡

図1　中国大陸におけるイネ・アワ・キビの起源と拡散（那須2014を改変）

（3）東北アジアにおける農耕の伝播

　さて、中国大陸で栽培化がはじまったイネ・アワ・キビは、どのように日本
列島にもたらされたのであろうか。宮本一夫は、栽培植物だけではなく、農工

具、耕作遺構などの考古資料をふまえ、東北アジアにおける初期農耕の伝播を
4段階に区分し、各段階をつぎのように説明した（図2、宮本 2017）。

【第1段階】紀元前6千年紀に黄河中・下流域で出現したアワ・キビ栽培が時
間の経過に伴い、華北、遼西の興隆窪文化、遼東の新楽下層文化（紀元前5千
年紀）、沿海州南部、朝鮮半島の新石器時代中期（紀元前3,300年頃）へ拡散する。

【第2段階】長江中・下流域で出現した栽培イネは北に広がり、黄河中・下流
域では仰韶文化期（紀元前5千年紀）、山東半島では龍山文化期に到達する。山
東半島東端の膠東半島では、遅くとも紀元前2,500年頃には栽培イネが確認さ
れる。その後、紀元前2,500～2,000年頃に龍山文化期の文化に伴い山東半島
から遼東半島に栽培イネが流入する。

【第3段階】水田をはじめとする灌漑農耕とこれに伴う磨製石器群が、龍山文
化期の山東半島から遼東半島を経て、紀元前1,500年頃、朝鮮半島の新石器時
代と青銅器時代（無文土器時代）の移行期に到達する。

【第4段階】青銅器時代の朝鮮半島からの移住者によって、日本列島では縄文
時代から弥生時代への移行期に水田をはじめとする灌漑農耕がもたらされる。

　上記の「東北アジア初期農耕化4段階説」（宮本 2017）は、研究の到達点の
ひとつといえよう。ただし、未解明な点もいくつか残されている。たとえば、
第2・3段階に相当する朝鮮半島の農耕伝播をみると、朝鮮半島南部では遅く
とも新石器時代中期にアワ・キビの土器圧痕が確認されるが、これらを栽培
した耕作遺構の状況は不明瞭である。青銅器時代早期になると、アワ・キビに
加え、イネの土器圧痕が確認され
るようになり、さらに石庖丁や扁
平片刃石斧などの石製農工具が出
現する。一方、木製農工具の様相
は不明であり、畠や水田も発見さ
れていない。すなわち、当該期の
アワ・キビ・イネの具体的な栽培
方法は不明といえる。現状、木製
農工具、畠と水田が確認されるの
は、青銅器時代前期後葉～後期前
半である。中国東北部も同様に、

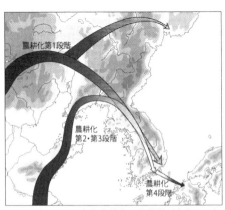

図2　東北アジア初期農耕化4段階説（宮本 2017）

農耕の実態が把握できない時期が存在する。今後、新たな資料の発見や研究の進展によって、農耕伝播に関する仮説が補足・修正されていくことが期待される。

（4）日本列島における農耕の受容

　上述のように、現在、中国大陸から朝鮮半島、日本列島へ至る農耕伝播が詳細に把握されつつある。一方で、古くから日本列島内での農耕開始時期に関する議論がなされ、そのなかで縄文時代にすでに農耕が始まっていたとする、「縄文農耕論」のような仮説も提示されてきた。しかし、現在の研究状況からみると、中国大陸で栽培化されたイネ・アワ・キビが日本列島にもたらされたのは、縄文時代から弥生時代への移行期であることが確実視されつつある（中沢 2019 など）。日本列島の農耕の直接的な起源地は朝鮮半島であり、アワ・キビ・イネも日本列島より先行して出現していることが明らかにされている（中山 2014 など）。

　さて、農耕の実態を知るためには、栽培植物だけではなく、水田・畠といっ

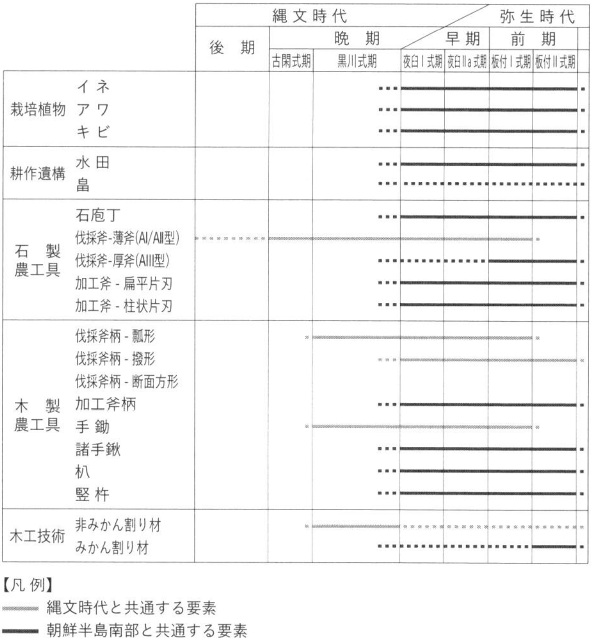

		縄文時代				弥生時代		
		後　期	晩　期			早　期	前　期	
			古閑式期	黒川式期	夜臼I式期	夜臼IIa式期	板付I式期	板付II式期
栽培植物	イネ							
	アワ							
	キビ							
耕作遺構	水田							
	畠							
石製農工具	石庖丁							
	伐採斧 - 薄斧 (AI/AII型)							
	伐採斧 - 厚斧 (AIII型)							
	加工斧 - 扁平片刃							
	加工斧 - 柱状片刃							
木製農工具	伐採斧柄 - 瓢形							
	伐採斧柄 - 撥形							
	伐採斧柄 - 断面方形							
	加工斧柄							
	手鋤							
	諸手鍬							
	杁							
	竪杵							
木工技術	非みかん割り材							
	みかん割り材							

【凡例】
―――　縄文時代と共通する要素
━━━　朝鮮半島南部と共通する要素

図 3　北部九州における農耕関連要素の変遷（三阪 2022 を改変）

た耕作遺構や農工具など、農耕に関連する要素を複合的に検討し、さらに個々
の資料の同定、年代、機能に関する詳細な検討を要する。また、日本列島の農
耕の実態解明においては、東北アジアの農耕伝播過程を考慮に入れ、さらに地
理学・地質学・土壌学・農学・文献史学・民俗学・民族学などの多様な分野の
成果を加味した、マクロな視点での検討が必要とされる（安藤2009、中山2010
など）。

　図3は日本列島の北部九州における農耕関連要素の時間的変化を整理したも
のである。これによると、栽培植物（イネ、アワ、キビ）、耕作遺構（水田）、石
製農工具（石庖丁、加工斧）、木製農工具（加工斧柄、諸手鍬、杁、竪杵）など、
農耕に関連する要素が確実に出現するのは、夜臼Ⅰ式期（縄文時代晩期または
弥生時代早期）である。なお、農耕関連要素の一部の出現が、前段階の黒川式
期（縄文時代晩期）に遡る可能性もある。いずれにしても、これらの農耕関連
要素は同時期の朝鮮半島南部の青銅器時代後期前半と類似性が高く、そこに系
譜をもつものである（三阪2016・2022）。

2. 日本列島における農耕の受容と文化変化

（1）農耕受容期における移住

　自然人類学と考古学により、日本列島では縄文時代から弥生時代の移行期に
おいて、朝鮮半島南部の移住者（渡来人）が到来し、農耕だけではなく、新し
い文化をもたらしたことが明らかにされてきた。

　ここでは、田中良之による当該期の移住者に関する先行研究の整理を参照し
（田中2014）、その内容を概観する。前近代には、『古事記』と『日本書紀』の
建国神話にもとづく日本人起源論が存在した。このなかで、高天原に由来する
「天つ神」と地上の「国つ神」の対立、つまり征服民と先住民の二重構造が示
唆される点は重要である。明治期になると近代国家形成に際し、日本人起源論
が活発化した。当初、日本にやってきた外国人によって渡来混血説や渡来征服
説が提唱され、これらを土台として、明治時代中頃、日本人研究者である坪井
正五郎や小金井良精による研究がはじめられた。昭和期に入ると、自然人類学
にもとづく研究が進み、縄文時代から現代に至る日本人の人骨の形質変化に関
する議論がなされた。その結果、弥生時代に日本列島外からの移住が存在した
と想定する「渡来説」と、日本人の形成には人種の置換がほぼないとみる「移

行説」が提唱された。現在は渡来説が定説となっている。

　そして、主な移住先と想定される北部九州では、縄文時代後期の人骨は縄文人的な形質であるのに対し、弥生時代中期の人骨は中国東北部や朝鮮半島の集団と類似する形質に転換している（中橋・飯塚 1998）。この形質変化について、かつて大量の移住者を想定する仮説も提唱された。しかし、狩猟採集民に比べ農耕民の人口増加率が高いことをふまえ、人口増加に関するシミュレーションがなされた結果、朝鮮半島南部からの移住者が少数であっても、上記の形質の逆転現象が起こりうることが示された（中橋・飯塚 1998）。

　以上の研究成果をまとめると、縄文時代から弥生時代の移行期の北部九州に、朝鮮半島南部から異なる形質をもった集団が移住し、移住者は在来者に比べ少数であった可能性が高いといえる。

（2）農耕受容期における文化変化

　自然人類学の成果をふまえつつ、考古学からも渡来説が提唱されていく。20世紀初頭以降、縄文時代から弥生時代への文化変化において、朝鮮半島の文化要素が関与していた可能性があることが指摘されてきた。戦後の発掘調査により、日本列島における縄文時代から弥生時代への移行期の資料が蓄積され、土器をはじめとした物質文化の時間的変化が次第に把握されていく。北部九州では、弥生時代開始期の物質文化に朝鮮半島の文化要素が存在し、一方で縄文時代以来の文化要素との連続性も認められることが指摘された。この現象にもとづき、弥生時代は縄文時代晩期の文化を基盤に、朝鮮半島の影響を受けて成立したという見解が提示された（森 1966 など）。

　1970 年代から 1980 年代にかけ、北部九州では縄文時代から弥生時代の移行期の状況を示す遺跡の発掘調査が複数実施されたことにより、時間軸となる土器編年が確立されていく。これを土台に、土器や石器などの分析が実施され、夜臼Ⅰ式期前後に朝鮮半島南部に系譜をもつ文化要素が出現することが明らかにされた。それと同時に縄文時代晩期以来の文化要素も継続していたことが改めて示された。

（3）土器からみた農耕受容期の移住と文化変化

　先史時代の考古資料のうち土器は普遍的に存在し、また製作と廃棄のサイクルが短期間であるため、土器の諸要素から地域差や時間差を詳細に読み取りうる場合が多い。東北アジアの農耕伝播期においても、土器の形態・文様・製作

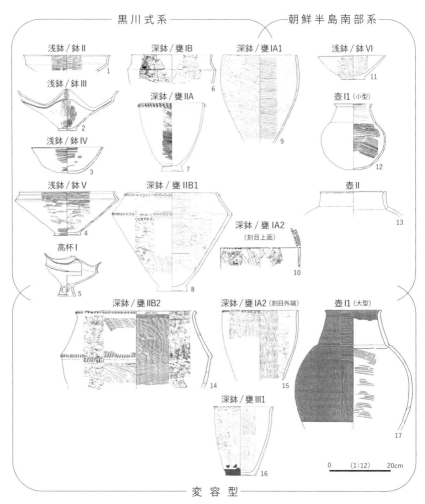

1〜4・6・10・12：菜畑遺跡9〜12層　5：宇木汲田遺跡Ⅸ層　7：板付遺跡30・31次 G-7ab 下層
8・9・13・15・16：石崎曲り田遺跡 W-3　11：石崎曲り田遺跡 W-4　14：石崎曲り田遺跡40号
住居址　17：石崎曲り田遺跡17号住居址

図4　夜臼Ⅰ式期における土器の器種組成（三阪 2022）

技術に確認される外来の文化要素は、移住者の存在を示す根拠として注目されてきた。とくに、製作技術は土器の完成品をみただけでは模倣できない要素が多く含まれるため、他地域からの移住を示す有効な指標となる。また、文化変化の過程を議論する際、物質文化にみられる在来と外来の文化要素の時間的変

化を把握することは重要である。

　先行研究により、朝鮮半島南部から農耕や文化が直接的に伝播したのは、北部九州を中心とする地域であり、その時期は夜臼Ⅰ式期が中心となることが明らかにされている。ここでは、夜臼Ⅰ式期前後における、土器の形態や製作技術に関する分析を通じ、移住者の存在や文化変化について検討したい。

　①形態　まず、図4に示した夜臼Ⅰ式期の土器の器種組成をみると、朝鮮半島南部に系譜をもつ形態の土器（「朝鮮半島南部系」）と、縄文時代晩期の黒川式期に系譜をもつ形態の土器（「黒川式系」）で構成される。さらに、朝鮮半島南部系、黒川式系の土器に何らかの変容がみられる土器（「変容型」）が存在し、大きく3種の器種で構成されている。そして、三者の境界が不明瞭である点が特徴である。たとえば、朝鮮半島南部系とした器種については、朝鮮半島南部の土器そのものと比較すると、サイズや形態などにおいて、大半に何らかの違いが存在し、変容が生じていると考えられる（三阪2014・2022）。

　②製作技術　土器の製作工程は多様であるが、基本的には粘土の採集、素地作り、成形（粘土帯の積み上げ）、整形（器面調整）、装飾、乾燥、焼成といった工程が想定される。このうち、完成品としての土器において観察可能である、粘土帯の積み上げ方法、器面調整方法、焼成方法を分析項目とした。

　粘土帯の積み上げ方法の分類を図5-1に示した。対象時期の土器は、粘土紐をドーナツ状に1段ずつ積み上げていく方法である「輪積み法」によって成形されることが一般的である。完成品としての土器に観察される「粘土帯幅」、「接合面長」、「接合面の傾き」によって、積み上げ方法の違いが認識可能である。北部九州の縄文時代晩期から弥生時代前期、朝鮮半島南部の新石器時代後期から青銅器時代後期の土器には、粘土帯幅が10～15㎜程度、接合面長が5～10㎜程度の「幅狭粘土帯」と、粘土帯幅が40～60㎜程度、接合面長が20～25㎜程度の「幅広粘土帯」の大きく2種が認められる。

　器面調整方法の分類を図5-2に示した。木製の板工具による調整を「木製板工具調整」、それ以外の工具による器面調整を「非木製板工具調整」とし大別した。木製板工具調整のうち、粗い条線が観察される「刷毛目調整」の工具は、針葉樹の柾目板や追柾目板である可能性が高い。条線が不明瞭な「板ナデ調整」の工具は特定が難しいが、広葉樹の板工具や、使用部の摩耗が進行していない針葉樹の板工具などが想定される。非木製板工具調整としたものは、二

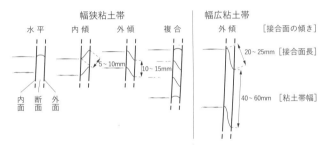

1 粘土帯の積み上げ方法

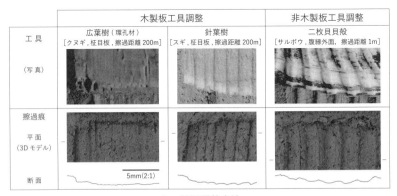

2 器面調整方法

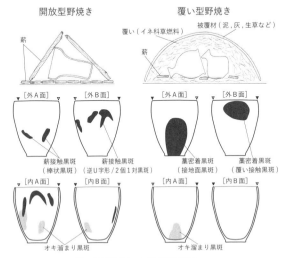

3 野焼きによる焼成方法

図5 製作技術の分類 (図5-1：三阪 2022 を改変 図5-3：岡安 1999・三阪 2022 を改変)

枚貝の貝殻を用いた「二枚貝貝殻条痕調整」や、木製板工具を除く工具不明の調整などである。

　野焼きによる焼成方法の分類を図5-3に示した。窯を用いない土器の焼成方法は「野焼き」とよばれ、焼成実験、考古資料、民族誌、陶芸学などによる多様な研究が蓄積されてきた。小林正史らはこれらを総合的に検討し（小林2006など）、イネ科草燃料の覆いをもつ野焼きを「覆い型野焼き」、イネ科草燃料の覆いをもたない野焼きを「開放型野焼き」とした。土器に観察される黒斑をはじめとする焼成痕跡にもとづいて、野焼きの焼成方法を推定することが可能である。本稿でもこの方法を参照し、分類基準を示した。

　図6に縄文時代晩期から弥生時代前期および朝鮮半島南部の新石器時代後期から青銅器時代における土器製作技術の時間的変化を示した。縄文時代晩期の黒川式期には幅狭粘土帯－内傾による積み上げ（いわゆる内傾接合）、非木製板工具調整、開放型野焼きが採用されている。これに対し、夜臼Ⅰ式期になると、縄文時代晩期以来の技術に加え、朝鮮半島南部に系譜をもつ幅広粘土帯－外傾による積み上げ（いわゆる外傾接合）、木製板工具調整、覆い型野焼きといった技術が出現し、系譜を異にする2種の技術が共存する（三阪2016・2022）。

　ただし、木製板工具調整は朝鮮半島南部からもたらされた技術であるが、夜臼Ⅰ式期の土器には、木製板工具調整のうち板ナデ調整が多いのに対し、朝鮮半島南部の土器には木製板工具調整のうち刷毛目調整が多いといった違いがみられる（三阪2019）。その他の製作技術も含め、外来とした技術にも受容時にわずかな変容が生じていた可能性がある。また、黒川式系と朝鮮半島南部系の技術がひとつの土器に並存する事例も少量ながら認められる（三阪2014）。土器の形態において朝鮮半島南部系、黒川式系、変容型の要素が存在したが、製作技術についても同様の状況が生じていたと考えられる。

　先行研究では、ひとつの集落に朝鮮半島南部からの移住者と在来者が共住し、両者は婚姻関係を結んでいたとする見解が提示されている。上にみた夜臼Ⅰ式期の土器の形態および製作技術にみられた現象は、この見解に符合するものである。

（4）考古資料からみた農耕受容期の文化変化

　最後に、土器以外の考古資料もふまえ、農耕の受容によって生じた縄文時代から弥生時代への文化変化の過程について説明したい。縄文時代晩期の黒川式

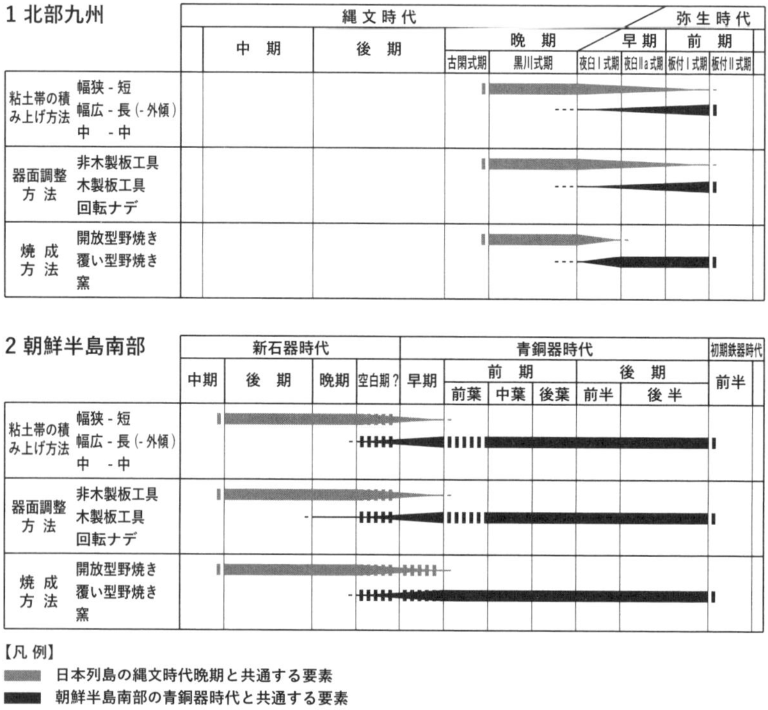

1 北部九州

		縄文時代					弥生時代			
		中　期	後　期	晩　期			早期		前　期	
				古閑式期	黒川式期	夜臼I式期	夜臼IIa式期	板付I式期	板付I式期	板付II式期
粘土帯の積み上げ方法	幅狭-短									
	幅広-長(-外傾)									
	中-中									
器面調整方法	非木製板工具									
	木製板工具									
	回転ナデ									
焼成方法	開放型野焼き									
	覆い型野焼き									
	窯									

2 朝鮮半島南部

		新石器時代				青銅器時代						初期鉄器時代
		中期	後　期	晩期	空白期?	早期	前　期			後　期		前半
							前葉	中葉	後葉	前半	後半	
粘土帯の積み上げ方法	幅狭-短											
	幅広-長(-外傾)											
	中-中											
器面調整方法	非木製板工具											
	木製板工具											
	回転ナデ											
焼成方法	開放型野焼き											
	覆い型野焼き											
	窯											

【凡例】
■ 日本列島の縄文時代晩期と共通する要素
■ 朝鮮半島南部の青銅器時代と共通する要素

図6　北部九州および朝鮮半島南部における土器製作技術（三阪2022を改変）

期以前にも、朝鮮半島南部の文化要素が流入した可能性はあるが、つぎの夜臼
I式期と比べた場合、その流入は散発的であり、量的にもわずかである。

　夜臼I式期には、朝鮮半島南部からの移住者によって、農耕とともに多様な
文化要素が北部九州にもたらされる。一方で、縄文時代晩期以来の在来の文化
要素も根強く残っている。このとき、在来の文化要素を維持させる力（伝統、
規制）が働いたと考えられるが、これを凌駕して、外来の文化要素が浸透し、
この過程で在来と外来の文化要素の融合・変容が生じたのであろう。複数の物
質文化が相互に連動しながら、農耕に適した文化要素が選択されていった結
果、より文化変化を促進させたといえる。たとえば、当該期に出現する覆い型
野焼きは、イネ科草燃料（藁）を使用した可能性が高く、イネまたはアワ・キ
ビの栽培との結びつきを暗示する（三阪2016・2022）。

　北部九州では、夜臼I式期から板付II式期（板付Ib式期）にかけ、外来と
在来の文化要素の融合・変容が進行し、縄文時代晩期および朝鮮半島南部とは

異なった日本列島独自の弥生時代の文化が形成されていく。そして、これが遠賀川式土器を指標とする農耕を伴った文化要素として広がり、西日本において縄文時代から弥生時代へ移行することとなる。

おわりに

近年、植物遺存体やレプリカ法などの植物考古学の進展により、中国大陸の長江流域でイネ、黄河流域以北でアワ・キビの栽培化がはじまり、以降、これらが中国東北部、朝鮮半島、日本列島に広がっていく過程が明らかになりつつある。

日本列島では縄文時代から弥生時代の移行期に、朝鮮半島南部の移住者によって、イネ・アワ・キビの栽培を伴う農耕と新しい文化要素がもたらされ、文化変化が生じることとなる。土器をはじめとする考古資料の分析によって、夜臼Ⅰ式期に、朝鮮半島南部に系譜をもつ外来の文化要素が受容されたことが明らかになった。一方で、縄文時代晩期以来の在来の文化要素も残存し、さらに両者が融合・変容した文化要素が創出されていく現象を把握することができた。以降、農耕に適した文化要素が選択されていった結果、縄文時代や朝鮮半島南部とは異なる日本列島独自の弥生時代の文化が形成されていったのである。

引用・参考文献

安藤広道　2009「弥生農耕の特質」『食料の獲得と生産』弥生時代の考古学 5、同成社、pp.23-38
丑野　毅・田川裕実　1991「レプリカ法による土器圧痕の観察」『考古学と自然科学』24、pp.13-36
岡安雅彦　1999『弥生の技術革新　野焼きから覆い焼きへ―東日本を駆け抜けた土器焼成技術―』安城市歴史博物館
小林正史　2006「形成過程に基づく黒斑の類型化」小林正史編『黒斑からみた縄文・弥生土器・土師器の野焼き方法』pp.45-51
田中良之　2014「いわゆる渡来説の成立過程と渡来の実像」古代学協会編『列島初期稲作の担い手は誰か』すいれん舎、pp.3-48
中沢道彦　2019「レプリカ法による土器圧痕分析からみた弥生開始期の大陸系穀物」『考古学ジャーナル』729、pp.14-19
中橋孝博・飯塚　勝　1998「北部九州の縄文〜弥生移行期に関する人類学的考察」『人類学雑誌』106-1、pp.31-53
中山誠二　2010『植物考古学と日本の農耕の起源』同成社
中山誠二　2014「日韓における栽培植物の起源と農耕の展開」中山誠二編『日韓における穀物農耕の起源』山梨県立博物館調査・研究報告 9、pp.391-402
那須浩郎　2014「イネと出会った縄文人―縄文時代から弥生時代へ―」工藤雄一郎編『ここまでわかった！　縄文人の植物利用』新泉社、pp.186-205
三阪一徳　2014「土器からみた弥生時代開始過程」古代学協会編『列島初期稲作の担い手は誰か』すいれん舎、pp.125-174

三阪一徳　2016「日本列島・朝鮮半島南部の稲作受容期における土器製作技術の変容過程解明への予察」田中良之先生追悼論文集編集委員会編『考古学は科学か―田中良之先生追悼論文集―』中国書店、pp.287-303

三阪一徳　2019「縄文・弥生時代移行期における木製板工具調整」『考古学ジャーナル』729、pp.5-9

三阪一徳　2022『土器製作技術からみた稲作受容期の東北アジア（仮）』九州大学出版会（印刷中）

宮本一夫　2017『東北アジアの初期農耕と弥生の起源』同成社

森貞次郎　1966「弥生文化の発展と地域性　1九州」『弥生時代』日本の考古学Ⅲ、河出書房、pp.32-80

第4章

東南アジアの考古学
海を越えた移動と交流

山形眞理子 *YAMAGATA Mariko*

　東南アジアとは、文字通りアジアの東南部にあって太平洋・インド洋とオーストラリアにはさまれた地域を指す。一般に、東南アジア大陸部（東南アジア本土）と東南アジア島嶼部（海域東南アジア）に区分されることが多い。前者はインドシナ半島を中心とした地域で、ベトナム、ラオス、カンボジア、タイ、ミャンマー（ビルマ）の5ヶ国から構成される。後者はマレー半島とインド洋、南シナ海、西太平洋の間に位置する世界最大の群島地域からなる広大な地域で、マレーシア、シンガポール、インドネシア、ブルネイ、フィリピン、東ティモールの6ヶ国を含む。

　東南アジアの遺跡といえば、カンボジアのアンコール・ワットやインドネシアのボロブドゥールがよく知られており、観光旅行で訪れたことがある日本人も多いであろう。しかし東南アジアの考古学と聞いても、概説書も少なく（坂井・西村・新田 1998）、日本から遠いところの考古学と感じられるかもしれない。そこで本章では、まず、東南アジアで長年にわたって考古学研究をリードした学者であるグラヴァーとベルウッドが、東南アジア考古学の特質について簡潔に述べた以下の文章を紹介する。

　"As far as we know, Southeast Asia did not witness any truly independent developments of early agriculture, urban civilization or literacy, but it did witness the oldest recorded sea crossing by humans, the genesis of the greatest ethnolinguistic dispersal in human history（that of Austronesians）, and the evolution of some major historical civilizations."（Glover and Bellwood 2004: p.5）

　和訳すると「私たちが知る限り、東南アジアは農耕、都市文明、文字を独自に発達させることはなかった。しかし東南アジアには人間が初めて海を渡った

証拠があり、人類史上最も広く拡散した言語ファミリー（オーストロネシア語族）の出発の地でもあった。歴史的に重要な幾つかの文明も東南アジアで繁栄した」。

　ここで挙げられた東南アジア考古学ならではの3つの特質のうち「人間が初めて海を渡った証拠」「人類史上最も広く拡散したオーストロネシア語族の出発の地」という2つが、海を渡った人の移動と結びついていることが注目される。さらにもう1つ、「歴史的に重要ないくつかの文明」も、海上交易によって文明の誕生と繁栄が支えられたという点で海と深い関わりがあった。本章ではグラヴァーとベルウッドによる上記の記述を手掛かりとし、東南アジアの海を越えた人の移動と交流に注目することによって、東南アジア考古学の特質について概説する。

　なお、図1は本章で言及する地域と遺跡の位置を示している。

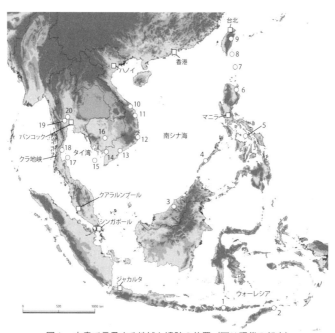

図1　本章で言及する地域と遺跡の位置（□は現代の都市）

1：リアン・ブア洞穴　2：ジェリマライ洞穴　3：ニァー洞穴　4：タボン洞穴・ウヤウ洞穴・ドゥヨン洞穴　5：カラナイ洞穴　6：アルク洞穴　7：バタン諸島　8：蘭嶼　9：豊田（ネフライト産地）10：ゴーマーヴォイ・チャーキュウ・ビンィェン　11：サーフィン　12：ホアジェム　13：ゾンカーヴォ　14：オケオ　15：トーチュー島　16：サムロンセン貝塚　17：サムイ島　18：カオサムケーオ　19：バンドンタペット　20：ウトン

1.　東南アジア考古学が明らかにする海の役割

（1）人類が初めて海を渡った証拠

　東南アジアの「人類が初めて海を渡った証拠」とは、原人（ホモ・エレクトス）がインドネシア東部のウォーレシア（ワラセアあるいはウォーラシアとも表記される）海域の海を渡ったか、という問題と直結している。

　ウォーレシアの海は深く、更新世の氷河期に海面が低下した時期にも陸続きにはならなかった。この海域の一角、小スンダ列島のフローレス島で、今世紀に入ってから人類史上の常識を覆す発見があった。リアン・ブア（Liang Bua）洞窟から発見された化石人骨は、成人でも身長が約 1m という小型の人類の存在を明らかにした。かれらは原人段階の人類であることが証明され、フローレス原人（ホモ・フロレシエンシス）と呼ばれるようになった（Morwood et al. 2004、モーウッド・オオステルチィ 2008、海部 2012）。

　当初はフローレス原人が更新世末の約 1 万 2,000 年前頃まで、つまり地球上の人類が新人（ホモ・サピエンス）のみとなっていた時代まで生息していたと考えられたため、その新しい年代は学界に衝撃を与えた。現在では研究が進み、フローレス原人の年代は約 10 万年前〜 6 万年前と考え直されている。いずれにせよ、かれらの祖先はウォーレシアの海を越えてこの島に到達したはずであり、それが人類史上初めての渡海であった可能性がある。ジャワ島からジャワ原人の一部が東へと移動してフローレス原人の祖先となった可能性も含め、フローレス原人の起源については議論が続いている。原人の渡海が最初は「漂流」であった可能性も想定の範囲内にある（海部 2016）。

　ウォーレシアの海域はフローレス原人よりも後の時代に、再び人類にとって重要な移動のルートとなった。新人のオーストラリア大陸への移住ルートである。現在のニューギニアとオーストラリア大陸は、海面が低下した氷河期には陸続きであった。それはサフル大陸と呼ばれる。遅くとも 4 万 5000 年前頃までに、サフル大陸に新人が移住していた痕跡がある（小野 2017）。更新世末期の最終氷期に相当する時期、現在より 80m から 120m ほども海面が低かったと考えられるが、それでもウォーレシアからサフル大陸に移住するためには少なくとも 8 ヵ所で、30km〜 70kmの海を渡らなければならなかった（印東 2012・2013）。新人の高い航海技術によって、初めて長距離の海上移動が可能となった。

　ウォーレシアの島々には初期の新人が残した重要な遺跡がある。東ティモールの東端に位置するジェリマライ（Jerimarai）洞窟では3万年以上も前の土層から大量の魚骨が出土している。最下層の4万2,000年前に位置づけられる層からもサバ科の魚骨が確認されたことで、釣り漁を中心とする高度な技術を要する外洋魚種の捕獲と利用が行われていた可能性が指摘された。世界で最初に新人による海洋資源の利用が進んだ地域として、ウォーレシアの重要性が注目されている（小野 2017）。

（2）人類史上最も広く拡散したオーストロネシア語族の出発の地

　オーストロネシア語族という言語ファミリーは現在、西はアフリカ東岸のマダガスカルから東はチリのイースター島まで、北はハワイ諸島から南はニュージーランドまでという、広大な地域に拡がっている。オーストロネシア語族の変化と拡散の歴史は紀元前3,500年頃の台湾に始まり、後1,200年頃のニュージーランドへの人の移住まで、数千年もの長きにわたっている（図2）。

　もともと比較言語学の分野で再構築されたオーストロネシア語族の拡散の歴史が、遺跡と遺物を扱う考古学や、遺伝子を研究する分子生物学などの成果と対照され、検証された。その過程で考古学者のベルウッドや言語学者のブラストらが牽引する形で、オーストロネシア語族の拡散仮説が体系化された（ベルウッド 1989、Bellwood1997・2017 など）。大海原を渡った人間集団の壮大な移住

図2　オーストロネシア語族の分布範囲と考古学的に想定される拡散の年代
（Bellwood 2017: pp.183 Figure 6.1）

史を表す仮説の中で、東南アジア島嶼部は出発の地として重視された。

　南シナ海とその周辺地域に焦点をしぼってみると、仮説によれば、オースト
ロネシア語族の言語を話す集団の一部が紀元前500年頃に南シナ海を渡ってイ
ンドシナ半島東岸に到達した。現在のベトナム中部である。

　インドシナ半島では数多くの言語が話されているが、その中でほとんど唯
一、オーストロネシア系の言語を話す民族がチャム族である。かれらは現在、
ベトナム中南部から南部、そしてカンボジアにかけて居住している。その祖先
が海を越えて島嶼部から移住したことは確実視されているが、その移住がい
つ、どのように起きたのか、まだ解明されていない（山形2010b）。

　かつてベルウッドは、鉄器時代の環南シナ海地域にみられる甕棺葬という埋
葬伝統を、オーストロネシア語族の拡散とともに広まったものと解釈した。鉄
器時代のベトナム中部には甕棺墓が群集する遺跡が多数存在しており、それら
の遺跡を含む文化は考古学的にサーフィン文化と呼ばれている。ベルウッドは
このサーフィン文化の甕棺葬が、オーストロネシア系のチャム人の祖先によっ
て、フィリピンあるいはボルネオ方面から伝えられたと考えた（Bellwood 1997）。

　のちにベルウッドは甕棺葬とオーストロネシア語族の関係を強調する代わり
に、ネフライトという石を素材とする装身具の分布を重視するようになった。
ネフライト（nephrite、軟玉とも呼ばれる）は鉄器時代の耳飾りの素材としてし
ばしば利用され、サーフィン文化の甕棺から出土する特徴的な耳飾りの多くが
ネフライト製である。これらの耳飾りはベトナムから最も多く出土するが、台
湾、フィリピン、ボルネオ、カンボジア、タイを含む広範な地域に分布してい
る。この耳飾りの分布が、オーストロネシア語族の拡散を示すものと考えられ
たのである。

　グラヴァーとベルウッドが指摘したように、東南アジアの海が時代を問わ
ず、人々が移動する通路として重要な役割を果たしてきたことは考古学の成果
からも明らかである。次節では鉄器時代の環南シナ海地域に拡がった特徴的な
耳飾りに注目し、耳飾りの素材、製品、工人の移動などの問題に関する近年の
議論を紹介する。

2.　環南シナ海地域の鉄器時代耳飾り

　鉄器時代の環南シナ海地域には有角の（つまり突起を有する）ユニークな形

図3　環南シナ海地域の鉄器時代耳飾り
1：双獣頭形耳飾り（フィリピン・ドゥヨン洞穴　横幅 4.7cm）（Fox 1970：pp.125）
2：3つの突起をもつ玦状耳飾り（ベトナム・ビンイェン遺跡　長さ 3.8cm）（筆者作成）

の玦状耳飾りが広まった。リンリンオー（lingling-O）という通称で呼ばれることもある。突起のない玦状耳飾りに加えて、3種の有角耳飾りがある。4つの突起をもつ玦状耳飾り、3つの突起（と1つのフック）をもつ玦状耳飾り、そして両端にヤギのような動物の顔が表現される耳飾り（双獣頭形耳飾り）である。これらのうち一般に「サーフィン文化の耳飾り」と認識されているのは、3つの突起をもつ玦状耳飾りと双獣頭形耳飾りである（図3）。

　3つの突起をもつ玦状耳飾りと双獣頭形耳飾りはベトナムから最も多く出土するが、深山絵実梨の集成によれば、台湾東部旧香蘭（Jiuxianglan）遺跡、台湾蘭嶼（Lanyu）、フィリピンのバタン諸島（Batanes Islands）、ルソン島アルク（Arku）洞穴、同島バタンガス（Batangas）遺跡、パラワン島タボン（Tabon）洞穴群、ボルネオ島ニアー（Niah）洞穴、カンボジアのサムロンセン（Samrong Sen）貝塚、タイ中西部ウトン（U Thong）遺跡とバンドンタペット（Ban Don Ta Phet）遺跡、タイ南部カオサムケーオ（Khao Sam Kaeo）遺跡からも出土している（深山 2021）。南シナ海とタイ湾を取り囲むような耳飾りの分布は、サーフィン文化を中心とした広範囲の交易や交流の結果とみなされてきたが、今世紀に入ってから石材の産地同定分析が進み、耳飾りの研究が急速に進展した。

　有角玦状耳飾りの石材で最も多いのはネフライトで、その産地はヒスイほどではないが限定される。そのような中で飯塚義之と洪暁純によって、台湾東部豊田（Fengtian）産ネフライトの同定が可能となった（Iizuka and Hung 2005、Hung et al. 2007、飯塚 2010）。地球科学を専門とする飯塚は、天然ネフライト基質部の Ca 角閃石（amphibole）の化学組成範囲と、随伴鉱物クロムスピネル（chromian-spinel inclusions）の組成範囲の両面から、台湾ネフライトを同定する基準を明示した。飯塚による分析の結果、フィリピン・パラワン島タボン洞

穴群ウヤウ（Uyaw）洞穴、同ドゥヨン（Duyong）洞穴、マレーシア・ボルネオ島ニァー洞穴、ベトナム中部のサーフィン文化の遺跡ゴーマーヴォイ（Go Ma Voi）、そしてマレー半島東岸のタイ・カオサムケーオ遺跡出土の耳飾りあるいはその石材が台湾ネフライトで作られていることが判明した。ベトナム南部ホーチミン市ゾンカーヴォ（Giong Ca Vo）遺跡から出土した直方体岩片も台湾ネフライトと同定され、耳飾りを作出するための石材が台湾から運ばれた可能性が高い。一方で、飯塚、深山、筆者らからなる研究グループがベトナム北部と中部で実施した近年の研究によれば、ベトナム中部出土の耳飾りにはベトナム北部産のネフライトや、まだ知られていない鉱床で産出したネフライトが利用されていることが判明している。おそらく、大部分の耳飾りは比較的近い場所から入手した石材を利用したのであろう。

　東南アジア鉄器時代の耳飾り研究を推進する深山は、3 つの突起をもつ耳飾りの形態分類から出発し、製作技法と石材の細かい観察を行なった。その上で、「耳飾りの製作技法と石材選択の組合せ」の違いを認識し、この違いと時空間的な分布によって耳飾りの製作体系（つまり製作者集団）を識別可能であると考えた（深山 2021）。

　深山の分析によれば、まず後期新石器時代の台湾からフィリピン北部地域において「プロトタイプ」と言うべき製作体系が発生し、次いでフィリピン南部のパラワン島タボン洞穴群を中心に、台湾産ネフライトの使用を特徴とする別の製作体系が展開する。その後、耳飾りは東南アジア大陸部へと拡散し、各地で入手可能な石材を用いた「在地製作段階」へと移行する。この在地製作段階では、東南アジア大陸部と島嶼部で耳飾りの製作に関わる情報が活発にやり取りされた。最終的にはサーフィン文化の地域に耳飾りの製作と使用が集約され、初期国家の形成期に入るとこの種の耳飾りは姿を消すこととなった。

　南シナ海の両岸を巻き込んで、耳飾りの製作体系が時と共に変化したことが示された点は重要である。深山は耳飾り製作を行う工人が、あちこちの製作センターを回遊したという移動の形態を提起している。専門工人が南シナ海の海を越えて回遊した背景には、各地の鉄器時代社会で耳飾りを欲した人々の存在があったはずである。

3. 「カラナイ系土器」にみる長距離海洋コネクション

　耳飾りと並んで鉄器時代の環南シナ海地域を特徴づけているのは甕棺葬である。最も調査研究が進んでいるのはベトナム中部のサーフィン文化の甕棺葬である。しかしここではサーフィン文化ではなく、同じベトナム中部の遺跡ではあるがサーフィン文化より一段階新しい時期のユニークな甕棺墓を出土した遺跡に注目したい。筆者自身が発掘調査を行った、ベトナム中部カインホア省ホアジェム（Hoa Diem）遺跡である。良港として知られるカムラン湾の西に位置するホアジェム遺跡からは、2007年の発掘調査で48㎡の発掘区から甕棺墓14基と伸展葬2基、さらに2010年には計36㎡の範囲から甕棺墓9基が検出された（山形 2010a・b、Yamagata et al. eds. 2013）（図4）。

　サーフィン文化の甕棺は長胴形あるいは卵形の胴部を呈する場合が一般的であるが、ホアジェム遺跡の甕棺の多くは球形を呈する（図5）。注目されるのはホアジェムの甕棺内外から出土した副葬土器群である。それらはサーフィン文化の土器とは異なる一方で、フィリピン中部・マスバテ島カラナイ（Kalanay）洞穴出土土器と酷似している（図6）。

　カラナイ洞穴はマスバテ島の北西海岸近くに位置している。1950年代初頭、アメリカ人考古学者ソルハイムが発掘した際、洞穴内部は撹乱されており、大量の土器、少量の石器、鉄器と断片的な人骨が散乱していた（Solheim 1957）。鉄器時代に埋葬に利用された洞穴であることは確かである。ソルハイムはカラナイ洞穴の発掘調査のあと、フィリピン中部に分布する鉄器時代の「カラナイ土器コンプレックス」という土器グループを設定した。さらに、サーフィン文化の遺跡から出た土器の多くが器形と紋様の両面でカラナイ土器コンプレックスに似ていると考え、「サーフィン－カラナイ土器伝統」という概念を提唱したのである（Solheim 2002）。

　1964年、ソルハイムはタイのバンコック国立博物館にてカラナイ洞穴出土土器に酷似する土器群を見いだし、実測図を公表した（Solheim 1964）（図6）。タイ南部サムイ島近くの小島ディン島（Ko Din）から出土した土器群であるという。サムイ島とカラナイ洞穴は南シナ海とタイ湾をはさみ、直線距離でも約2500km離れている。この両地点が酷似する土器を出土したという事実は驚きをもって迎えられ、日本でも今村啓爾が「実にフィリピンと九州と同距離を隔て

図 4　ベトナム中部・カムラン湾遠景とホアジェム遺跡の発掘調査風景

1：カムラン湾遠景（南東より北西方面を望む）（2010 年 3 月筆者撮影）
2：ホアジェム遺跡の発掘調査風景（南から撮影）（2007 年 1 月筆者撮影）

図 5　ホアジェム遺跡出土の甕棺と蓋

（2007 年 M8 墓　甕最大径 68.8cm、蓋復元高 18.0cm）（Yamagata et al. 2013：pp.125 Figure 52）

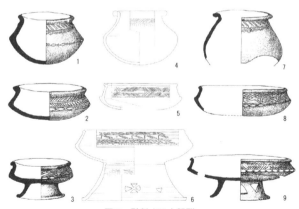

図 6　酷似する土器群

1 〜 3：タイ・サムイ島近隣のディン島（縮尺不明　Solheim 1964）　4 〜 6：ベトナム・ホアジェム遺
跡（4.：口径 10.4cm、5：口径 15.0cm、6：口径 20.2cm, 高 14.1cm　Yamagata et al. 2013）　7 〜 9：フィ
リピン・カラナイ洞穴（縮尺不明　Solheim 2002）

てまったく同じ形式の土器が存在するという事実は、当時きわめて航海技術に長じた人々が南シナ海を自在に往来し、文化の緊密な伝播を可能にしていたことを示している」と評価した（今村 1984）。

　最近の研究では、カラナイ土器コンプレックスの土器に類似する土器群のことをカラナイ系土器（Kalanay-related pottery）と称することが多い。そのカラナイ系土器がベトナム中部のホアジェム遺跡にて発見されたことにより、1960年代には既に認識されていたカラナイとサムイの類似が再び脚光を浴びることになった。ホアジェムの資料は甕棺への副葬という確固とした考古学的コンテクストに裏付けられており、しかも甕棺内には人骨が残存していたため、カラナイ系土器を持っていた人々に関する形質人類学の調査が可能となった。人類学者の松村博文によって、集団間の近縁度を示すネットワーク図（頭骨計測値16項目から算出したQモード相関係数にもとづく集団間の無根ネットワーク樹状図）が描き出され、その中でホアジェム遺跡の人骨は、現代の島嶼部東南アジア人と近い位置にあることが示された（Yamagata and Matsumura 2017）。遺物だけではなく人骨の面からも、ホアジェム遺跡が海の向こう、島嶼部と強い繋がりをもつことが明らかになったのである。

　ホアジェム遺跡の調査を契機として、カラナイ系土器の長距離を隔てた類似に関する調査研究が再燃した。マレー半島では半島東岸のタイ・チュムポン市に位置する古代港市遺跡カオサムケーオを 2005 年から 2009 年まで調査したフランス・タイ合同調査団が、引き続き 2014 年まで、クラ地峡に沿ってカラナイ系土器を追跡した。そして内陸の洞穴や半島西岸の遺跡を含む 12 カ所から当該土器の出土を確認したのである（Bellina ed. 2017）。

　2015 年にはベトナムでも新たな発見があった。筆者を含む日越共同チームがベトナム南部キエンザン省博物館において、タイ湾に浮かぶトーチュー（Tho Chu）島で 1995 年に調査されていた土器群がカラナイ系土器であることを確認した。それらはトーチュー島の海岸に位置するバイゾン（Bai Dong）遺跡から出土した球形甕棺に副葬されていた。私たちはさらに、メコンデルタのアンザン省オケオ（Oc Eo）遺跡群において、その一地点であるゴートゥチャム（Go Tu Tram）遺跡からカラナイ系土器の破片が出土していることも再発見した。オケオは東南アジアの初期国家「扶南」の外港として知られる遺跡であり、1940 年代にフランス人考古学者が行った発掘調査によってローマ皇帝の金製

コインや中国の後漢鏡が出土し
たことで世界の考古学界に名前
が知られた（Mallert 1959-63、山
本 1966）（図7）。カラナイ系土器
は、この扶南の港にももたらさ
れていたことがわかる。

カラナイ洞穴を含むフィリピ
ン中部、ホアジェム遺跡、トー
チュー島、オケオ遺跡、サム
イ島、そしてマレー半島クラ地
峡と、カラナイ系土器を持った

図7 ベトナム南部・オケオ遺跡風景
（北西より南東方面を望む 2017年8月筆者撮影）

人々の痕跡が南シナ海とタイ湾を貫いて東西につながった。かれらはこの長距
離コネクションを実現する航海術をもった人々で、甕棺を用いる埋葬慣習をも
ち、初期国家・扶南と接点があった。かれらが何を求めて、何を目的として大
海を往来したのか、突き止めることは難しい。ただし島嶼や半島、海岸に痕跡
を残したかれらが、オーストロネシア系の集団であった可能性は高いと考える。

4. 古代南海交易と国家の出現

カラナイ系土器をもった集団が往来した南シナ海とタイ湾では、紀元前1世
紀には既に中国とインドを結ぶ古代南海交易の航路が成立していた。『漢書』
地理志の末尾には、中国南部の港を出て黄支国へ至る道筋が詳しく記されてい
る。黄支とは南インドの東海岸に近いカーンチープラムを指すことには異論が
なく、この記事によって漢と南インドとの往来が前漢・武帝の時代から開かれ
ていたことがわかる（山本 1966、生田 1998）。『漢書』の記事によると、中国か
らインドへの航路のうち往路は途中に陸路を行き、復路はすべて水路である。
つまり往路はマレー半島を陸路横断し、復路はマラッカ海峡を通過したことが
わかる。航路上には幾つもの国名が記録され、その多くが東南アジアに位置し
ていた（桜井 2001）。ベトナム中部のサーフィン文化を担った人々も交易に参
加した可能性が高いと考えられる。交易ルート上の各地に港が発展し、そこが
政治的・経済的センターとして成長していったことは、航路上の各地に残され
た港市遺跡からも知ることができる。紀元後1世紀もしくは2世紀にメコンデ

ルタを中心に勃興したとみられる扶南では、中国史書によると2世紀末に扶南大王と称される王が出現し、大船をしたてて近隣諸国に軍事遠征し、それを従えたという。タイ湾周辺からマレー半島にかけて広い範囲を勢力下におさめ、南海交易を支配したものとみられる。

　ベトナム中部では後1世紀末までにサーフィン文化が衰退し、その後は甕棺墓も耳飾りもみられなくなる。中国史書によると後2世紀末、後漢末期の混乱に乗じて後漢の最南端で反乱がおこり、その結果として「林邑」が独立した。林邑初期の王都と目されるクァンナム省チャーキュウ（Tra Kieu）遺跡では、最下層から中国系の瓦が出土し、後2世紀には中国系の瓦屋根をもった木造建築が建てられていた可能性が高いことがわかった（山形2012・2018）。

　扶南と林邑は4世紀後半以降、インドの宗教や王権思想の影響を受容して「インド化」した姿を明らかにしていくが、その変容にも海路の交流が大きく貢献したことがわかっている。

5.　おわりに

　グラヴァーとベルウッドが指摘した東南アジア考古学の3つの特質を手掛かりに、海を渡った人々の移動と交流について、東南アジア考古学の様々な成果をもとに概観した。東南アジアの海は先史時代から、人、物、アイデアが行き交う通路の役割を果たし、その通路はオセアニア、中国、インドへとつながっていた。このような広大な背景が遺跡と遺物に反映されることに、東南アジア考古学の面白さがある。

引用・参考文献

〔日本語〕
飯塚義之　2010「台湾産玉（ネフライト）の拡散と東南アジアの先史文化」菊池誠一・阿部百里子編『海の道と考古学－インドシナ半島から日本へ』高志書院、pp.51-65
生田　滋　1998「インド文明の伝来と国家の形成」石澤良昭・生田滋『世界の歴史13　東南アジアの伝統と発展』中央公論社、pp.65-96
今村啓爾　1984「東南アジアの土器」三上次男編『世界陶磁全集16 南海』小学館、pp.254-271
印東道子　2012「海を越えてオセアニアへ」印東道子編『人類大移動　アフリカからイースター島へ』朝日新聞出版、pp.89-118
印東道子　2013「海域世界への移動戦略」印東道子編『人類の移動誌』臨川書店、pp.232-245
小野林太郎　2017『海の人類史　東南アジア・オセアニア海域の考古学』雄山閣
海部陽介　2012「ホモ・フロレシエンシス」『季刊考古学』118、pp.40-42
海部陽介　2016『日本人はどこから来たのか？』文芸春秋

坂井　隆・西村正雄・新田英治　1998『東南アジアの考古学』同成社

桜井由躬雄　2001「南海交易ネットワークの成立」『岩波講座東南アジア史 1』岩波書店、pp.113-146

ベルウッド，P.（著）、植木　武・服部研二（訳）　1989『太平洋－東南アジアとオセアニアの人類史』法政大学出版会

深山絵実梨　2021『東南アジア先史時代の海域ネットワーク—南海の耳飾り—』雄山閣

モーウッド，M.・オオステルチィ，P. v.（著）、馬場悠男（監訳）、仲村明子（訳）　2008『ホモ・フロレシエンシス（上）（下）』NHK ブックス

山形眞理子　2010a「サーフィン－カラナイ土器伝統」再考」今村啓爾編『南海を巡る考古学』同成社、pp.95-129

山形眞理子　2010b「ベトナムの先史文化と海域交流」菊池誠一・阿部百里子編『海の道と考古学—インドシナ半島から日本へ』高志書院、pp.30-50

山形眞理子　2012「南境の漢・六朝系瓦—ベトナム北部・中部における瓦の出現と展開—」『古代』129・130 合併号、pp.241-270.

山形眞理子　2018「ベトナム中部出土の漢系遺物に関する考察：チャーキュウ遺跡の調査成果を中心に」『アジア地域研究』1、pp.11-20

山本達郎　1966「古代の南海交通と扶南の文化」『古代史講座』13、学生社、pp.124-144

〔外国語〕

Bellina, B.（ed.）Khao Sam Kaeo. *An early port-city between the Indian Ocean and the South China Sea*（Mémoires Archéologiques 28）. École française d'Extrême-Orient, Paris

Bellwood, P. 1997 *Prehistory of the Indo-Malaysian Archipelago*（Revised edition）. University of Hawaii Press, Honolulu.

Bellwood, P. 2017 *First Islanders*. John Wiley & Sons, USA.

Fox, R.B. 1970 *The Tabon Caves*. Monograph of the National Museum Number 1, Manila.

Glover, I. and Bellwood, P. 2004 Southeast Asia: Foundations for an archaeological history. Glover, I and Bellwood, P.（eds.）*Southeast Asia, from prehistory to history*. Routledge Curzon, London and New York.

Hung Hsiao-chun, Y. Iizuka, P. Belwood, Nguyen Kim Dung, B. Bellina, P. Silapanth, E. Dizon, R. Santiago, I. Datan and J. H. Manton 2007. Ancient jades map 3000 years of prehistoric exchange in Southeast Asia. *Proceedings of the national Academy of Science of the United State of America* 104（50）: 19745-19750.

Iizuka, Y. and Hung, Hsiao-chun 2005 Archaeomineralogy of Taiwan Nephrite: Sourcing study of Nephrite Artifacts from the Philippines. *Journal of Austronesian Studies* 1-1: 35-81.

Malleret, L. 1959-63 *L'Archéologie du Delta du Mekong*（4 vols.）. École Française d'Extrême-Orient, Paris.

Morwood, M., Soejono, R., Roberts, R. et al. 2004 Archaeology and age of a new hominin from Flores in eastern Indonesia. *Nature* 431, 1087–1091（2004）. https://doi.org/10.1038/nature02956

Solheim W.G. 1957　The Kulanay Pottery Complex in the Philippines. *ARTIBUS ASIAE* Vol. XX, 4: 279-288.

Solheim, W. 1964 Further relationships of the Sa-Huynh-Kalanay Pottery Tradition. *Asian Perspectives* 8（1）: 196-211.

Solheim, W. 2002 *Archaeology of Central Philippines*（revised edition）. University of the Philippines, Diliman.（First edition was published in 1964）

Yamagata, M., Bui, C. H and Nguyen, K. D.（eds.）2013 *The Excavation of Hoa Diem in Central Vietnam*.（『ベトナム中部・ホアジェム遺跡発掘調査報告書』昭和女子大学国際文化研究所 Vol. 17、昭和女子大学）

Yamagata, M. and Matsumura, H. 2017 Austronesian Migration to Central Vietnam: Crossing over the Iron Age Southeast Asian Sea. Piper, P. J., Matsumura, H. and Bulbeck, D.（eds.）*New Perspectives in Southeast Asian and Pacific Prehistory*. Tella australis 45, ANU E Press: 333-355.

第5章

生産と流通の考古学
石器・土器の産地推定から

白石　純　*SHIRAISHI Jun*

　考古学資料である遺物（石器・土器）のうち石器の素材である石材や土器の
素材である粘土の材料にあらわれる地域的な特徴を科学的に分析して、どこの
もの（産地）を使用して製作されているか判別する研究がある。この研究を産
地推定（同定）とよび、石器や土器の移動から人の移動や流通を推定すること
で、交流の実体がわかり、それらを担った人々の活動状況を探ることができる。
　ここでは、石器や土器の分析から情報を得るための分析法と成果について述
べ、今後の課題についてふれる。

1. 石器石材の産地推定

　先史時代の人々は石器を製作する場合、その石器の用途により石材を使い分
けている。例えば、狩りなどの狩猟用には、硬くて緻密で鋭いシャープな割口
の石、木などの伐採や土掘り具には硬くて粘性のある石、木の実などを粉にす
る石皿や磨石の道具には、表面がザラザラした石を選んで使用している。
　この石器石材の産地推定では、狩猟用に使用される石材であるサヌカイトや
黒曜石の産地推定法について述べる。

(1) サヌカイト・黒曜石の産地推定法
　日本での狩猟用の石器石材としては、硬くて緻密な黒曜石とサヌカイトが
多用されている。図1のように日本国内では、黒曜石の原産地は30ヶ所以上、
安山岩の一種であるサヌカイトの原産地は10数ヶ所以上確認されている。こ
れら岩石の産地は、噴出した火山ごとに岩石の化学成分に特徴があり各産地で
識別できるのが前提である。そして、遺跡出土の石器石材を分析し、どの産地
に類似しているか判別する方法である。

図1　日本国内の黒曜石、サヌカイト、ガラス質安山岩の産地位置図

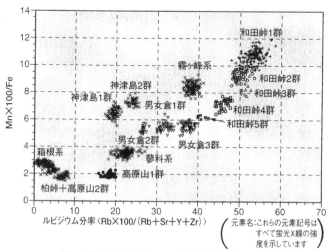

図2　黒曜石の判別図による産地推定法（望月 1998）

　サヌカイト・黒曜石の産地推定では、藁科哲男氏の研究がある（藁科1999）。この推定によると、旧石器時代は石材原産地を中心として半径約200kmの範囲に石材が移動して使用されるが、これが縄文時代になると、半径約300kmに広がることが推定されている。また、望月明彦氏は東日本の黒曜石の産地推定を行っている（望月1996・1998）。藁科氏の産地推定法は多変量解析により推定するが、望月氏の推定では、視覚的みてもわかる判別図（図2）で産地を推定しているところにある。この方法だと誰がみても簡単に産地がわかり理解しやすい。
　このように、遺跡出土の石器石材の産地推定にもいろいろな推定法がある。

（2）産地推定からわかること

　ここでは、旧石器時代の中国地方における石器石材の利用状況、つまり人や物の移動から交流範囲や石材獲得のための交通ルートについて解説する。
　中国山地、特に岡山県北部の蒜山高原や恩原高原では、厚い火山灰に覆われていたために旧石器時代の生活跡がよく残っている。これらの高原で生活していた人たちの石器石材の種類を調べた結果が図3に示している。
　この図の見方は、一番上の中山西から恩原1文化層上までの遺跡の年代が約3万3,000年～2万9,000年前で、フコウ原、恩原1O文化層が約2万7,000年前、恩原2S文化層から戸谷第1地点までが約2万5,000年前～2万年前、東（尖頭器）から恩原1（細石器）までが約1万8,000年～1万6,000年前の各時期の石器石材の利用状況である。この利用状況を大まかにまとめたのが表1で、時期や地域ごとに石器石材がどのように変わったか見てみた。すると、約3万年以前では、蒜山、恩原とも地元で産出する石英が主体で、次いで、隠岐産の黒曜石が多く、五色台産のサヌカイトも利用されている。約2万7,000年～2万年前は、蒜山では五色台産と麻畑産のサヌカイトや安山岩が、恩原では花仙山産の玉髄が利用されている。約2万年～1万6,000年前は、蒜山では麻畑産の安山岩と隠岐産の黒曜石が、恩原では花仙山産の玉髄の利用がそれぞれ主体を占めている。
　やや煩雑ではあるが石材産地の利用データより推測されることは、約3万年前より古い時期は、在地産の石英や、逆に中国山地から遠く離れた地域の石材を利用するという極端なことが想定される。そして、約2万7,000年前以降も蒜山では在地産の頁岩を多く利用する傾向がある。また、恩原では花仙山産の玉髄を多用している。このような石材利用から、旧石器時代の人々の移動状況の

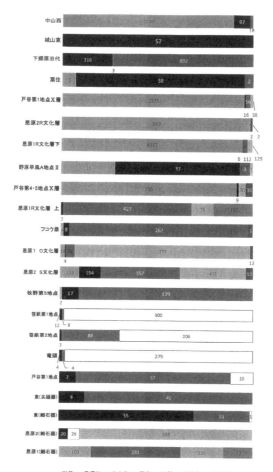

図3　中国山地旧石器時代の石材利用状況

表1　時期、地域ごとの主体を占める石器石材の利用状況

時期＼地域	蒜山高原	恩原高原	野原早風A地点
約3万年以前	石英（在地産） 黒曜石（隠岐産） 安山岩（五色台産サヌカイト）	石英（在地産） 安山岩（五色台産サヌカイト）	黒曜石（隠岐産） 石英（在地産）
約2万7000年〜2万年前	安山岩（五色台産サヌカイト） 頁岩（在地産）	玉髄（花仙山産） 安山岩（五色台産サヌカイト）	
約2万年〜1万6000年前	安山岩（麻畑産） 黒曜石（隠岐産）	玉髄（花仙山産） 安山岩（五色台産サヌカイト、 麻畑産安山岩）	

範囲を考えると、蒜山高原の北西にそびえる大山（標高 1,729m）の周辺で狩猟
活動をしていた人たちの遊動生活範囲は、北は島根県隠岐の黒曜石産地、南は
香川県五色台周辺のサヌカイト産地の半径 120km を領域とし、西は島根県花仙
山産の玉髄を利用していることから、東西 100km 近くの移動領域が想定できる。
　図 4 は稲田孝司氏が作成した中国地方の旧石器時代交通路の想定図である。
この図のように、約 3 万年前より中国山地の尾根筋には、遺跡が点々と発見さ
れていることから、中国山地の東西尾根筋交通路があったと考えられている
（稲田 2010）。また、この交通路と平行して日本海沿岸交通路もあったと想定し
ている。そして、この東西尾根筋交通路と直行する瀬戸内地域と山陰地方を結
ぶ南北の交通路もあったことが五色台産サヌカイトの石器が中国山地の遺跡で
出土することで裏付けられている。
　では旧石器時代の人々が、黒曜石やサヌカイトの原産地に迷わなく辿り着く
ために、どのような手段で移動したのだろうか。この移動手段としては、なに
かランドマーク（目印）が必要だろう。そこで、このランドマークとして大山
などの高い山を基準にしていたとすると、蒜山高原に辿り着き、北にそびえる

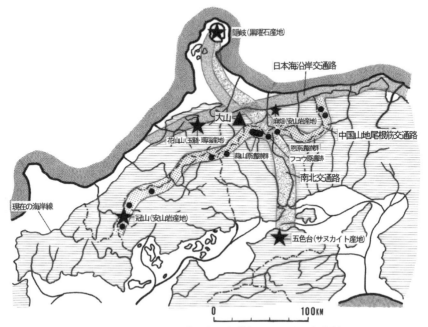

図4　中国地方旧石器時代の交通路（稲田 2010 より一部改変）

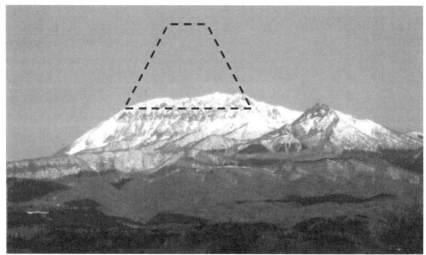

図5　岡山県側からみた大山（現在は標高1,729mだが旧石器時代は3,000mと高かった？）

大山の向には隠岐の黒曜石産地が、また反対に旭川の谷筋を下れば、五色台のサヌカイト産地に辿り着くのである。このように、中国山地の東西尾根筋交通路を移動するとき、大山をランドマークとして黒曜石やサヌカイトの原産地に至るルートがあったと考えることも可能である[1]。

　以上、中国山地の旧石器時代遺跡出土の石器石材からみた「ヒト」と「モノ」の移動や流通を述べてきた。従来から想定されているように、中国山地尾根筋交通路、や南北交通路で人や物が移動・流通し、交流が行われていたことを再確認した。そして、原産地原石を採取したり、目的地に移動するには、大山などの山をランドマークとして移動していたのではないかと考えている。

　最後に蒜山原を遊動（移動）範囲としていた旧石器人は、石器石材として3万年前には石英を多用し、2万5,000年〜2万年前には頁岩を多用するという、限定された石材利用をしている。いずれの石材も在地で産出する石材である。単純に考えれば、石材がなくなり、その地域で産出する石材を使用した。つまり、石器製作にはあまり適さない石英も当時の人たちにとっては貴重な石材だったのだろう。しかし、時代が新しくなるにつれて、より石器に適した石材を使用するようになるようである。

2.　土器の産地推定

　土器とは、釉薬を用いない素焼のやきものである。素材となる粘土には可塑性に富む粘土を使用している。

　日本の遺跡から出土する遺物には、土器が圧倒的に多いことから日本考古学の土器の型式学研究は進んでおり、器形、文様、製作・焼成技術などで時代、地域的特徴で考古学の年代決定に重要な役割をはたしている。また、日本の土器の歴史は、時代の古い順に縄文土器、弥生土器、土師器と呼ばれている。そして、古墳時代になると須恵器が朝鮮半島から伝わる。そして、奈良時代以降になると、釉薬のかかったものや、より焼成温度の高い陶磁器が出現する。このように土器といっても時代、地域、製作・焼成技術でいろいろなやきものが作られている。

　このように、いろいろな土器があるが、この中でもどこで作られたかという生産地がはっきりしているのは須恵器である。つまり、窯で焼成されることで、窯跡として遺跡が残る。ここでは、生産地がはっきりしている須恵器を中心に胎土分析を行うことでどのようなことがわかるのか解説する。

（1）須恵器の胎土分析

　古代の岡山である吉備地方の初期須恵器の胎土分析を行い、地方における初期須恵器の生産と流通について考える。

　吉備地方での須恵器生産は5世紀初め頃に総社平野北西に所在する奥ヶ谷窯跡で開始された。しかし、この窯跡以後100年以上も吉備での須恵器生産は行われず、6世紀前半に東部の備前地域の和気郡和気町戸瀬池窯跡が、続いて6世紀中頃に瀬戸内市木鍋山1号窯跡、赤磐市別所窯跡が操業する。いずれの窯跡も県東部の備前地域である。

　奥ヶ谷窯跡の出土遺物は大型の壺・甕、高杯で、ほとんどが壺・甕である。これらの器面整形は平行タタキか格子タタキで、内面には無文当て具痕が見られる。肉眼による胎土中の砂粒観察では、石英などの砂粒含有量の違いで二つに分類され、器壁の薄いものは砂粒が少なく、厚いものは多い傾向にある（柴田 1997）。

　次に初期須恵器が出土している吉備中核部の遺跡としては、窪木薬師遺跡、法蓮古墳群、榊山古墳、小寺古墳群、川入遺跡、菅生小学校裏山遺跡、亀山下遺跡、大文字遺跡などで、古墳や集落遺跡からの出土である。各遺跡の概要は

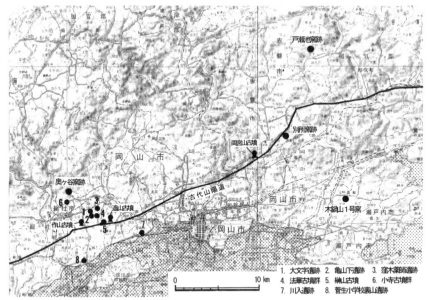

図6　初期須恵器が出土している吉備中核部の遺跡位置図

次のようになる。

　窪木薬師遺跡　竪穴住居 13 号から初期須恵器、軟質系土器が出土、鍛冶関連
の遺物（鉄鋌・鉄滓・砥石など）が出土していることから、鍛冶の仕事をして
いた朝鮮半島の渡来人の生活の場であったと推測されている（島崎ほか 1993）。

　亀山下遺跡　窪木薬師遺跡の西側で 5 世紀代の遺跡が点在する地域で、遺物
包含層より初期須恵器、韓式系土器などが出土している（前角 1994）。

　大文字遺跡　亀山下遺跡の北側に位置し、東には窪木薬師遺跡が存在する。
この遺跡でも初期須恵器が出土しており、高杯形器台の杯部は文様や色調、胎
土が亀山下遺跡のものと酷似している（前角 1994）。

　菅生小学校裏山遺跡　「阿智潟」と呼ばれ、古代の海岸線近くの丘陵上の裾野
に立地していた遺跡である。5 世紀代の朝鮮系土器、陶質土器、初期須恵器が
出土したことから古代は、港であったと推測されている（中野 1993）。

　川入遺跡　足守川下流域に位置し、菅生小学校裏山遺跡と同様な港であった
と想定されている（島崎 1986、亀田 2004）。

　法蓮古墳群　総社市三須丘陵上に位置し、約 40 基の前期古墳で構成されてい
る。このうち 22 号墳、23 号、37 号墳、38 号墳より初期須恵器が出土している。

榊山古墳　造山古墳前方部の正面に位置し、墳丘の南西側で陶質土器（甕・壺・高杯など）が採集されている（総社市教育委員会 1985）。

小寺古墳群 4 基の古墳で構成されていた古墳群である。2 号墳より把手付台付椀の陶質土器や初期須恵器の甑、甕などが出土した（葛原 1987）。

胎土分析では、図 8 に掲載している初期須恵器、陶質土器を分析した。

（2）胎土分析

これまで行われてきた胎土分析の分析手法について簡単に述べてみる。

胎土分析を取り入れたのは、「明石原人」の発見で知られる村本（直良）信夫氏である（村本 1924、成瀬 1988）。村本は胎土中の鉱物を顕微鏡観察で同定し、土器の生産地や移動を推定する基本概念を示した。これ以後、胎土の顕微鏡観察や化学分析（湿式）などで、分析が続けられる。そして、1970 年代には沢田正昭氏、三辻利一氏らにより蛍光 X 線分析法による胎土分析が行われる。特に三辻氏は、生産地がわかる須恵器の産地推定を全国的に行った（三辻 2013）。この須恵器の生産地である窯跡出土須恵器を分析し、日本各地の須恵器窯跡の胎土的特徴を解明した。三辻氏の分析では各窯跡の胎土に違いがある元素に Ca（カルシウム）、K₂O（カリウム）、Rb（ルビジウム）、Sr（ストロンチウム）の各元素に違いがみられることを突きとめた。そして、これらの元素を用いて消費地である各遺跡から出土する生産地のはっきりしない須恵器を分析することで、その須恵器がどこの窯跡から持ち込まれたかを推定することを確立した。これが、須恵器の生産地推定である。

では、なぜ蛍光 X 線分析法が胎土分析に有効なのか。それは、各窯跡出土の須恵器は、同じ窯跡出土でも、須恵器に使用している粘土の元素成分の濃度にはバラツキがある。したがって、このバラツキの範囲を知るためには、同じ窯跡出土の須恵器を最低でも 20 点以上分析し、バラツキを知る必要がある（白石 2016）。そのためには、測定試料の作製が簡単で、多

図 7　蛍光 X 線分析装置

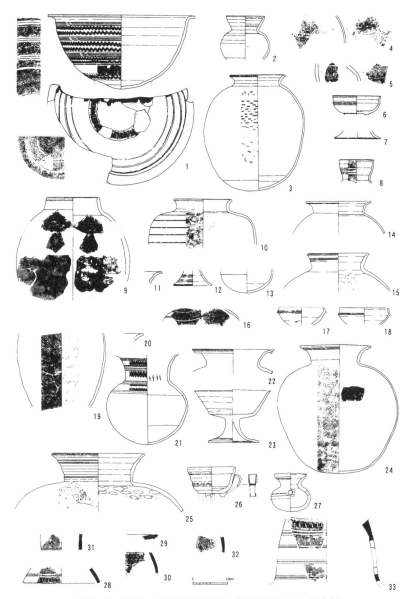

図8　胎土分析した初期須恵器実測図（白石 2018 より一部改変）
1〜11：菅生小学校裏山遺跡　12〜19：窪木薬師遺跡　20：榊山古墳　21：川入遺跡　22〜24：
法蓮古墳群　25〜27：小寺2号墳　28〜32：亀山下遺跡　33：大文字遺跡

量の須恵器を定量的、短時間に測定できる蛍光X線分析法が有効である。

　次に吉備地方の初期須恵器の分析事例について述べる。

（3）胎土分析結果

　蛍光X線分析法で測定した元素のうち、各窯跡の元素濃度に差異がみられる元素を選定するわけであるが、三辻氏のこれまでの胎土分析で、CaO、K_2O、Rb、Sr、などの元素に違いがあることがわかっていることから、これらの元素を用いて散布図を作成した。また、散布図で胎土の比較をする理由であるが、膨大な数値データの可視化（見える化）に重点をおいた。これは、統計処理により分析すればよいという考え方もあるが、散布図はだれでもわかりやすく可視化できることにある。以下、散布図より各生産地窯跡、消費地遺跡の須恵器の分析結果について述べる。

　生産地の比較　吉備地方出土初期須恵器の生産地推定を行うには、まず生産地の窯跡出土須恵器の分析を行い、特徴を調べる。調べた須恵器窯跡は、岡山県総社市奥ヶ谷窯跡、大阪陶邑窯跡群（TK-73、大庭寺 TG-232）、韓国の慶尚南道地方（咸安窯跡・昌寧窯跡・大成洞古墳）の陶質土器である。図9の散布図で検討すると、奥ヶ谷窯跡は、CaO量の違いで、他の窯跡と識別できる。しかし、陶邑窯跡群と咸安窯跡、昌寧窯跡は半分ほど分布領域が重なり識別が困難である。このように、地元の窯である奥ヶ谷は、今回比較した他の窯跡とは判別できる。

　各遺跡出土初期須恵器の生産地推定　図10は、菅生小学校裏山遺跡出土初期須恵器の産地推定結果である。推定した資料は、図8-1～11で、器台、壺、甕、高杯である。いずれの須恵器も奥ヶ谷の領域には入らず、陶邑と咸安・昌寧の領域に分布している。ただ、例外として9（直口壺）が大成洞古墳の領域に、3（甕）と10（壺）はどの領域にも入らなかった。

　図11は、窪木薬師遺跡出土初期須恵器の産地推定結果である。図8の13（壺）、18（杯）、19（甕）以外は、すべて奥ヶ谷の領域に分布し、13が大成洞古墳に18が咸安・昌寧の領域に分布した。なお、19はどの領域にも入らなかった。

　図12は、榊山古墳、川入遺跡、法蓮古墳群出土須恵器の産地推定をした散布図である。その結果、川入21（壺）と法蓮23号墳の24（甕）が陶邑と咸安・昌寧の領域に分布し、榊山20（甕）、法蓮23号の22（甕）、37号（高杯）は奥ヶ谷の領域に入った。

　図13は、小寺2号墳、亀山下遺跡、大文字遺跡出土須恵器の産地推定であ

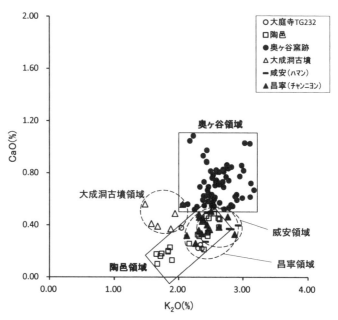

図9　各生産地窯跡の胎土比較（K₂O-GaO）

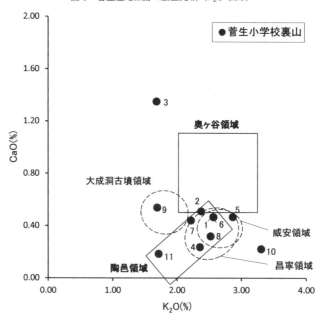

図10　菅生小学校裏山遺跡出土初期須恵器の産地推定（K₂O-GaO）

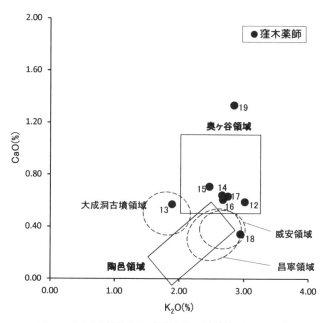

図 11　窪木薬師遺跡出土初期須恵器の産地推定（K$_2$O-GaO）

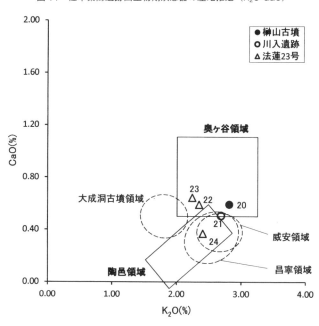

図 12　榊原・川入・法蓮古墳出土初期須恵器の産地推定（K$_2$O-GaO）

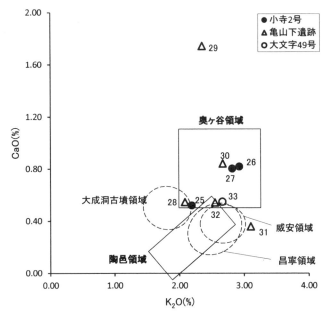

図13　小寺2号墳・亀山下・大文字遺跡出土初期須恵器の産地推定（K₂O-GaO）

る。亀山下遺跡の 29（甕）、31（器台）がどの産地の領域にも入らなかったが、
他のものは、すべて奥ヶ谷の領域に分布した。

3．産地推定から想定されること

　吉備中核部の古墳、集落遺跡出土初期須恵器の生産地推定を実施したところ
以下のことが考えらえる。
　①生産地である各窯跡の比較では、吉備の奥ヶ谷窯跡と国内最大の初期須恵
器窯が分布する陶邑窯跡群は明確に識別できたが、陶邑窯跡群と韓国の慶尚南
道地方（咸安窯跡・昌寧窯跡・大成洞古墳）の陶質土器の比較では、分布領域が
重なり識別が困難であった。
　②吉備中核部の各遺跡出土の初期須恵器の産地推定では、遺跡により生産地
の偏りがみられるのではということが考えられる。たとえば、菅生小学校裏山
遺跡では、奥ヶ谷のものは出土せず、陶邑か韓国の慶尚南道地方のものが搬入
している。しかし、窪木薬師・亀山下・大文字の各遺跡では、奥ヶ谷産と推定
されるものが多く出土している。また法蓮古墳群、小寺2号墳でも奥ヶ谷産の

ものが出土している。このように、遺跡別で産地が異なることにはどのような
理由が考えられるのか。一つの考え方として、遺跡の性格つまり、集落（生産
を含む）遺跡か、港か、古墳かなどが関係している。特に、奥ヶ谷窯跡に近い
遺跡の窪木薬師は鉄生産遺跡で亀山下・大文字の集落遺跡は、それに関わった
集団の集落であることから、地元生産の須恵器が多く出土する。それに対して
菅生小学校裏山遺跡は港的な性格の遺跡であることから、他地域の搬入品が多
く出土することは、十分考えられる。このように、今後は遺跡を残した集団に
ついても想定しながら分析することで当時の流通についても考えることができ
るかもしれない。

　③ CaO 濃度が 1.2% 以上と多く含まれる須恵器（菅生小学校裏山の甕 3、窪
木薬師の軟質土器甕 19、亀山下の 29）がある。この 3 点は奥ヶ谷の領域にも入
らないことから、新たな生産地があるのかもしれないが、これまでの分析で、
CaO 濃度が 1% 以上を多く含まれる粘土は土師器に多い傾向がみられる。この
ことを裏付けるように窪木薬師の甕 19 は軟質土器である。今後資料を増やし
て検討する必要があるが、土師器の粘土で焼成されたことが十分考えられる。
このことはもしかしたら初期須恵器の生産には土師器工人が関わっていたので
はないかとも考えられる。

　④菅生小学校裏山の壺 10、亀山下の器台 31 の 2 点がどの領域にも入らない。
壺 10 は外面肩部下にタタキが施され、横方向の沈線が巡り、焼成は瓦質気味
である。また、器台 31 は外面に組紐文が施されており、奥ヶ谷窯跡にも同様
の文様があるが、奥ヶ谷の領域には入らなかった。他地域からの搬入なのか地
元に新たな生産地があるのか、この点についてもデータを増やして再検討する
必要がある。

4. おわりに

　このように、造山古墳、作山古墳が所在する吉備中核部で出土する初期須恵
器の生産地を胎土分析で検討した。これまでに分析できた吉備中核部の消費地
遺跡出土初期須恵器資料は 8 遺跡 33 点で、そのうち他地域からの搬入品は 13
点、在地のものは 16 点、産地がはっきりしなかったものは、5 点であった。分
析方法が破壊分析であることから、分析できる資料にも制約があるが遺跡の性
格などで、各遺跡出土の初期須恵器の生産地に偏りがあるのではないかという

ことを述べたが、分析点数に隔たりがあり、なかなか難しい点はある。また、今回の分析で吉備地方に未発見の初期須恵器窯があるのではないかと考えている。この点についても今後の初期須恵器の蓄積、分析で解明されると考えている。

註

1) 西戸裕嗣氏（岡山理科大学名誉教授）によると、大山は約2万年前に火山活動が停止する以前は、3,000m以上の標高であったという御教示を頂いた。これは、現在の富士山級の標高であった考えられ、現在の富士山は、関東一円から見ることができ、ランドマーク的な役割を果たしている。つまり、大山が3,000m級の標高であったと想定すると、中国・四国一円から眺望することができたと想定される。このことは、旧石器人が中国山地を移動するときランドマークとしての役割を果たしていたと考えられる。また、四国五色台のサヌカイト原産地からも眺望でき、中国山地から五色台にサヌカイト石材を取りに来た帰りは、大山を目指して移動すれば中国山地の尾根筋交通路に辿り着く。

引用・参考文献

稲田孝司　2010『旧石器人の遊動と植民・恩原遺跡群』新泉社
亀田修一・池田善文　1996「Ⅲ山陽（山口、広島、岡山）」『須恵器集成図録第5巻西日本編』雄山閣出版
亀田修一　2004「五世紀の吉備と朝鮮半島―造山古墳・作山古墳の周辺を中心に―」『吉備地方文化研究』14
葛原克人　1987「小寺古墳群」『総社市史考古資料編』総社市史編纂室
島崎　東ほか　1993『窪木薬師遺跡』岡山県埋蔵文化財発掘調査報告86、岡山県教育委員会
島崎　東　1986「岡山県の初期須恵器について（予察）」『古文化研談叢』16、九州古文化研究会
島崎　東　1987「備中榊山古墳採集の遺物について」『岡山県史研究』3、岡山県史編纂室
白石　純　2016『土器が語る古代・中近世―土器の生産と流通―』吉備人出版
白石　純・田中清美　2016「上町谷1・2号窯跡の初期須恵器および関係土器資料の胎土分析報告」『大阪文化財研究所研究紀要』17、大阪文化財研究所
柴田英樹　1997『奥ヶ谷窯跡』岡山県埋蔵文化財発掘調査報告121、岡山県教育委員会
総社市教育委員会　1985「法蓮古墳群」『総社市埋蔵文化財発掘調査報告』2、総社市教育委員会
田中清美　2017「吉備の須恵器生産の始まり」『古代吉備』28、古代吉備研究会
中野雅美　1993「第1節まとめ」『菅生小学校裏山遺跡』岡山県埋蔵文化財発掘調査報告81、岡山県教育委員会
成瀬正和　1988「わが国胎土分析の先駆者直良信夫」『日本文化財科学会会報』15、日本文化財科学会
前角和夫　1994「前川地区ほ場整備事業に伴う発掘調査」『総社市埋蔵文化財調査年報』4 総社市教育委員会
三辻利一　2013『新しい土器の考古学』同成社
村本信夫　1924「石器時代土器の二、三の事実について」『考古学雑誌』14巻14号、日本考古学会
望月明彦　1996「蛍光X線分析による中部・関東地方の黒曜石産地の判別」『X線分析の進歩』28、pp.157-168
望月明彦　1998「黒曜石の原産地を推定する　蛍光X線分析法」『石器・土器・装飾品を探る』文化財を探る科学の眼②、国土社、pp.15-20
藁科哲男　1999「石器および玉類原材料の産地分析」『考古学と年代測定学・地球科学』同成社

第Ⅱ部

関連科学と考古学

第1章

地理学と考古学

宮本真二　*MIYAMOTO Shinji*

1．地理学と環境研究

　まず本稿では、日本の地理学研究者が考古学研究者との共同研究で提示した環境考古学について研究史上の整理を行い、当該領域の視点から実施された事例研究を展開する[1]。

　地球環境問題が顕在化した現在において、環境考古学の役割やその存在意義はすでに広く知られている。しかし、その成立過程に言及した研究はわずかで、フィールド・サイエンスの研究史上の位置づけについての議論に乏しい。特に環境考古学は、日本の考古学研究の進展によって成立したのではなく、隣接科学である地理学において遺跡を対象とする地形研究が進展し、環境考古学が提示され、その後広くその領域が認知されてきた経緯がある。その後、他の研究領域同様に、地理学においても分野内細分化が進展する中、自然と人間との関係性の追求という地理学本来の視点からの遺跡を対象化した研究群こそが日本における環境考古学の成立の主体であったことを本稿では明示し、結果として日本考古学研究者の研究史の意図的な整理の誤りを指摘する。さらに、学際的領域としての環境考古学研究の今後の研究課題についても提示し、今後の研究動向を展望した。

（1）地理学の環境研究

　本稿では、総合科学としての側面が強い環境考古学は、日本考古学から派生してきたのではなく、隣接科学としての地理学研究から提起されたことを指摘する。そのために、我が国の環境考古学の系譜について、地理学の環境研究との関係性から検討し、研究史上に位置づけることを目的とする。その上で、そ

れらの研究が抱えている問題点や可能性を明らかにしたい。

　地理学において環境研究が主要なテーマであったことはない。たとえば「かつて地理学は、自然と人間の関係、自然環境と社会との交互作用を研究するものと考えられていたこともあった」（浮田 1984）と述べられているように、環境という自然と人間との接点領域を研究対象とすることは重視されてこなかった。なぜなら、環境決定論の影響（鈴木 1988、安田 1990a・b・1992）もさることながら、自然地理学と人文地理学の二項対立の構図の形成（森滝 1987）が、結果として総合的な視点が求められる環境問題に対処できなくなったことも事実であろう。森滝（1987）は社会科学としての（人文）地理学を志向する立場を明確にしているが、社会学の環境史への対応（鳥越 1984）で提起されたような実践的な視点や理論を、現時点までの地理学が提示できているとはいえまい。森滝（1987）は地理学的研究の規範のなかで、環境研究を志向する立場だが、地理学の独自性を地理学の枠内のみで議論しても生産的でない（門村 1993）と指摘されているように、問題設定が自己の領域内で消化されるような研究では、分野間の相互批判は生まれず、その結果として、安易な分野内細分化が進展する可能性が高いと考える。

　地理学における環境研究の困難さは、環境問題研究の一展開としての気候変動と人間活動との関係性の考察に対して、「地理学の禁忌（タブー）」（安田 1990b）と評されるまでに、環境を対象とする研究は避けられていたのである。

（2）人間の環境としての地形

　このように、地理学は環境研究に積極的なアプローチを行ってこなかった。そして環境問題が顕在化する時代において、細分化を加速させてきた背景がある。そのような中で、遺跡を研究対象とし、自然と人間との関係性の科学としての地理学を志向する立場から、「地形環境研究」の枠組みが提示された。ここではその系譜をたどる。

　日下（1973・1980）などによる一連の地形環境研究の公表によって、地形環境という用語の存在は知られるようになった。「地形環境という語を physiographic environment と topographic settings との中間的な意味をもつものと解し、過去の地形と人間生活に関する研究、すなわち古環境の復原にたいして用いたいと思う」（日下 1982）と述べているように、通史的な各段階における地形と人間活動の関係性の探究を意識していたものと解釈できる。しかしこ

の視点は、現在の環境問題以前の、日本の高度経済成長期における自然破壊の顕在化期（公害問題発生時）から形成されてきたことに着目する必要がある。自然地理学の物理現象のみを対象とする研究や、人文地理学の人文を強調する傾向を批判的にとらえ（日下 1967）、人為による自然環境の実態を把握するため、人にとっての地形という視点への展開（日下 1975）が認められるのである。

　このように、自然と人間との関係性を追求するとした本来的な地理学を志向する立場から、地形環境への視点を、「人間の環境としての地形」として規定した（日下 1973）。この領域は地理学における自然現象そのものを対象とする自然地理学や、人文現象そのものを対象領域とする人文地理学の「はざま」に位置するものであり、その後各地域・時代を対象とした地形環境研究は、若干の視点を変えながらも、考古学との連係などによって蓄積されてきた（長澤 1982、山川 1984、小橋 1985、外山 1989、中塚 1991、高橋 1994a、青木 2001、宮本ほか 2001など）。それらの成果は、自然環境の影響そのものをあまり重視しなかった考古学や歴史学にとっても、周辺として成立した領域でもあった。たとえば、遺跡発掘調査報告書などの二次的な考古学成果を考察に導入する従前の歴史地理学的な研究方法ではなく、考古学が対象とする遺跡発掘調査そのものに主体的に加わり、一次資料を蓄積し、地形環境や土地利用変化などを考察する「地形環境分析」（高橋 1989）などの成果である。これらの研究は、先史時代以降の短期間の地形環境の変化の解明だけでなく、空間のなかでの遺跡の立地に着目する視点をもつ。その空間を対象化することによって、結果として日本の考古学的研究も生活空間の解明に研究動向が転換しつつある（宮本・牧野 2002）。

2.　環境考古学の視点

　記録保存を目的とした遺跡発掘調査の増加は、多くの発見をもたらした。またその結果として考古学への関心が高まり、考古学に自然科学の参入をもたらすものとなった。そのような時勢のなか、「環境考古学」は、Butzer（1964）の著作に強く影響を受けた地理学研究者の安田喜憲（1980）によって日本で始めて提唱された。安田（1980）は環境考古学を、人類史を軸とした自然科学と人文科学にわたる総合科学として位置づけている。またその方法として「過去における主体（人間）と環境との相互作用の歴史を具体的に復原し、その地域的な比較のうえにたって人類史を見直すという、生態史の帰納的手法」（安田

1980）を適用することが提起された。その後出身分野が異なる研究者から、いくつかの環境考古学の定義が試みられてきた。たとえば「人間社会の発展と古環境およびその変遷との相互関係を探求する学問」（那須 1984）や、「環境考古学は過去における自然界すべての復原をめざしているのではなく、人間生活に直接・間接にかかわりをもつ現象に限られる」（日下 1993）との指摘がある。さらに「環境考古学は過去の人類と環境の相関的規定の関係史から現代を照射する」（小野 1997）ことや、「主に自然遺物（ecofact）の分析を通して、過去および現在の環境や生態系と人間活動の関係を明らかにすることを目的とした考古学の一分野である」（佐藤 2000）との見方や、「遺跡から検出された自然遺物・遺体の分析を通じて、過去における人と自然の相互関係の歴史を復原すること」（中島・宮本 2000）と広義にとらえる見解がある。

　このように、安田（1980）による提唱以降、環境考古学は地理学や考古学研究者の注目を集めることになった。しかし、一部の日本考古学の研究者からは、遺跡から産出する各種の自然遺体の自然科学的分析によって過去の生態系を復原すること（松井 2001、十菱 1998）や、自然科学的知識の必要性の指摘（伊庭 2001）のように、いわば、発掘現場における自然科学の導入といった技術論的分野として把握される傾向があり、その後分析技術以外の方法論的検討は進展していない。しかし、各種の自然科学的分析の導入が一般化したことは事実であるし、空間のなかでの遺跡の立地環境といった視点は一般化し、日本の環境考古学的研究は、「現代考古学において、システム論的考古学の総合的一分野を形成しつつある」（佐藤 2002）と評されるまでになっている。

3. 地理学と考古学の共同研究：地形環境研究

　これまで見てきたように、地形環境研究（たとえば、日下 1980）が研究対象としてきたのは、純自然環境要素としての地形ではなく、人間の生活環境としての地形で、その結果として日本では多くの生活空間が展開する沖積平野が研究対象地域となってきた。地形環境研究の意義は、自然・人文地理学と細分化される傾向にあった地理学の現状を、環境という用語をもちいることによって人の存在を考慮した地形研究の必要性を強調したことである。それは本来的な地理学の命題としての自然と人間の関係性の科学の再構築を促す意図があったと考える。

　地形環境研究の事例研究の蓄積によって、先史時代以降の短期間において発生した地形環境変遷の実態が次第に解明されてきたが、これらの研究は必ずしも現在の環境問題解決を目的とした問題設定が行われているとはいえない。これらの研究は考古学とのつながりを強くしながら方法論的な検討が行われているが（たとえば、宮本・牧野 2002）、現代の環境問題を意識しながらの建設的な批判も、方法論的議論も現時点では展開されていない。

　土地に対する人の積極的な働きかけの復原を主要な研究テーマとする地形環境研究は、同時代的一致で語られることの多い気候変動と人間活動関係性の研究では見えてこない、生活の実態の変遷について解明することができる。つまり土地に対する人の働きかけの歴史は、自然からのリスク管理を伝統的で継続性ある知の蓄積としてとらえることが可能で、検証性のない一般論として批判の対象となる環境決定論を克服できるものと考える。最近では数値地図の活用や GIS によって遺跡の立地特性を把握しようとする試み（たとえば、千葉・横山 1999）などがみられるが、解釈に深みをもたせ、実態ある議論の展開には、フィールドでの資料蓄積がより重要となることはいうまでもない。

　そこで以下では事例研究として、近江盆地を対象とした研究を展開する。

4. 近江盆地南東部、野洲川下流域平野の地形環境と遺跡

（1）野洲川下流域平野の概観
　野洲川下流域平野の播磨田城遺跡（守山市）は、琵琶湖へ注ぐ野洲川左岸の標高 94 m 付近に位置する中世城郭推定地で、傾斜変換点付近に立地し（図1）、扇状地帯ⅠとⅡの境界附近に当該遺跡は立地している（髙橋 1994b）。

　発掘調査では、中世の住居跡等が検出され（図2）、下層から縄文時代晩期の遺物を包含する泥炭層が検出された（守山市教育委員会 2003）。それ以前の地形環境変遷を把握するために、古高・経田遺跡（標高 93 m、図1）（守山市教育委員会 2005）近辺でボーリング掘削調査を実施した。

（2）研究方法
　遺跡のトレンチ断面の堆積層・相の記載、年代測定、含水比、含水率、乾燥容積比重の測定、そして、遺跡周辺のボーリング・コア試料採取を行った。

（3）結果と考察：先史時代以降の地形環境変遷と遺跡立地
　上記した播磨田城遺跡での堆積・相調査および古高・経田遺跡近辺のボーリ

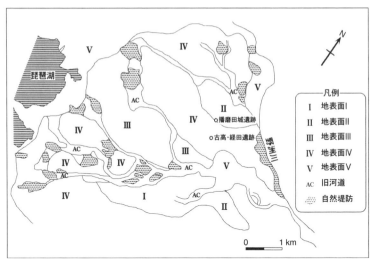

図1　野洲川下流域平野の発達史的地形分類予察図と調査地点

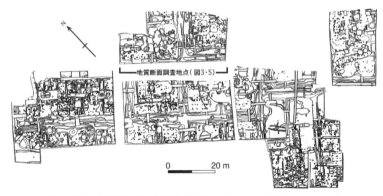

図2　播磨田城遺跡の検出遺構と調査地点（守山市教育委員会2003に加筆）

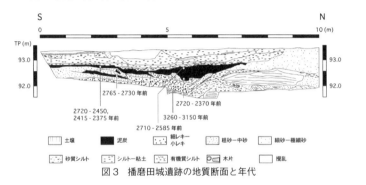

図3　播磨田城遺跡の地質断面と年代

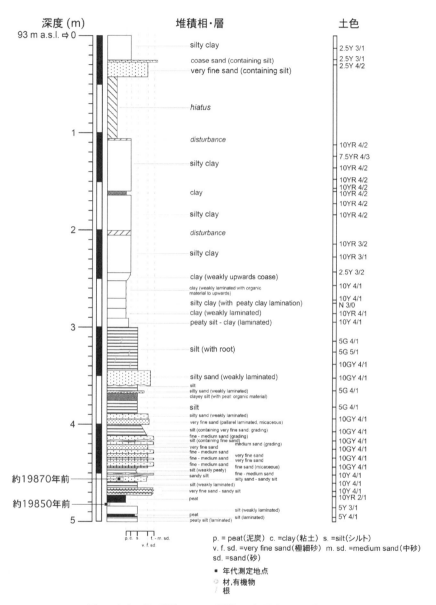

図 4　古高・経田遺跡において掘削した短尺ボーリング・コア
堆積物の層相と年代測定用試料採取地点

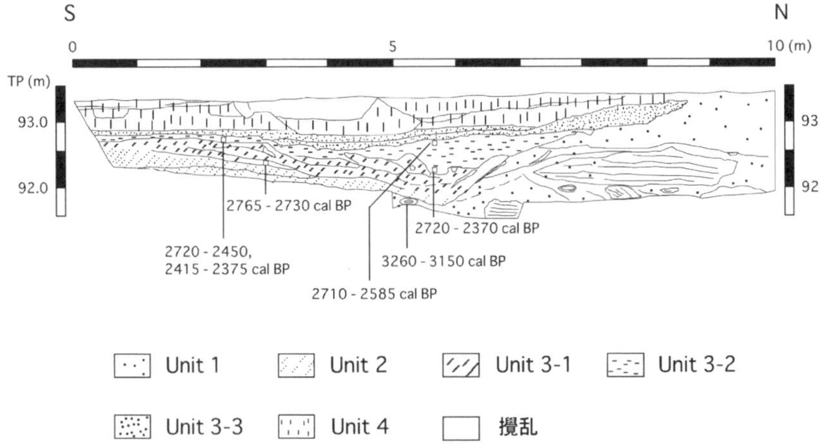

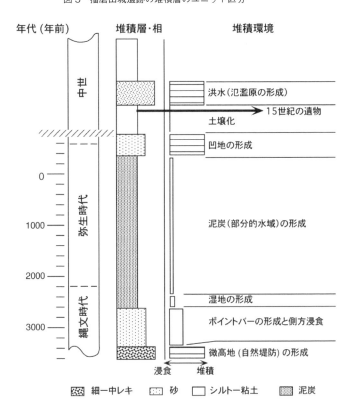

図 5　播磨田城遺跡の堆積層のユニット区分

図 6　播磨田城遺跡の堆積環境変化

①河川活動の活発化と微起伏の形成：(約20,000年前〜15,000年前)

②部分的な離水と土壌化の進行：(約15,000年前〜約2,800年前)

③谷の埋積と遺構の形成：(約2,800年前〜約1,700年前)

④土壌化の進展：(約1,700年前〜700年前)

⑤大規模な洪水：(約700年前〜500年前)

図7　野洲川下流域平野の地形環境変遷と遺跡立地モデル

ング調査の結果から明らかとなった地形環境変遷と遺跡立地の変遷について以下で述べる[2]。

　播磨田城遺跡に関しては、図5で図3の堆積層・相の記載に基づき、堆積環境ごとのユニット区分を行った。また、ボーリング調査の堆積層・相の記載は図4で示した。以下にはその堆積環境の変遷について考察し、その要約は図6にまとめた[3]。さらに、全体の地形環境変遷と遺跡立地について図7にまとめた。

①河川活動の活発化と微起伏の形成

　古高・経田遺跡のボーリング・コア堆積物の下部の砂層（図4）は、旧河道

近くの氾濫堆積物もしくは、充填堆積物であり、活発な河川活動が推定された。当該遺跡付近では自然堤防状の微高地および旧河道跡の小規模な谷が形成されたものと考えられる。

②部分的な離水と土壌化の進行

古高・経田遺跡の約20,000年前〜約15,000年前ごろに微高地となった地点では、幾度かの洪水氾濫にみまわれながらも部分的に離水し、土壌化が進行した。

③自然堤防状の微高地の形成

播磨田城遺跡（図5：Unit1）近辺の本流性河川の氾濫によって、後背湿地に自然堤防状の微高地が形成された段階で、最下部の木材の年代測定結果から、約3,200年前に形成されたものと推定される。この時期は大規模な河川氾濫の影響が大きく、当該地域一帯は居住域の立地には適さなかったものと考えられる。

④ポイントバーの形成と側方侵食

播磨田城遺跡（図5：Unit2）近辺では、河川が曲流しながらポイントバー（蛇行州）を形成し、約3,200年前に形成された自然堤防状の微高地を侵食した段階である。動水的な環境下にあり、居住域の形成に不適な地形環境で、約2,700年前の年代値が与えられる。河川活動は自然堤防状の微高地を形成した前時代ほど大規模なものではなく、浅谷を形成するような河川活動（小野ほか2001）であったかは不明である。

⑤小規模な谷の埋積と生産遺構の形成

古高・経田遺跡近くでは、約20,000年前から約2,800年前ごろまで埋積が進展しなかった旧河道起源の小規模な谷で埋積が進行し、立木などの有機物が埋没する過程で形成された泥炭層が検出された（図4）。当時は湿地状態にあったと考えられ、この谷の埋積する過程を利用した小区画水田などの生産遺構が形成されはじめる。なおこの窪地は、「埋積浅谷」の可能性がある（小野ほか2001）。

⑥湿地の形成開始

播磨田城遺跡（図5：Unit3-1）において自然堤防状の微高地とポイントバーに挟まれる河道跡に約2,700年前以降泥炭層の形成が始まる。

⑦湿地の形成

播磨田城遺跡（図5：Unit3-2）で検出された泥炭層がいちじるしく発達する段階で、湧水が生じるような凹地（河道跡）に形成された。洪水の影響を受けなくなったことや、縄文時代晩期の土器片が含有しており、周辺で人の活動が

推測される。形成期間は約 2,700〜2,500 年前の時間幅である。この段階で離水
期の段階に入ったと考えられ、人間活動な可能な地形環境が安定したものと
推定される。この泥炭地には縄文時代晩期の土器片が検出され、土地利用の開
始が推測されるが、パイロット事業的な水田耕作跡（小野ほか 2001、高橋 1996、
宮本ほか 2003）検出されていない。

⑧凹地（河道跡）の埋積

播磨田城遺跡（図 5：Unit3-3）において静穏な水域環境が展開し、河道跡の
凹地が最終的に埋積される段階である。この段階では、著しい河川活動の影響
は受けていないが、土器片が検出されている。

約 2,700 年前に形成された河道跡の凹地は、約 2,700〜2,500 年前の泥炭の堆
積によって埋積が進展した。

⑨低地の埋積

播磨田城遺跡（図 5：Unit4）において細粒の洪水堆積物が堆積した時期で、
堆積量が多く、再び周辺域で河川活動が活発化したものと考えられる。堆積物
の供給時期は不明だが、近隣の下長遺跡や古高・経田遺跡においても、泥炭層
が旧河道の凹地を埋積するかたちで約 1700 年前頃に形成され、その後氾濫堆
積物で覆われていることから（宮本 2001）、この付近一帯に影響をおよぼす河
川活動であった可能性が指摘される。

⑩土壌形成

播磨田城遺跡（図 5：Unit4）において前段階の洪水堆積物が土壌化した。形
成開始期は不明だが、この時期までに離水し、安定した地形環境であったとも
のと考えられる。土壌層の下面では柱穴跡などの多数の中世遺構が検出されて
おり、この付近一帯において居住域が展開したものと考えられる。

⑪細粒堆積物の供給

播磨田城遺跡（Unit4）において 15 世紀に掘削されたと考えられる柱穴は、
洪水砂で覆われている。この洪水砂の供給時期は遺構の下限年代から 15 世紀
以降である。しかしこの柱穴跡を埋積する洪水堆積物は、遺跡内の微地形を変
化させるほどの影響をおよぼした活動ではなかった。野洲川の天井川化が進展
するのが 14 世紀末以降に本格化し、100 年間の間に進行した可能性が指摘され
ている（高橋 1994b）。洪水堆積物の供給時期は、15 世紀の遺構を埋積するかた
ちで堆積し、中世以降であることは確実であることから、下流域平野全体に影

響をおよぼすような洪水が活発化した河川活動であった可能性が指摘される。

5. おわりに

　本稿では、地理学と考古学との関係において成立した「環境考古学」の成立過程を概観した後に、その代表的な研究として野洲川下流域平野を対象とした地形環境研究を紹介した。その結果、野洲川下流域平野に分布する遺跡内の詳細な堆積層の観察とボーリング調査によって、当該地域の地形環境は、11 つの段階が設定できた。

　このように居住域としての集落の立地のみならず、生産域としての水田の形成においても地形環境が重要な選択条件となったことが指摘できる。

　とくに近江の場合においては、現景観を特徴づける「天井川」と「集村」の形成プロセスにおいて、中世以降の洪水氾濫が多大な影響をもたらしていると考えられ、今後の重要な検討事項といえる。

［付記］本研究の研究経費の一部には、科研費・課題番号：課題番号：17K03265 の一部を使用した。

註
1）本稿は前半の研究史については宮本（2017）をもとに、また後半の事例研究部分について宮本（2019）を大幅に改変した。
2）本稿では、含水比等の分析は議論の対象から除き、また紙面の都合上、堆積層・相と年代測定結果の記載についても省略した。
3）年代は全て較正暦年代で標記する。

引用・参考文献
青木哲哉　2001「中世集落の立地と地形環境」（高木正朗編『空間と移動の歴史地理』古今書院）pp. 1-32
伊庭　功　2001「粟津湖底遺跡―環境史解明の宝庫」『地球』23、pp.400-404
浮田典良　1984「人文地域総説」（浮田典良編『人文地理学総論』朝倉書店）、pp.1-17
小野映介・海津正倫・川瀬久美子　2001「濃尾平野における埋積浅谷の発達と地形環境の変化」『第四紀研究』40、pp.345-352
小野　昭　1997「環境考古学－人類史と自然史の対話」『環境情報科学』26-2、pp.2-7
門村　浩　1993「環境科学研究における自然地理学の役割」『地理学評論』66A、pp.798-807
日下雅義　1967「人文地理学と地形研究」『人文地理』19、1967、pp.60-78
日下雅義　1973『平野の地形環境』古今書院
日下雅義　1975『環境地理への道』地人書房
日下雅義　1980『歴史時代の地形環境』古今書院
日下雅義　1982「歴史時代における地形環境の研究」『立命館文学』439-441、pp.371-396
日下雅義　1993「考古学と古地理学」（森　浩一編『考古学―その見方と解釈・下』筑摩書房）pp. 3-28
小橋拓司　1985「由良川中・下流域低地の古地理と地形環境」『立命館文学』483-484、pp. 73-97

佐藤宏之　2000「環境考古学」（安斎正人編『用語解説・現代考古学の方法と理論Ⅱ』）同成社、pp.31-36

佐藤宏之　2002「旧石器研究の現代的意義」『科学』72、pp.594-599

鈴木秀夫　1988「環境決定論というタブー」『地理』33（10）、pp.13-17

高橋　学　1989「埋没水田遺構の地形環境分析」『第四紀研究』27、pp.253-272

高橋　学　1994a「古代末以降における臨海平野の地形環境と土地開発―河内平野の島畠開発を中心に―」『歴史地理学』167、pp.1-15

高橋　学　1994b「琵琶湖沿岸平野の地形環境分析」『琵琶湖博物館開設準備室研究調査報告』2、pp.71-85

高橋　学　1996「埋積谷」（安田喜憲・林　俊雄編『講座：文明と環境5 文明の危機』）朝倉書店、pp.274-277

千葉　史・横山隆三　1999「遺跡立地と地形特徴」『情報考古学』5、pp.1-12

外山秀一　1989「遺跡の立地環境の復原―滋賀、比留田法田遺跡・湯之部遺跡を例に」『帝京大学山梨文化財研究所研究報告』1、pp.161-177

鳥越皓之　1984「方法としての環境史」、（鳥越皓之・嘉田由紀子編『水と人の環境史―琵琶湖報告書』）御茶の水書房、pp.327-347

十菱駿武　1998「環境考古学とは」『日本の科学者』33、pp. 453-457

長澤良太　1982「紀伊田辺平野における先・原史時代の遺跡立地とその古地理」『人文地理』34、pp.84-95

中島経夫・宮本真二　2000「自然の歴史からみた低湿地における生業複合変遷―学際研究から総合研究への可能性―」（松井　章・牧野久美編『古代湖の考古学』）クバプロ、pp.167-184

中塚　良　1991「山城盆地中央部小泉川沖積低地の微地形分析―遺跡立地からみた地形形成過程と構造運動」『東北地理』43、pp.1-18

那須孝悌　1984「環境考古学の定義と課題」『日本文化財科学会会報』6、pp.5-6

松井　章編　2001『環境考古学（日本の美術 423）』、至文堂

宮本真二　2001「野洲川下流域平野、下長遺跡の基本層序と年代」『下長遺跡発掘調査報告書Ⅸ』守山市教育委員会、pp.71-72

宮本真二・國下多美樹・中塚　良　2001「山城盆地西縁における古墳時代の古環境と遺跡立地」『歴史地理学』203、pp.107-118

宮本真二・牧野厚史　2002「琵琶湖の水位・汀線変動と人間活動―過去と現在をむすぶ視点」『地球環境』7、pp.17-36

宮本真二・河角龍典・小野映介・畑本政美　2003「野洲川下流域平野、播磨田城遺跡における地形環境の変遷と遺跡立地」『播磨田城遺跡発掘調査報告書』守山市教育委員会、pp.75-82

宮本真二　2017「日本の「環境考古学」の成立と地理学」（安田喜憲・高橋　学編『自然と人間の関係の地理学』）古今書院、pp.1-13

宮本真二　2019「野洲川下流域平野の地形―変遷と遺跡立地―」『考古学ジャーナル』723、pp.14-19

森滝健一郎　1987「地理学における環境論」『水資源・環境研究』1、pp.34-47

守山市教育委員会　2003『播磨田城遺跡発掘調査報告書』守山市教育委員会

守山市教育委員会　2005『古高遺跡・経田遺跡発掘調査概要報告書』守山市教育委員会

安田喜憲　1980『環境考古学事始―日本列島2万年―』日本放送出版協会

安田喜憲　1990a「日本文化風土論の地平」『日本研究』2、pp.171-211

安田喜憲　1990b『気候と文明の盛衰』朝倉書店

安田喜憲　1992『日本文化の風土』朝倉書店

山川雅裕　1984「濃尾平野東部における遺跡の立地と古地理の変遷」『立命館文学』466-468、pp.82-117

Butzer, K. W. 1964. *Environment and Archaeology.* Chicago、Aldine

第2章

年代学と考古学

畠山唯達 *HATAKEYAMA Tadahiro*
富岡直人 *TOMIOKA Naoto*
那須浩郎 *NASU Hiroo*

1. はじめに：年代論概説

　考古学は歴史上の文物を扱う学問である以上、遺物や遺構が作成・造営され使用された年代を知ることは必要不可欠である。遺構から直接年代が記録された遺物が見つかったり、文献記録に年代に関する情報が記載されていることはそう多くなく、遺跡単位でそのような証拠がなかったり、あるいは遺跡が複数の時代にまたがって活動していたなどと言うことの方が一般的である。このような場合、遺構・遺物を使ってさまざまな手法でその年代を制約していく。ここでは、よく使われる年代推定手法を列挙するが、主に物理学的原理を利用する方法、地質学・生物学的原理を利用する方法、考古学の原理や記載考察を利用する方法に大別される。

（1）おもに物理学的な原理を利用する手法

　①放射性炭素年代法（^{14}C 法：本章 2 節にて詳説）　炭素には質量数が 12, 13, 14 の 3 つの同位体が存在する。このうち最も量が少ない ^{14}C の原子核は不安定で、約 5730 年の半減期で ^{14}N にベータ崩壊する。この性質を利用して、有機物の生物活動停止後の年代を測定することができる。

　本手法の対象は生物の遺骸全般である。陸上の生物は生きている間は大気と平衡にある程度一定な ^{14}C/^{12}C 比を持っているが、死んで呼吸・代謝をしなくなった瞬間から ^{14}C が減り始めるため、試料の ^{14}C/^{12}C 比を測定し動植物が死んだ・枯れた年代を知ることができる。放射壊変を用いた年代測定は地質学では様々な核種を使って行われているが、半減期が人間の活動期間とマッチしていることや、基本的な対象物が有機物（生物遺骸）であることなどから、炭素年代は考古学において最もポピュラー放射性同位体年代推定法となっている。

　本手法は考古学の様々な場所で用いられるが、最もインパクトを与えたもの
一つとして、弥生時代の開始年代に関する研究がある（春成ほか2003）。21世
紀初頭までに加速度質量分析器（AMS）による^{14}C年代測定が普及し、精度・
確度ともに飛躍的に向上した。縄文晩期〜弥生早期の遺跡での年代測定結果か
ら、弥生時代の開始が従来よりも約500年間も遡る可能性が指摘され、その後
の考古学界で大きな論争となった。

　②ルミネッセンス法・電子スピン共鳴（ESR）法　鉱物の結晶中などには不純
物（マイナーな元素）や格子の欠陥などが存在するが、そこには安定な軌道か
ら移動してきた電子がはまっていることが多い。電子が移動してくる原因は
周囲からもたらされる放射線への被曝であり、移動した電子の量は総被爆量、
すなわち、すべてが安定な状態（熱を受けたり光にさらされたりしてリセットさ
れた状態）になってからの年月に比例する。試料の総被爆量を1年間の被爆量
（年間線量率）で割って年代を出すことができるが、測定手法としてはルミネッ
センス法とESR法がある。ルミネッセンス法では自然放射線を受けて電子捕
獲中心にとらえられた電子を熱や光で励起し、安定な状態になる際の発光（蛍
光）を計測する。ESR法では不対電子（2つの電子が入る同一軌道上に1つしか入
っていない電子）の軌道に磁場を掛けながらマイクロ波を当て、磁場によって
ゼーマン分裂した軌道のエネルギー差に応じたマイクロ波が起こす共鳴の量を
測定する。主な対象は石英などの鉱物を含むもの遺物や地層、動物の歯（ESR
法の場合）である（長友1999）。

　（2）おもに地質学的、生物学的な原理を利用する手法
　①降下火山灰（広域テフラ）を用いた年代　遺構を含む地層内に火山灰層があ
ると年代の手がかりとなることが多い。とくに日本においては、過去数千〜数
万年間に広く降り注いだ火山灰（広域テフラ）について、噴出源となる火山と
噴火年代が詳細に調べられている。火山灰層は火山から風に運ばれて広い範囲
に降り注ぎ、大部分はすぐに堆積するので、地層中に残っていればその部分＝
噴火年代とわかり、時代を特定するのに用いることができる（地層で言うとこ
ろの「鍵層」）。

　主要な例としては、南九州の縄文文化にも影響を与えた（桑畑2002）と考え
られる鬼界アカホヤ噴火（K-Ah, 約7,300年前）は西日本に広く分布している。
いっぽう東日本では、群馬県の榛名山二ッ岳渋川火山灰（Hr-FA, 6世紀初頭）

に関連し周囲の遺跡における被害が研究されている（早田 1989）。

②古地磁気年代推定法（本書第Ⅱ部第 3 章にて詳説）　地球磁場（地磁気）の方位や強度は数十～数百年の期間に大きく変動するが、熱を受けた遺物・遺構はその時の地磁気の方位・強度を反映した磁石（残留磁化）を保持するという特徴から、遺跡焼土の残留磁化を測定し、既にわかっている変動曲線と対比して年代を推定する方法である（中島・夏原 1981）。

③年輪年代法（本章 3 節にて詳説）　樹木の年輪の間隔は主に夏季の平均気温を反映して 1 年毎に異なる幅を示す。地域や樹種ごとに年輪の間隔の変化が求められる。現在生えている木～建造物～遺跡から出土する木材等の年輪間隔を接続し過去に遡ることで、標準年輪曲線を作成する。年代不明な遺跡からの木材があれば、間隔を計測し標準と対比して年代がわかる（奈文研 2010）。近年ではさらに、年輪を他の手法と組み合わせてより正確な年代推定をするようにもなってきた。ひとつは、年輪の各部位において放射性炭素年代を行い、^{14}C の生成量曲線と併せる「ウィグルマッチング」であり、もうひとつは樹木の葉からの水の蒸散作用における同位体分別を背景とし酸素の安定同位体比の変動を用いた酸素同位体比年輪年代法（中塚 2021）である。実用例としては、上記の榛名山二ツ岳渋川火山灰（Hr-FA）は早川ほか（2015）によるウィグルマッチング測定によって、5 世紀末（497CE+3-6）と提案されている。

（3）おもに考古学的な原理考察を利用する手法

①型式編年法　発掘された様々な道具は、時代とともに形や用途が変遷することが知られている。ひとつの地域で変遷を詳細に検討すると、その順序（相対年代）が決まる。つまり流行とその移り変わりが順番として示されるのである。その順序の中に、遺物や遺跡に関する「西暦〇〇年」や「△△時代」といった絶対年代を示す証拠があれば、型式の変遷を年代軸上に置くことができる。

たとえば、古代の代表的土器である須恵器は代表的生産地である陶邑遺跡にて数百基もの窯跡が発掘され、出土する土器片や官衙等の消費地での出土遺物との対比等から、詳細な編年が組まれている（田辺 1966、中村 2001 など）。

②交差年代決定法　上記の形式年代法に加え遺物の分布や共存関係から、より広範囲な地域での年代を相対的に決定する方法である。ある地域 A において、土器の形式編年および編年上の複数点において放射性炭素年代が決まって

いるとする。別の地域 B で A とは異なる土器形式編年がある場合、どちらか
または全く別の地域の遺跡の同時代遺構面において A, B 両地域の土器が出土
した場合、A の編年と年代観をもって B 地域の土器の年代に大きな手掛かりを
与えることになる。

　たとえば、九州における弥生土器はひとつの遺跡から複数産地のものが共伴
出土することが多く、各地域の編年と併せて縦の繋がりと横の繋がりが論じら
れていた（中園 2004）が、北九州地域での各形式の年代を決めた放射性炭素年
代測定（藤尾 2005）と対比し、他地域でも絶対年代を論じるようになった。

（畠山）

2．放射性炭素年代測定法と考古学

　現代の考古学において、理化学的年代測定の結果は極めて重要であり、もは
や欠く事のできない情報ともいえる。一方で、その解釈や誤差の理解は、さら
に重要性を増しているともいえる。本節では、考古学研究者という立場で、ど
のようなサンプルを分析に依頼すれば良いか、与えられた測定値をどのように
解釈するべきかについて述べる。

（1）概要

　考古学資料の帰属年代を純粋に考古資料のみから実施することは、いわゆる
編年研究とよばれるアプローチであり、資料の新古を配列によって示す相対年
代が得られる。

　一方で、一般市民と理解を共有しやすいものが暦年代（絶対年代とも）であ
り、考古資料の年代的位置づけの記載は、これに近づける努力が払われている。

　理化学的手法による測定年代 Chronometoric dating は、表現が暦年代に近い
形であることから、絶対年代と思われがちであるが、表現は極めて近いもの
の、これらは概念的に似て非なるものであることに注意が必要である。

　放射性炭素年代測定法は、英語名では Radiocarbon Dating、日本では ^{14}C 年
代測定法、C^{14} 年代測定法、炭素 14 年代測定法、放射性炭素年代測定法とも呼
ばれる。複数ある理化学的年代測定の中でも ^{14}C 年代測定法は、現在の先史考
古学の研究の根幹となっている。

（2）基本原理

　地球上に多く存在する炭素は ^{12}C と呼ばれる安定同位体である。これ以外に

表 1　各種の炭素の特徴

	^{12}C	^{13}C	^{14}C
同位体	安定同位体	安定同位体	放射性同位体
陽子数	6	6	6
中性子数	6	7	8
質量数	12	13	14
存在率	98.9	1.1	約 1 兆分の 1

も陽子数が同じ元素は全て炭素である。その特徴を表 1 に示す。全炭素に対して約 98.9% を占めるのが安定同位体の ^{12}C であり、約 1.1% 程度で存在する ^{13}C と呼ばれる安定同位体と、約 1 兆分の 1 という超微量で存在する ^{14}C と呼ばれる放射性同位体も存在する。なお、12, 13, 14 という数値は、表 1 に示される通り陽子数＋中性子数から求められる質量数であり、この質量数で各種の炭素を呼んでいるのである。このうち ^{14}C は、放射壊変によって徐々に減少し、理論的には 5730 年という長時間を経ると、生成した当時の半分の量に減じるという事が把握され、この原理を利用して、^{14}C の存在量から ^{14}C が満量あったであろうという生成時期を国際的標準試料と比較して推定するという手法が放射性炭素年代測定の基本原理である。

　ただし、生物圏内において ^{12}C に対する ^{14}C の存在率が一定であるということと、さらにそれを光合成や食物連鎖のプロセスで体内に取り込む動植物は、生存中は ^{12}C に対する ^{14}C の存在率が当時の生物圏の存在率と同じであるが、死後には ^{14}C の放射壊変が起こり減少する（^{12}C と ^{13}C は安定同位体なので変化しない）という 2 点が、放射性炭素年代測定の原理の前提にある。

　一方、^{14}C は、大気圏上層で中性子線によって ^{14}N より生成するという点から、太陽の影響を強く受け、太陽活動の変化があれば ^{14}C の存在率は一定ではない。

（3）遺跡でのサンプリング

　発掘の経験を持つと、遺跡から多数の放射性炭素を含有する資料が出土する。埋蔵文化財行政の場では、そのうち、破壊分析が許される試料を選んで、放射性炭素年代測定を実施する会社に依頼する事が頻繁に行われる。表 2 に放射性炭素年代測定に供すことが出来る資料とその特徴を掲げる。

　取り扱いにおいては、炭化物の場合は炭素という安定した成分が主である事から、温湿度の管理にそれ程気を遣う必要はないが、汚損には気を付けたい。

表2　AMS法による放射性炭素年代測定の各種サンプル

サンプル	特徴	サンプル量の目安（g）
種子	種の同定も可能なので、多く出土した場合にのみ利用が望ましい。1年毎に生成される為、年代測定に適している。	0.1
樹の幹	年輪の中心部分は古い年代を示す。	0.1
葉	ラミナ状を呈す薄い層に検出されるケースがあり、利用に適している。多くの場合1年毎に生成される為、年代測定に適している。	0.1
花粉	セルソーターという装置で花粉を選別し、利用が図られている。他の試料よりも確保が容易なケースが想定されている。1年毎に生成され、生産量も多い為、年代測定に適している。	0.02
土壌	目に見える炭化物等が発見できない場合に、土壌自体を測定する事もできる。ただし、どのような生物遺存体が分解・変質した事によって土壌が生成されたか、形成過程の慎重な検討が欠かせない。	10
泥炭	湿地帯に形成される泥炭は、生物遺存体が分解・変質して生み出されたもので、土壌と同様に形成過程の慎重な検討が必要である。	0.1
貝殻・サンゴ	生息地によって異なると考えられるが、海洋による炭素リザーバー効果があり、古い数値が出る可能性がある。また、多孔質で汚損が浸透している試料は避ける事が無難である。	0.1
骨・歯	多孔質の骨や歯は避けて、硬質な組織をサンプルに供するべきである。また、骨考古学で計測できる部分（歯冠、関節）や年齢形質や形態小変異を示す部分は出来るだけ避ける。	4（火葬骨は約10g）
昆虫	昆虫は、微小資料を撹乱する存在でもあり、遺跡の層中より検出された場合は、遺跡形成過程の理解のため測定する事が望ましい。	0.05
土器	繊維土器は勿論、粘土に含まれる有機物は焼成され、土器に含まれる事から、年代測定が可能である。ただし、含有される炭素が土器製作年代よりも古い年代を示す可能性がある。	0.1
土器付着炭化物	土器に付着した炭化物は食料が煮こぼれて付着したり、土器を加熱する燃料である木材等の煤が付着したりした可能性がある。食料が海産物ならば、炭素リザーバー効果の影響が考えられる。燃料が木材の場合、古い年代の炭素が付着する可能性が考えられる。ここから得られる数値を土器製作年代に解釈するには慎重さが必要である。	0.1

※サンプル量は目安であり、これよりも少なくて測定できる場合もある。

　ただし、汚損された場合も掛け替えのない分析試料であれば、分析担当者はクリーニングの手段があるので、汚損の状況（発掘中に泥が被った、直に手で触ってしまった等）を伝えて相談をすれば良い。

　試料を遺跡からサンプルする場合、平面図やセクション図に記録し、何処から採取されたものか示せる様にする事が望ましい。平面図の場合は、標高の記録もして次項の測定試料カードの「採取点の深さ」という情報に盛り込むことが望ましい。

　測定者に送付する場合、汚損を避ける事と、試料が割れる事を避ける為に、アルミフォイルでくるんでから、チャック付きポリ袋に入れ、さらにその袋を紙製等のケースに収納して送付する準備をする事が望ましい。

（4）測定サンプルの記録

　本項からは埋蔵文化財資料取り扱い者の立場を想定して、AMS 法による放射性炭素年代測定サンプルの記録法に沿って説明する。

　放射性炭素年代測定を測定者に依頼するには、発掘に伴う情報を伝える義務がある。その為に利用するものに測定資料カードがある（図 1）。ここにあげるものは（株）加速器分析研究所の遺跡発掘調査用の用紙である。

　「試料名・番号」は、送付する試料について 1, 2, 3・・・n と番号を振れば良い。遺跡名は通常変更が起こる事はないが、遺構名、層位は、報告書作成段階で変更される可能性もあるものの、調査段階で割り振れたもので良い。種類については、表 2 を参照して記せば良い。ただし、土壌や泥炭は、土が主となる試料である事から、複数の処理方法が選択出来るので、「Ⓐ106μm のフルイ（約 0.1mm 目）でカタチのある有機物等を除去し、通過した土を試料とする。Ⓑ有機物と土壌を合わせて磨り潰して試料とする。Ⓒ炭化物・植物片など形ある有機物を優先する。採取できない時は（処理Ⓐ・処理Ⓑ・追加・代替・中止）とする。」の何れかから選択する。Ⓐは土壌自体の年代を把握したい場合選択する。Ⓒは中に含まれている有機物を優先して把握したい場合選択する。Ⓑは、ⒶⒸの中間的な処理であり、必ず年代が欲しい場合に選択すれば良いであろうが、何の年代を求めたいのか、やや曖昧である。

　「量」は、出来れば 0.1g 単位、あるいは 0.01g 単位で重量を測定出来る電子秤で測定する事が望ましい。

（5）測定サンプルの属性

　これより下の欄は、このサンプルの考古学的属性を記入するものであり、不明な内容は、ベテランの考古学者に相談しながら記入する事が望ましい。何事も不確実な情報を記入する事は問題である。

　「採取年月日・採取者・所属機関」は、必要な項目であるものの、整理作業に時間がかかった試料の場合、検証を新たに実施する場合は、判明するものを記入する。

　「遺跡の所在地・立地」の記入は、当然できるであろうが、地形に崖、侵食層、撹乱がある場合等は積極的に記入すべきである。

　「北緯・東経」は、近年は GPS やスマートフォンでも簡単に求められるので、測定方法を含めて記入すべきである（日本測地系か世界測地系か把握する為）。

AMS-^{14}C 年代測定試料カード（遺跡発掘調査用）

株式会社　加速器分析研究所　TEL 044-934-0020　FAX 044-931-5812

この電子ファイルを弊社ホームページ（http://www.iaa-ams.co.jp/faq5.html）よりダウンロードし、ご記入頂けます。

試料名・番号：	遺跡：	遺構：	層位：

種類：炭化物・木炭・木片・植物片・土壌・泥炭・貝殻・骨・その他（　　　　　　　）
　　　土壌・泥炭など土が主となる試料は下記選択肢よりご希望の処理方法をお選び下さい。
Ⓒのみ第二希望も選択
　　Ⓐ　106㎛ふるいで形のある有機物などを除去し、通過した土を試料とする。
　　Ⓑ　有機物と土壌を合わせて磨り潰して試料とする。
　　Ⓒ　炭化物・植物片など形ある有機物を優先する。採取できない時は（処理Ⓐ・処理Ⓑ・追加・
　　　　代替・中止）とする。
量：＿＿＿＿＿g（試料中に土壌を含む場合、最大量は100g）
特徴（詳細、学名等）：＿＿＿＿＿＿

採取年月日・採取者名・所属機関

遺跡の所在地・立地（国・都道府県・市町村・番地、地形的特徴等）

（北緯　　　　　東経　　　　　）

採取点の深さ、環境及び地層の説明、出土状態、年代の異なる炭素（modern 或は dead carbon）の混入の可能性等（可能であれば、柱状図も添付してください）

試料の採取・処理・保存方法（保存処理を行った場合など、通常とは異なる処理が必要になることがあります）

年代測定の目的・意義

炭素量が少なく AMS 測定が不可能な場合、1. 追加試料の送付　2. 代替試料の送付　3. 中止	残試料の取扱い 1. 返却希望　2. 希望なし（3 年保管後廃棄）

処理方法のご要望（測定の対象を明確にする，特に堆積物などはご注意ください）

従来の測定値または予想年代、関連文献（著者名・題・雑誌名、頁を記入してください）

報告書に関する指示
暦年較正　1. 有　2. 無（海洋試料の暦年較正　1. 有　2. 無）
較正年代の表記　1. cal BC/AD　2. cal BP

測定依頼者　所属機関：　　　　　　　　　担当者：
住所：〒
電話：　　　　　　　Eメール：

試料・分析方法に関する問い合わせ先（上記依頼者と異なる場合）
住所：〒　　　　　電話：　　　　　Eメール：

請求先情報（上記依頼者と異なる場合）
宛名：　　　　　　　住所：〒
電話：　　　　　Eメール：

＊試料名・番号、試料の種類は必ずご記入ください。　　　　　（2019 年 10 月改訂）

図 1　AMS-^{14}C 年代測定試料カード [1]

地図でしか位置が分からない場合も、地図ブラウザで算出する事が出来る。

　「採取点の深さ」は、発掘時の情報を紐解いてチェックする必要があり、表層から発掘地点の深さとともに、発掘地点の標高を記す事が望ましい。

　「環境及び地層」の説明では、埋存時のあり方を推定して記すとともに、その後の形成過程・続成作用の可能性を考慮して、地層の保存状況も記載すべきである。出土状態は、発掘のセクションで検出してサンプルしたか、平面的な発掘の最中に発見してサンプルしたものか記す事が望ましい。また炭素は先述の通り安定した物質であることから、古い年代のものも、新しい年代のものも混入する可能性があり、混入しても見分ける事が難しい。

　また、記入されている通り可能であれば採取地点を模式的に示す柱状図も示すとより良い。このシートに描き込みにくい場合は、別紙に描いて添付しても良い。

　「試料の採取・処理・方法」は、例えば「目視で出土を確認、現場でアルミフォイルに包みチャック付きポリ袋に密封してサンプル」「発掘区のセクションより発見しサンプリングした」「発掘後、3 カ月を経てフローテーション作業中に発見し、採取」「伝世品の一部について表面の汚損部を取り除いた後にフレッシュな面をダイヤモンドディスクで削り、サンプリング」「資料が脆弱であったため、アセトンに溶かしたパラロイド B-72 で処理をしていた」等と記入すれば良い。特に樹脂で保存処理したものは、薬品で前処理をする必要があるため、重要な情報である。使用薬剤が分からない場合でも、処理がされていたのが確かであれば、「樹脂による保存処理が施された」等と記入しておけばよい。

　「年代測定の目的・意義」は、「共伴した土器の型式では約 7000 年前の縄文時代前期と推定される遺構であるが、これを同じ遺構出土炭化物より検証する為」「周辺からは弥生時代の土器が出ているが明確な副葬品がないので、帰属年代を特定する為」の様に、編年研究との比較等、具体的研究計画を記入する。

　「処理方法の要望」は、複数のサンプルを提供した場合には、必要に照らして「測定対象は何を利用したのか明らかにする事」等とリクエストすれば良い。

　「従来の測定値または予想年代、関連文献」は、把握出来る範囲で送付した方が、混乱が回避できる可能性が高まるであろうが、必須の事項ではない。

　「報告書に関する指示」では、暦年較正は「1. 有」、較正年代の表記は「1.cal BC/AD」が一般的であろう。これ以下は、取引上必要な記載事項であり、経

表3　笠岡湾海底採集スミノエガキ（マガキ属）の放射性炭素年代測定結果

測定番号	試料名	採取場所	試料形態	処理方法	δ¹³C（‰）(AMS)	δ¹³C 補正あり	
						Libby Age（yrBP）	pMC（%）
IAAA-160951	KasaokaCg2	岡山県笠岡市笠岡湾海底	貝殻	Edg	-1.04 ± 0.62	8,600 ± 30	34.29 ± 0.14

δ¹³C 補正なし		暦年較正用（yrBP）	1σ 暦年代範囲	2σ 暦年代範囲
Age（yrBP）	pMC（%）			
8,210 ± 30	36.00 ± 0.14	8,596 ± 32	9321calBP-9190calBP（68.2%）*	9376calBP-9127calBP（95.4%）*

* OxCal v4.24Bronk[2013] にて Marine13 marine curve [Reimer et al. 2013] を使用し marine 100％で較正

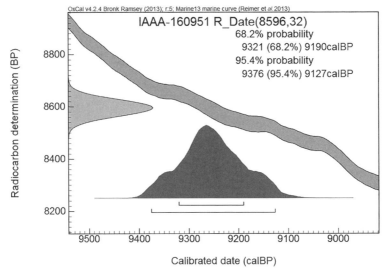

図2　笠岡湾海底採集スミノエガキ（マガキ属）の放射性炭素年代と較正値

理担当者と確認し、必要な手続きと並行して準備し、記入すれば良い。

（6）測定された数値と較正

　実際の測定データとして、笠岡付近の海底で採集されたスミノエガキと推定されるマガキ属試料の測定番号 IAAA-160951 について説明する。

　ここで掲げる例では、測定には米国国立標準局（NIST）が供給するシュウ酸（HOxⅡ）を標準試料に用いて測定値を導きだしている。

　放射性炭素年代は、この原理の発明者の名前を冠して"Libby Age"とも呼ばれ、最も基礎的な測定値で、yrBP. という単位で算出されるが、その際の年代は 1950 年を基準にその年次から何年前かを示す形である事、Libby が設定

した半減期を 5568 年として計算する事、放射性炭素の存在率が現在と同一で一定であったというルールに則っている。

δ^{13}C（AMS）は、先述の標準試料から算出される ^{13}C/^{12}C の値である。同位体効果と呼ばれる、同位体に起因して物性、反応性が変る現象を δ^{13}C（AMS）より近似的に求めて補正する事が可能で、それによって示された年代には δ^{13}C 補正ありと記されている。δ^{13}C の補正がなされた Libby Age は 8600yrBP ± 30、pMC（percent Modern Carbon）は 34.29 ± 0.14 % である。pMC がもし 100 以上だとすると、放射性炭素の量が現代の標準試料と同等となってしまい。現代 Modern の年代のものと判断されるのである。本例の場合は、十分に小さい値で、問題がない。暦年較正用年代は 8596 ± 32yrBP であった。なお、δ^{13}C 補正なしの年代も参考値として挙げられており、8210 ± 30yBP、pMC は 36.00 ± 0.14 % であった。

放射性炭素年代値は正規分布するという仮説に基づくと、その誤差 ± 1σ に含まれる可能性は 68.2%、さらに ± 2σ に含まれる可能性は 95.4% となる。

さらに OxCal という放射性炭素年代測定の較正解析プログラムによる補正で、海産物に用いる marine curve を使用し、marine 100% として較正をかけ、± 1σ 暦年代範囲 9321 - 9190calBP に含まれる可能性は 68.2% となり、± 2σ 暦年代範囲 9376 - 9127calBP に含まれる可能性は 95.4% である。

以上より、この試料の年代を簡略に説明すると、「放射性炭素年代測定の結果、まず ± 30 年の誤差で 8600 年前という年代が得られた。しかし、海洋から採集された試料であることから海産物に対する年代較正を行い、68.2% の確率で 9321 年前〜 9190 年前、95.4% の確率で 9376 〜 9127 年前と算出された」という事になるのである。　　　　　　　　　　　　　　　　　　　（富岡）

3.　年輪年代法

（1）年単位のものさし

遺構や遺物の年代は、前節で紹介したように、放射性炭素年代（^{14}C 年代）法によって測定されることが多い。しかし、放射性炭素年代では、数十年から数百年の誤差が生じるため、年単位で年代を決定することはできない。一方、樹木の年輪や年縞堆積物など 1 年ごとに形成される指標を用いることで、年単位の高精度な年代決定が可能になる。年単位で年代を決定できることの意味は

大きい。例えば、歴史時代の遺跡では古文書や碑文などに年号が明らかな歴史記録が残されている場合が多いが、このような文字による記録と遺構や遺物の年代が一致するかを調べるためには、数十年の誤差でも不十分であり、年単位の年代決定が求められる。また、遺跡の古環境データを年単位で年代決定し、碑文などに記された遺跡の盛衰年代と比較することで、社会の盛衰と環境変動との因果関係も知ることが可能になる。ここでは、箱崎（2018）、中塚（2021）、中塚ほか編（2021）を参考に年輪年代法について概説する。より詳しく学びたい方はこれらを参照されたい。

（2）年輪の幅による年輪年代法

　樹木の年輪からなぜ数千年前の遺構や遺物の年代を年単位で決定することができるのだろうか。切株の断面に見られる年輪を数えることで、その樹木の年齢（樹齢）を知ることができるが、これは、年輪が1年ごとに形成されるからである。樹木は毎年肥大成長をする植物である（草は肥大成長しない）。日本の四季のように1年の季節変化がはっきりしている地域では、季節ごとの樹木の

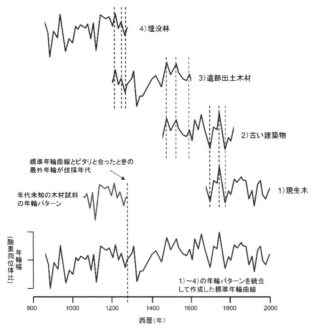

図3　各時代の年輪幅のクロスデーティングによる標準年輪曲線の作成と年代未知試料の年代決定
（箱崎 2021 を参考に作成）

肥大成長のパターンが異なる。春から夏にかけては気温が高く降水量も十分にあるので、光合成が活発になり、細胞壁が薄い大きな細胞が多数形成される（早材）。一方、秋から冬にかけては、細胞壁が厚くサイズの小さい細胞が少数形成される（晩材）。この早材から晩材への変化は色の濃淡として捉えられて年輪として認識される（安江ほか 2021）。

　この年輪の幅は、1年間の樹木の肥大成長を反映するので、年ごとにバラバラになる。しかし、同じ地域で生育した同じ樹種であれば、気候に対する生理的な反応がほぼ同じなので、年輪幅の広狭パターンが類似したものになる。この年輪幅の広狭パターンを少しずつ樹齢の異なる樹木でつなぎあわせていけば（この作業をクロスデーティングという）、現在から過去にさかのぼる年輪幅のパターンのグラフを描くことが可能になる。これを標準年輪曲線（マスタークロノロジー）という。この標準年輪曲線を現生木だけを使って構築する場合は、多くの樹木では300年程度が限界であり、寿命が長い樹種でも3000年ほどで限界になる。しかし、過去に生育していた木材の年輪を使えば、理論的にはこれを数万年前の過去にまで延長することができる。例えば、法隆寺などの古い建造物の柱には、当時の古い木材が使われているので、この木材の樹種と年輪の幅を調べることで、標準年輪曲線を延長することが可能になる。さらに、過去の火山活動や土砂災害などで埋没した埋もれ木や、遺跡から出土する木材なども古い年輪の情報を持っている。これらをどんどんつなぎ合わせていけば、より古い時代まで標準年輪曲線を延長することができる。

　このようにして世界各地で標準年輪曲線の構築が進められており、現在のところ北米では過去9000年、ドイツでは過去1万年を超える標準年輪曲線が構築されている。日本ではヒノキとスギで過去3000年の標準年輪曲線が構築されている（箱崎 2021）。

　この標準年輪曲線に、遺跡から出土した木材の年輪幅を照合することで、その木材の年代を年単位で決めることが可能になる（図3）。ただし、これには条件がある。標準年輪曲線が構築された樹木と同じ樹種であること、そして、気候変化が同様だと考えられる程度に同じ地域で出土した木材であることが必要になる。そのため、標準年輪曲線を多様な樹種と地域で構築する努力が続けられている。また、樹皮が付いていな木材であれば、年輪の年代と伐採年代が異なることにも注意したい。樹皮が残っていない木材では、最外年輪が分からな

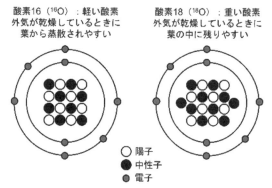

図4　酸素の同位体（酸素 16 と酸素 18 では中性子の数が異なる）

いため、いつ枯死したのか、伐採されたのかは分からないからである。

（3）酸素同位体比による年輪年代法

　近年、この年輪年代法に新手法が登場した。酸素同位体比による年輪年代法である（中塚 2021）。従来の年輪年代法では、年輪の幅を計測した値で標準年輪曲線を構築するが、この方法では、年輪の細胞壁の主成分であるセルロースを構成する酸素の同位体比から標準年輪曲線を構築する。同位体とは、同じ原子でも、中性子の数が違う原子のことである（図4）。例えば、酸素原子の原子核は、陽子が 8 個と中性子が 8 個からなっており、質量数はそれぞれを足して 16 となる。このような酸素を酸素 16 （^{16}O）と呼ぶ。大気中に存在する酸素はほとんどがこの酸素 16 だが、わずかに中性子の数が 1 つ多い酸素 17 （^{17}O）や 2 つ多い酸素 18 （^{18}O）が 0.2％ほど存在する。こうした少しだけ中性子の数が多い、すなわち重い酸素（酸素 18）と通常の軽い酸素（酸素 16）の存在比が酸素同位体比である。

　年輪のセルロースを構成する酸素の同位体比は、降水量に左右される。樹木は、光エネルギーを使って二酸化炭素（CO_2）と水（H_2O）から糖（グルコース：$C_6H_{12}O_6$）を作る。これを光合成というが、セルロースは光合成によってできたグルコースが多数繋がってできた多糖である。すなわち、樹木の細胞壁を構成するセルロースには、樹木が生育していた当時の二酸化炭素と水に由来する酸素が含まれていることになる。東アジアに生育する樹木のセルロースの酸素同位体比は、樹木が肥大成長した当時の降水量と相関があることが分かっている。外気が乾燥していれば植物体内の水分が蒸発する（蒸散）が、このときに

軽い酸素（酸素16）の方が重い酸素（酸素18）よりも蒸散されやすいので、乾燥しているときには植物に蓄積される酸素同位体比は、標準物質と比べて、重い酸素（酸素18）が多い同位体比になる。一方、湿潤な時期には蒸発量が抑えられるので、酸素の同位体比は、標準物質と比べて、軽い酸素（酸素16）が多い同位体比となる。このような理由から、セルロースに含まれる酸素の同位体比を測定することで、当時の降水量の変動を復元することが可能になる。この降水量の変動は地域ごとに一定なので、樹種に関係なく、地域ごとの標準年輪曲線を構築することが可能になった。

　これまでの年輪幅を用いた年代決定は簡便であるが、樹種による制約があった。酸素同位体比による年輪年代法は、樹種を問わない点で画期的である。スギやヒノキ以外の広葉樹などの他の樹木にも適用できるので、様々な樹種での年単位の年代決定か可能になっている。また、同時に降水量の変動も復元することができるため、年代決定だけでなく、気候変動の復元にも大きく貢献している（中塚・佐野 2021）。

　ただし、この新手法にもいくつか短所がある。まず、必ず破壊分析を伴うという点である。これは、重要文化財やそれに準ずる木質遺物には直接適用できない、ということを意味する。従来法であれば、X線CTやMRIなどを使った非破壊での年輪幅の計測も行われているため、この点では従来法の方が優れている。また、これは従来法とも同じ課題であるが、この方法はどこの地域でも適用できるものではないことに注意したい。植物が光合成を行う際の同位体分別が直接降水量を反映するのは、東アジアなどの中低緯度地帯であり、高緯度地帯では気温も関係しているためより複雑で、まだ適用できていない。

　以上のように、年輪年代学は最近めざましい進展を遂げている。従来法と酸素同位体比法ではそれぞれに利点と欠点があるが、これらの両手法を発展させていくことで、過去の歴史を年単位、あるいは季節単位で理解することが可能になると期待される。　　　　　　　　　　　　　　　　　　　　　　（那須）

註

1) AMS-14C年代測定試料カードは㈱加速器分析研究所 早瀬亮介氏に提供頂き、放射性炭素年代測定について御教示を頂いた。

引用・参考文献

桑畑光博　2002「考古資料からみた鬼界アカホヤ噴火の時期と影響」『第四紀研究』41、pp.317-330、https://doi.org/10.4116/jaqua.41.317

早田　勉　1989「6世紀における榛名火山の2回の噴火とその災害」『第四紀研究』27、pp.297-312, https://doi.org/10.4116/jaqua.27.297

田辺昭三　1966『陶邑古窯址群Ⅰ』『平安学園考古学クラブ論集』10

塚本すみ子　1995「電子スピン共鳴（ESR）年代測定法の現状と問題点」『第四紀研究』34、pp.239-248、https://doi.org/10.4116/jaqua.34.239

中島正志・夏原信義　1981『考古地磁気年代推定法』考古学ライブラリー9、ニューサイエンス社、pp.96

中園　聡　2004『九州弥生文化の特質』九州大学出版会、p.646

長友恒人編　1999『考古学のための年代測定学入門』古今書院、p.161

中塚　武　2021『酸素同位体比年輪年代法　先史・古代の暦年と天候を編む』同成社、p.232

中塚　武・佐野雅規　2021「降水量―樹木年輪酸素同位体比（セルロース酸素同位体比を用いた夏季降水量の復元）」中塚武・對馬あかね・佐野雅規編『古気候の復元と年代論の構築』臨川書店、pp.59-88

中塚　武・對馬あかね・佐野雅規編　2021『古気候の復元と年代論の構築』臨川書店

中村　浩　2001『和泉陶邑窯　出土須恵器の型式編年』芙蓉書房、p.201

奈良文化財研究所　2010「年輪年代学―年輪は自然がつくりだした歴史年表―」、https://www.nabunken.go.jp/nabunkenblog/2010/01/koukokagaku-nenrin.html

早川由紀夫　2015「榛名山で古墳時代に起こった渋川噴火の理学的年代決定」『群馬大学教育学部紀要自然科学編』63、pp.35-39

春成秀爾・藤尾慎一郎・今村峯雄・坂本　稔　2003「弥生時代の開始年代―14C年代の測定結果について―」『日本考古学協会第69回総会研究発表要旨』pp.65-68

箱崎真隆　2018「酸素同位体比年輪年代法による植生史学・考古学研究の新展開」『季刊考古学』145、pp.77-82

箱崎真隆　2021「年輪年代法とは何か」中塚武・對馬あかね・佐野雅規編『古気候の復元と年代論の構築』臨川書店、pp.203-212

藤尾慎一郎　2005「弥生時代の開始年代―AMS―炭素14年代測定による高精度年代体系の構築―」『総研大文化科学研究』1、pp.73-96

安江　恒・下里瑞菜・平英　彰　2021「気温―樹木年輪幅，密度（年輪内最大密度を用いた富山における夏期気温の復元）」中塚　武・對馬あかね・佐野雅規編『古気候の復元と年代論の構築』臨川書店、pp.97-110

Bronk Ramsey, C. 2009 'Bayesian analysis of radiocarbon dates' in "Radiocarbon" 51 (1), 337 360

Reimer, P.J. et al. 2013 'IntCal13 and Marine13 radiocarbon age calibration curves, 0-50,000 years cal BP' in "Radiocarbon" 55 (4), 1869-1887

Stuiver, M. and Polach H. A. 1977 'Discussion: Reporting of 14C data' in "Radiocarbon" 19 (3), 355-363

第3章

古地磁気学・岩石磁気学と考古学

畠山唯達 *HATAKEYAMA Tadahiro*

はじめに

　本稿では、磁場や磁石の性質を利用して考古遺物や遺跡から様々な情報を取り出す手法について解説する。これらは、「対象とする鉱物がとても小さく」、「場や働く力がそもそも見えない」という2つの意味で目に見えず、考古学のような存在する「もの」を扱う分野では若干の違和感を持たれるかもしれない。しかし、埋蔵文化財の調査研究上で他の手法では得ることができない知見をもたらす。

　一般にすべての物質は磁場に対して何らかの応答を示すが、その性質を磁性とよぶ。磁性は物質を構成する分子内にある電子の個数と配置によって決まり、大部分の物質は磁場に対して比例したごくわずかな反応を示す「常磁性」、あるいは、わずかに反対向きの反応を示す「反磁性」の磁性を持つ。しかし、一部のもの（化合物・結晶）は磁場に対して大きく反応したり、場合によっては放っておいても自分自身が磁場を発したりする性質、すなわち「強磁性」を示す。常温で強磁性を示す物質は永久磁石になる特性を持っているということとほぼ同義であり、何らかの原因で物体中の物質が持つ個々の小さな磁石（磁気モーメント）の一部が揃い巨視的に特定の磁気モーメントを保持した状態が、一般的に磁石と呼ばれる。この揃った磁気モーメントのある状態を「磁化（または残留磁化）を持っている」と表現することもある。

　本稿では、考古遺物や遺構の物質に含まれる磁石の性質の違いと、磁石が記録している過去の地球磁場の特徴を利用して、遺跡の年代や変形、遺物の履歴などを探る手法と解釈について紹介する。

1. 地磁気と古地磁気、岩石磁気

(1) 地球の磁場 (地磁気)

　地球は地磁気とよばれる磁場を持つ。その結果として、地球上の各所で方位磁針を置けば、どこでもおおよそ北を指す。この原因は「地球の中心に南向きにN極、北向きにS極を向けた大きな磁石があって、それが作る磁場が表面では南から北向きに流れ (磁力線) を形成しているため」と聞いたことがある読者も多かろうが、概ね正しい。しかし、「大きな磁石」と言うのは棒磁石のような永久磁石ではないことに注意が必要である。磁石となる物質 (強磁性体) は微視的な磁気モーメントが相互作用してある方向に磁化を持っているが、その結びつきは温度が高くなると弱くなり、ある温度以上で無くなる。これを磁気相転移とよび、この温度のことを一般にキュリー温度と言う。たとえば、鉄 (α鉄) の場合、キュリー温度は約770℃で、これより高温では永久磁石ではない。いっぽう、地球など惑星の中では中心へ向かうほど高温である。地球は図1に示すような層構造をしているが、岩石質のマントルと金属質の核の境界 (コアーマントル境界:CMB) における温度は3,500〜4,000℃に達すると考えられる。この温度で鉄を主成分とする核の物質は溶けて液体となっているうえ、キュリー点よりもはるかに熱いので、核は永久磁石とはなり得ない。では一体、地磁気の原因は何だろうか。それは核の中を流れる電流である。直線の導線に流れる電流はその周りに円状の磁場を作り、円環の電流は中心に円と垂直な方向の磁場を作る (アンペールの法則)。地球の核の中でも巨大な電流が流れており、磁場が生成される。電流が流れる原因は外核が液体金属からできていることにある。流体核は激しく対流しており、また、地球が自転しているため、洗濯機の中のような渦を作る。もしすでに磁場があれば、電気を流す導体が磁場中を動くことによって起電力が生じ (電磁誘導) 磁場が再生産される結果として複雑で大きな電流が核内を流れるが、外か

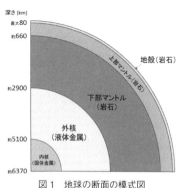

図1　地球の断面の模式図
地磁気は主に外核における液体金属の流動が原因となる電流で発生する。

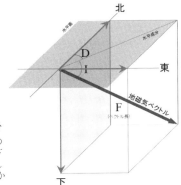

図 2　地表のある点で観測される地磁気の方向と各成分
北半球の大部分では、地磁気ベクトルは「ほぼ北向きの下向き」方向となる。そのため、歴史的には北・東・下と正の向きとする 3 成分で表し、同等な組み合わせとして偏角（水平北からのずれ、東向き正）、伏角（水平面からのずれ、下向き正）、全磁力（地磁気強度）も使用される。

ら見ると外核表面の赤道上を東から西へ流れるような円環電流が卓越し、結果として南に N 極があるような棒磁石（双極子）とよく似た磁場ができる。このような対流のエネルギーを磁場に変える物理過程全体を「地球ダイナモ作用」と言う。実際には核内の流体運動は複雑な形をしており、生成される磁場も単純な双極子磁場ではなく複雑で、時間とともに変化する。地表で観測される磁場にしてみれば、真北を向かない（偏角 ≠ 0）場所が多い。実際に日本付近では現在の地磁気ベクトルの向きは偏角（図 2）が西向き 4 〜 10 度、伏角が下向き 38 〜 60 度、全磁力は 43 〜 51 マイクロテスラであるが（場所による）、過去 100 年間で方位は 10 度程度、強度は 10% 程度の変化をしてきた。

（2）古地磁気

　人間が地磁気を観測してきた歴史はとても長い。自由に回転する磁石が南北に向くことは、古代の中国では知られていたようだし、偏角・伏角もそれぞれ 8 世紀・16 世紀くらいにははっきりと認識されていた（Merrill et al. 1998）。世界の各所で偏角や伏角が測定されるようになったのは大航海時代以降で（Jonkers et al. 2003）、強度を本格的に測定し始めたのは 19 世紀前半である（Gauss and Weber. 1840）。19 世紀末期には、いくつかの国で継続的に地磁気が測定され、1900 年以降については全地球の地磁気モデルが作成されている（国際標準地球磁場 IGRF、2020 年版は Alken et al. 2021）。

　直接の観測が及ばない時代についても、我々は地磁気の情報を岩石や考古遺物から得ることができる。岩石や焼土が形成された際に、その時の地磁気の情報、いわば地磁気の化石を保持しているからである。このような過去の地磁

を古地磁気とよび、それを測定し当時の地磁気を復元する学問分野を古地磁気学とよぶ。

　古地磁気測定の基本原理は以下のようなものである。過去の地磁気の情報「残留磁化」にはつき方によっていくつかの種類がある。中で最も一般的、最も強力、かつ、最も確実に昔の地磁気の情報を残すものは熱残留磁化である。強磁性物質はキュリー温度では磁性を失うことは上に紹介したが、高温から冷却すると、キュリー点を下回ったあたりから周囲の磁場と同じ方向でその強さに比例した残留磁化を獲得する。これが熱残留磁化で、たとえば、火山から噴出した溶岩は冷えて鉱物が結晶化、ガラスが固化し流動性を失ったのち、最大で数％も含まれる磁鉄鉱のキュリー温度（約580℃）を下回ったあたりから熱残留磁化を獲得する。熱残留磁化を記録している岩石をその場の方位や水平を維持・記録したまま採取し、その残留磁化の方位を測れば、岩石が冷却した時の地磁気の方位を復元することができる。実際には試料を決まった形に成

図3　古地磁気測定に用いる岩石用磁力計の例
本機器はスピナー磁力計（正式には全自動交流消磁機能付きスピナー磁力計）と呼ばれ、微弱な磁石である試料を磁気シールド中で回転させ磁石の方位と強さを読み取る。

形し、磁気シールドで現在の地磁気や建物による磁場を遮蔽した中で測定する古地磁気学用の磁力計（図3）を用いることで、精密に磁化の方位を測定できる。また、熱残留磁化を獲得したのちも、変化する地磁気や、採取後〜測定までの間に2次磁化とよばれる元の残留磁化方位とは異なる磁化によって一部が置き換わるが、これらを実験室内でクリーニングし、元の残留磁化成分のみを抽出する段階消磁法も確立されている。現在の技術では1〜2度以下の精度で残留磁化の方位を測定できるようになった。古地磁気強度の復元は、古地磁気方位の復元と比べるといささか複雑であるが、基本的な原理や適用についてはColumn 2を参照されたい。

（3）磁性鉱物と岩石磁気

　過去に熱せられた物質がその当時の古地磁気記録を持つためには、磁石となる強磁性の物質（磁性鉱物）が含まれている必要がある。岩石中には様々な種類の強磁性鉱物が、鉱物粒子サイズに分布を持って混じり合っている。遺物・遺構の物質も天然のものと同様の性質を持つ。磁性鉱物はその種と鉱物サイズによって大きく性質を異にする。表1に考古遺物・遺跡で見られる磁性鉱物とその特徴を挙げた。この中でもっともよく見られるものは磁鉄鉱（マグネタイト）と赤鉄鉱（ヘマタイト）である。前者は黒錆、後者は赤錆の主成分となる酸化物であるが、生成環境、磁性、変質に対する安定性などは大きく異なる。大気下においては赤鉄鉱がもっとも安定であるが、考古学遺物や遺構の物資では、磁鉄鉱が生成される環境でできたものも多い。

　岩石学・鉱物学のひとつの手段として、岩石中の磁性鉱物について磁気的性

表1　考古地磁気学・考古岩石磁気学で対象となる主な磁性鉱物とその特徴

鉱物名 Mineral	化学組成	キュリー温度 [℃]	飽和磁化 [Am²/kg]	保磁力 [mT]	帯磁率 [SI]	出現環境
磁鉄鉱 Magnetite	Fe_3O_4	580	92	10〜100	高い (~10^0)	還元的
赤鉄鉱 Hematite	α-Fe_2O_3	670-680	0.5	高い (>100)	低い (~10^{-3})	酸化的
磁赤鉄鉱 Maghemite	γ-Fe_2O_3	600?	75	10〜100	高い (~10^0)	酸化的・水
針鉄鉱 Goethite	α-FeOOH	120	0.5	とても高い (>1000)	低い (~10^{-3})	酸化的・水
ルオグフェンジャイト Luogufengite	ε-Fe_2O_3	160-227	15	とても高い (>1000)	??	酸化的・高温

Hunt et al. 1995、Dunlop and Ozdemir 1997、Dar and Shivashankar 2014、Ohkoshi et al. 2005、Lopez-Sanchez et al. 2017 などによる。

質を調べて分類する「岩石磁気学」がある。岩石磁気学の大きな役割のひとつ
は、残留磁化を持つ鉱物を特定することであるが、磁性鉱物が周囲の温度、酸
化還元状態、水の有無等に敏感に変化するという性質を利用して、その磁性鉱
物ができた環境を推定することもできる（環境磁気学）。本稿ではこれら岩石磁
気学的手法を考古遺物・遺構について適用した「考古岩石磁気学」も紹介する。

2.　考古学における磁場・磁性の活用

(1) 遺物・遺構の物質に残された古地磁気から年代を推定する（考古地磁気学）

　考古地磁気学と言う単語は、「考古学」と「古地磁気学」を合わせた造語で
ある（英語では Arch(a)eomagnetism = Archaeology + Pal(a)eomagnetism）。上述のよ
うに、古地磁気学は岩石などに記録された残留磁化を実験室中で測定し、採取
地点での過去の地磁気の方位や強度を推定する研究分野で、対象とする試料や
時代を考古遺物や考古遺跡としたのが考古地磁気学である。過去に人為的に熱
を受けた文物、実際には焼成された陶器や埴輪などの土器、瓦やそれを焼いた
窯跡、住居内のかまど跡、火事の跡、など多岐にわたる資料を取り扱う。

　日本で考古地磁気学が始まったのは第 2 次世界大戦前後であるが、その頃は
ようやく過去の地磁気方位の細かな時間変化を測定できるようになった時期
で、年代が比較的判っている考古遺跡（土器窯跡）は有効なターゲットのひと
つとされた。渡辺直径（Watanabe 1958・1959）は全国百数十点地点の試料から
考古地磁気方位を測定し、年代ごとに並べて地磁気永年変化を論じた。その
後、大阪大学の川井直人のグループが陶邑古窯跡群（大阪府）をはじめとする
主に西日本の窯跡から取得した古地磁気方位データを集積していった（たとえ
ば、Kawai et al. 1965、川井ほか 1966、Shibuya1980）。その集大成として、広岡公
夫は須恵器窯跡を中心とした考古地磁気方位データをまとめ、現在まで通用す
る地磁気変動曲線を提唱した（Hirooka1971、広岡 1977、Hirooka 1983）。

　上述のように、地磁気には双極子で説明できない成分の変動があるため、変
化の様子が地域ごとに異なる。渡辺や広岡が導き出した変動は極東地域に特徴
的なもので、欧州（たとえば、Hervé et al. 2013）などとは大きく異なる。逆にあ
る地域での標準永年変化曲線が確立されれば、年代が未知の試料から古地磁気
方位を測定し標準と対比して、年代を推定することができる（古地磁気年代推
定法：中島・夏原 1981）。広岡による標準曲線の発表以後、日本における考古地

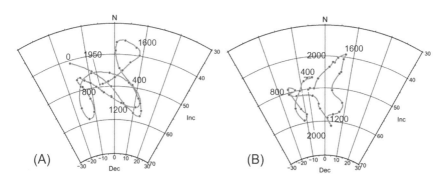

図 4　日本における地磁気方位の変化
(A)：広岡 1977、(B)：畠山・渋谷 2012。数字は西暦年。

磁気学は古地磁気方位を用いた年代推定に特化していき、2,000 以上とも言われる被熱遺構の古地磁気方位が測定されてきた。広岡（1977）、Shibuya（1980）以降日本の標準曲線は長らく更新されなかったが、最近になり我々が 1980 年以降の考古地磁気方位のうち年代が独立して付けられているものを利用して新たな曲線を作る作業を行っている（図 4）。

　一方、地磁気の強度（強さ）も、場所によって異なり変化をしている。古地磁気データには過去の地磁気強度の情報も記録されており、実験室内で複雑な測定して取り出すことができる。原理および試料上の理由で、方位測定と比べるとかなり難しく成功率も低いが、世界各地で考古遺物・考古遺跡から数千年におよぶ地磁気強度の変化を調べる研究も続けられてきた。日本においては、戦後より歴史時代・先史時代に噴火した溶岩を用いた古地磁気強度測定が行われ、少し遅れて考古遺物に対しても行われるようになった。笹島貞雄（Sasajima 1965）、酒井英男（Sakai and Hirooka 1986）らの測定で大まかな地磁気強度の変化の様子が復元され、過去 2 千年間では徐々に弱くなってきたと指摘された。その後はデータ数があまり増加しなかったが、21 世紀になり、古窯床面から新しい手法を用いて信頼性の高いデータが取得できることが確かめられ、今後はデータ数が増加することが期待される（Kitahara et al. 2018・2021）。

（2）残留磁化の向きを用いて移動、回転、変形、被熱履歴を調べる

　古地磁気データは、単に過去の地磁気の記録だけでなく、温度変化や変形などの履歴を保持していることがある。磁性鉱物を含む焼土はいちばん最後にキュリー温度（磁鉄鉱なら約 580℃）以下に冷却された時点（窯であれば最終焼成

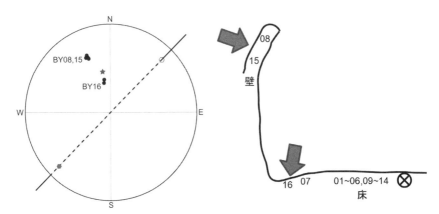

図5　窯が変形している場合の残留磁化方位の例（岡山県佐山東山窯跡：畠山ほか 2014a）
左：壁面（BY08, BY15）および床面端部（BY16）の古地磁気方位。★は床面の平均方位を表す。
直線は窯の軸線（N45°E, 15°SE 下り）を表す。右：試料採取位置を表す焚口側から見た断面模式図。
矢印は予想される変形の方向。

図6　土器などが焼成後に2次的な熱を受けたときの熱残留磁化の模式図

時）にその時の周囲の磁場の方位に平行な熱残留磁化を獲得する。冷却後に焼土が動いた場合、試料が持つ残留磁化の方位は冷却時の地磁気方位とは異なるものになる。また、熱残留磁化はキュリー点を下回った瞬間に完全に獲得されるわけでなく、常温まで冷却する過程でだんだん増加していくという特徴（ブロッキング温度の分布）があるため、冷却途中の変形や冷却後にキュリー温度以下の再加熱を受けた場合、その記録も残る。これらの性質を利用すると、以下のような対象の測定も可能になる。

1. 熱残留磁化の方位が同一遺跡内の場所によって異なる場合、その遺跡は熱残留磁化獲得後に何らかの変形をしている。たとえば、窯が操業を終え、埋没するときに受けた変形の量を推定できる（図5）。

　2.　段階熱消磁法を用いて古地磁気方位を温度ごとに測定した際、途中で残留磁化の方位が変化する場合、冷却途中に回転したか、冷却後に中途の温度まで再加熱を受けている可能性がある（図 6）。煮炊きに使われた土器は、使用時の最高温度が磁鉄鉱のキュリー温度よりも低い場合、保持している熱残留磁化は、「常温〜調理時の最高温度」のものと「調理時の最高温度〜キュリー温度（土器の焼成時）」の 2 つの異なる残留磁化方位成分を持つ（たとえば、酒井ほか 1991）ため、段階熱消磁法というクリーニング法を用いながら測定をくり返すことで、調理時の最高温度を推定できる。

（3）磁気異常を用いた埋没被熱遺構の探査

　被熱遺構が熱を受けた時の地球磁場と平行な方向に獲得した熱残留磁化はとても安定で数千年程度ではほとんど変化しない。磁石となった遺構は周囲に磁場を形成する。この磁場はかなり弱いものの埋没した遺構の真上の地表では計測可能である。磁化体の周囲で観測される磁場は、地球磁場（日本付近で大きさ約 45 〜 50 マイクロテスラ =45,000 〜 50,000 ナノテスラ）と遺構が作る磁場（大きさ数十〜数千ナノテスラ）の合計の 3 次元ベクトル値である。地磁気のベクトルは現場付近ではほぼ一様（北向きの下向き）であるのに対し、遺構が作る磁場ベクトルは観測点と遺構との位置関係で決まるため、遺跡の上では狭い範囲で変化する。ところによって地磁気ベクトルと遺構による磁場ベクトルが平行になり強め合うこともあれば、直角向きや反平行になって打ち消し合うこともある（図 7）。このように、強い地磁気の中で埋没物からの弱いシグナルを検出して、埋没遺構の位置や大きさを特定するのが磁気探査である。鉄筋や表面に落ちた鉄製品などの現代の人工物が多い場所などではこの手法は探査に向かないが、登り窯などは人工物の少ない近郊の森林斜面に作成されることが多いため、シグナル／ノイズ比が高くなり有効な探査手法である。

　測定に使われる磁力計のセンサーは測定磁場成分によって大きく 2 種類に分けられる。ひとつはある方向の磁場成分の強さを測定するもの（フラックスゲートセンサーや磁気インピーダンス効果（MI）センサーなど）で、もう一方はセンサーの向きによらず全磁力（磁場の強さ）のみを測定するセンサー（プロトンセンサーやオーバーハウザーセンサー、光ポンピングセンサーなど）である。前者の利点は、3 つのセンサーを直角に組み合わせれば各成分を独立に観測できることである。測定磁場から地磁気ベクトルを成分ごとに引き、埋没物由来の

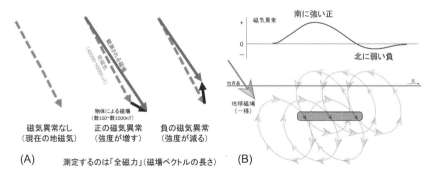

図7　(A) 地球由来の磁場と磁化体由来の磁場の合計ベクトルについて

観測地点で2つが同じ向きだと磁場は強め合い（正の磁気異常）、反対向きだと打ち消し合う（負の磁気異常）。(B) 地表における埋没磁化体が作る磁場の様子。地磁気と磁気異常が平行に近いと、磁化体の真上では正、少し北側で弱い負の異常が見られる。

磁場ベクトルを直接求めることができる。しかし、各観測点で正確にセンサーの方位を合わせる必要があるため、多点観測には時間がかかり3次元測定の利点を生かすことが困難である。そのため、垂直だけを常に正しく取り水平と垂直の2成分に分けて測定することも多い（たとえば、鳥居ほか1974）。一方、全磁力センサーでは、上記の「地磁気」と「埋没物による磁場」の合計磁場ベクトルの長さを測定することになる（図7）。もっぱら観測点における2つの磁場は平行ではないため、1点の観測から単純な引き算で埋没物由来の磁場ベクトルの強さを求めることは不可能である。全磁力センサーを用いた測定では、「観測される磁場ベクトルの強さ」から「地磁気の強さ」を引いた「磁気異常（ベクトルではなくスカラー値）」の値の大小正負を解析する。多点で観測し、磁化体に関する情報（磁化方位が現在の地磁気方位に近い、深度や規模がわかっている、など）を与えることで、埋没している磁化体を推定することが可能になる（図8）。この手法の利点は、磁力計を移動しながら迅速に観測できることであるが、解析は非線形で複雑になる困難さがある。

　磁気異常値の大きさは、埋没物（磁化体）の大きさ（体積）、深さ、磁化の強さ等に依存する。深さに対する依存性は大きく、深度が増すと急激に磁気異常は弱くなる。この性質を利用し、上下に少し間隔を空けた2つのセンサーで測定した値の差から埋没物の深度を推定できる（たとえば、浜島ほか1989）。

　実際の考古学現場における磁気探査では、プロトン磁力計で全磁力を計測し

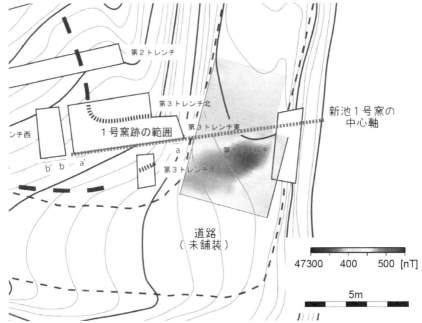

図 8　岡山県備前市佐山新池 1 号窯跡の煙道部における磁気異常測定の例（畠山ほか 2014b）
発掘済みの 1 号窯は窯中央部までで煙道は未舗装道路の下へ来ていると考えられるが、その下に磁気異常がはっきりと見える。ただし中心軸は発掘床より少し南側へ曲がっている可能性がある。

て磁気異常を探す方法が最も多く行われてきたが、近年になってプロトン磁力計よりも 1 点における計測時間が短いオーバーハウザー磁力計などが普及し、計測速度が飛躍的に向上した（Hatakeyama et al. 2018）。

（4）遺構表面における帯磁率測定

　前項の磁場探査とは異なる原理を利用した探査方法として表面帯磁率探査と言う手法もある。帯磁率は磁場に対する物質の応答（磁化）を表す係数で磁化率や初磁化率ともよばれ、とくに埋蔵文化財調査で用いられる帯磁率は弱い交流磁場を印加した時に対する応答（交流初磁化率）を計測して遺構面の表面付近のものの違いを読み取る。

　帯磁率は物質の磁性によって大きく異なる。常磁性体は弱い正の値、反磁性体は弱い負の値を示すに対して、強磁性体は強い正の値になる。また、強磁性の中でも多く見られる磁鉄鉱は赤鉄鉱と比べ単位体積当たりの帯磁率が 2 桁以上も高くなる（表1）。遺構、遺物を構成する物質には常磁性体、反磁性体、強

磁性体などさまざまな磁性のものが混ざっており、計測される帯磁率はそれぞれの成分の体積当たり帯磁率にその含有率をかけたものの合計になる。例えば、少量でも磁鉄鉱が入っている物質の帯磁率は磁鉄鉱の量に応じた値になるが、磁鉄鉱以外の高帯磁率物質（たとえば、磁赤鉄鉱）が混じると解釈が複雑になる。そのため、よほど単純な混合物以外では、帯磁率の数値を比較しただけで含有物の議論をすることが困難であることに注意が必要である。

　帯磁率の測定には遺物遺構の状況に合わせ2種類の方法がある。ひとつはバルク帯磁率測定で、試料を採取してきて実験室中で帯磁率を計測する手法である。小さな遺物そのものを非破壊に測定することができるが、計測空間（直径2.5cm程度）に入らないものや、少不均質な物体の平均的な帯磁率を測定するために粉末にすることもある。また、乾燥してから測定できるので、無視できない反磁性物質である水の影響を考えなくてよいという利点もある。

　もうひとつの測定方法は、表面帯磁率測定で、平らな遺構調査面にリング様のセンサーを近づけて測定するものである（帯磁率測定器は金属探知機の一種）。短時間で調査面の範囲を高密度に測定できるので、遺構面や石材等の調査で多々用いられている。理論的にセンサーは遠方までの物質の帯磁率を計測するが、地面にぴったりとつけて計測する場合の実際上有効な範囲はセンサー半径と同等の深さまでと考えるのが妥当である。つまり、ある程度の深さまで見えている磁場測定と違い、帯磁率測定で

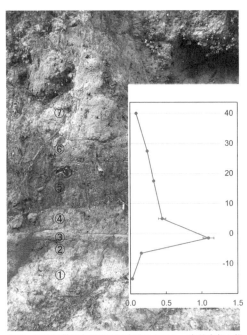

図9　岡山県備前市庄田工田窯跡における、窯前庭部と推
　　定される焼土面を含む崖の断面写真と各層の表面帯磁率
　　　　　　　　　　（畠山ほか 2021b）

グラフ縦方向は焼土上面を基準とする高さ [cm] で写真と
対応する。横軸は表面で3ないし4回測定した帯磁率の
平均と標準偏差（1σ）で単位は 10-3[SI]（無次元）である。

はごく表面付近の物質しか計測してないことに注意しなければならない。また、機器が計測値を算出する際に均質な半無限媒質等を仮定するため、コイル径の内側に不均質がある、コイルのすぐ外側で物質が変化する、表面に凹凸がある場合などは正しい値が計測できない。この手法の最大の利点は、遺物遺構を破壊することなく計測できることで、移動が不可能な礎石の分類などにもよく使われている。

　帯磁率測定は何を読み取っているのであろうか？考古遺物・遺構の測定では物質に含まれる強磁性鉱物量、主に磁鉄鉱含有量の検出を期待して使用することが多い。とくに、遺跡遺構面における焼土の検知には有効である。土壌が熱を受けた場合、残留磁化の増加は含まれる磁性鉱物の増加に起因すると考えられている。つまり、よく焼けた面は磁鉄鉱をはじめとする強磁性鉱物量を強く反映する帯磁率も高くなる傾向がある。たとえば、古代住居内では土の上に直接生活し、調理用の炉などを設置している場合、この炉の位置を決めるにあたり焼土の存在を確認する必要がある。目視が困難で炭化物の存在が確認できない時には表面の帯磁率の分布から炉の位置を検出する方法が有効となる。さらに、遺構面からの試料採取が可能なら、表面帯磁率の測定と試料のバルク帯磁率の測定を組み合わせ、焼土分布や柱穴の位置確認等を詳細に行うこともできる（たとえば、畠山ほか 2021a）。また、遺跡遺構面を含む断面で各層における帯磁率を測定し、焼土層の位置を確認することもある（図9）。

　このように帯磁率は比較的簡単に測定ができ、現場での面的な観測と遺構・遺物サンプルの対応も明確であるため、考古学の現場では広く用いられてきた。しかし、先述のように、帯磁率はひとつの物体に対してひとつの値でしかなく、それも対象物に含まれるさまざまな鉱物等がもつ部分的な帯磁率の足し合わせであるため、帯磁率だけを用いて物の違いを検討する際は十分注意する必要がある。

（5）物質の磁気的物性（磁性）の測定と解釈

　帯磁率は測定が容易な一つの磁性パラメータであるが、岩石磁気学ではほかの磁性も測定される。近年、鉄酸化物の状態や環境を推定するためにこの考え方を考古学・文化財科学に持ち込む機運が高まってきた。

　帯磁率は、弱い磁場（せいぜい地球磁場の数十倍程度）に対する鉱物等の線形な応答を示す範囲での「磁化の応答／かけた磁場の強さ」という傾きであるが、強磁性体の場合は、磁場に対する応答は線形ではなく、履歴（どのような

磁場をかけられてきたか）にも依存する。弱い磁場に対しては常磁性体よりも
ずっと高い磁化率（傾き）を示し磁化が増加していくが、ある程度の強磁場で
頭打ちになる（飽和する）。また、磁場をかけた後でゼロにしても、磁化が残
る（等温残留磁化）。磁化の大きさは、それ以前にかけた磁場のルート（履歴）
に依存するが、様々なルートで磁場をかけることで、磁性に関するいくつかの
特徴的なパラメータを取得することができる（たとえば磁気履歴測定、図10）。

　さらに強磁性は温度によって、無くなったり種類が変わったりする。高温で
はキュリー点やネール点といった強磁性が常磁性等に変化する点が必ずあり、
低温でも磁性の相転移をすることがままある。これらの性質を調べることで、
磁性鉱物の種類や粒子サイズ、酸化度などの情報を得ることができる。また、
高温での磁性を調べる際には、温度が上昇することによって化学変化（変質）
が起こり易くなるので、その観察から鉱物の置かれた状態を知ることができる。

　このような岩石磁気学の考え方を考古学へ導入する「考古岩石磁気学
（Archaeo Rock Magnetism）」は、考古学・文化財科学に何をもたらすだろうか。

　たとえば、焼土や土器片の磁性を調べることにより、もとの土壌の性質や焼
かれた環境の推定が可能になる。それは鉄と言う元素の特性によるところが大
きい。鉄は2価または3価の陽イオンになり、さまざまな化合物を形成する。
中でも酸化物の多くは強磁性を示し、材料物質に含まれる鉄の量や動態とその

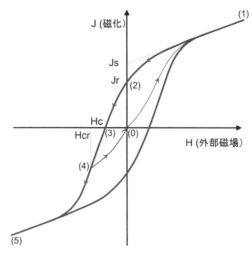

図10　岩石などの典型的な磁気履歴曲線
　　　とパラメータの模式図

強磁性体を含む物質は磁場の印加（横軸）
に対して磁場の履歴に依存した応答（磁
化：縦軸）を示す。磁場・磁化がない状態(0)
から十分強い磁場(1)まで外部磁場を掛け
ると、強磁場では磁場に比例した磁化を
持つ（磁化の飽和）。飽和後の直線の傾き
（強磁場磁化率）は試料中の反強磁性・反
磁性・常磁性の成分を表し、切片は磁気
モーメントが強制的に揃った状態（飽和
磁化：Js）である。飽和から無磁場にし
た時(2)には磁化が残り（飽和残留磁化：
Jr）、さらに反対方向へ磁場を増やすと点
(3)で磁化が0になる（保磁力：Hc）。さ
らに負の方向へ磁場を増やすと、逆向き
に飽和する。途中、ある点(4)から磁場を
切ると残留磁化が0になることがあるが、
この磁場を残留保磁力Hcrとよぶ。帯磁
率（初磁化率）χは、(0)からの立ち上が
りの曲線の傾きである。

時の環境—温度や酸素濃度など—に強く依存して生成する種類が変わる。特に磁鉄鉱や赤鉄鉱に関しては、粒子サイズや温度特性などかなり詳細な磁性が研究されてきた。その成果を利用し作成環境を推定するとともに、場合によっては胎土分析（土器の物質をさまざまな角度から計測し、その由来、つまり産地などを同定する）の 1 種として磁性が利用できるのではないだろうか。これから発展していく学問であるが、いずれ考古遺物・遺跡で何が起きたかの情報を磁性から読み解けるようになることが期待される。

まとめ

　本稿では磁石や磁場など「磁」を用いた埋蔵文化財に関するさまざまな調査分析を紹介した。大別すると、過去の地球磁場によって着磁した残留磁化を利用するものと、遺物・遺構に含まれる強磁性体の量や種類を利用するものに分けられ、前者は無磁場シールド中で微小な残留磁化の向きや強さを測定する古地磁気学的な測定、後者は温度や磁場を変えながら応答を調べる岩石磁気学的な測定を行う。

　文化財科学における古地磁気学・岩石磁気学の対象は主に熱を受けた資料で、土器や瓦など焼成されたものの欠片、土器を焼成した窯の窯体（床、壁、天井）、たたらや鋳造などに用いられた炉、炭窯、住居中の煮炊きに用いた部位の焼土、野焼き跡、火災遺構、など様々なものを用いることができるが、基本的に破壊分析である。日本では、発掘調査で取り上げた遺物に関しては文化財と言う取り扱いで破壊分析を忌避することが多かったためか、土器片のような被熱遺物を使用した考古地磁気研究の事例が諸外国と比べ著しく少なかった。一方で、行政が行う発掘調査の多くは終了後に遺跡そのものが破壊されてしまうため、遺構からのサンプル採取が行いやすい。また、古地磁気方位を測定するためには残留磁化獲得後に動いていない場所からの定方位による試料採取が不可欠であることからも、古窯の床面などの焼土は古地磁気方位測定に最も適した対象であり、日本では考古地磁気方位の研究事例が突出して多い。近年になって破壊分析の重要性が広く認識されてきたため、土器片を使用した考古地磁気強度研究の例も出てきており、強度の標準曲線の作成も進んできている。今後は方位と強度を同時に用いた 3 次元データによる年代推定法が広がっていくと期待される。

引用・参考文献

Alken, E., et al., 2021, International Geomagnetic Reference Field: the thirteenth generation, *Earth, Planets Space*, 73, 49, https://doi.org/10.1186/s40623-020-01288-x

Dar, M.I., Shivashankar, S.A., 2014, Single crystalline magnetite, maghemite, and hematite nanoparticles with rich coercivity, *RSC Adv.*, 4, 4105

Dunlop, D. J, Özdemir, O., 1997, *Rock magnetism*, Cambridge University Press, Cambridge, 573pp

Gauss, C.F., Weber, W., 1840, *Atlas des Erdmagnetismus nach denelementen der Theorie Entworfen: Supplement zu den Resultaten aus denBeobachtungen des magnetischen Vereins unter Mitwirkung vonC. W. B. Goldschmidt*, Leipzig, 136pp

Hatakeyama, T., Kitahara, Y., Yokoyama, S., Kameda, S., Shiraishi, J., Tokusawa, K., Mochizuki, N., 2018, Magnetic survey of archaeological kiln sites with Overhauser magnetometer: A case study of buried Sue ware kilns in Japan, *J. Archaeol. Sci. Rep.*, 18, 568-576, https://doi.org/10.1016/j.jasrep.2018.01.027

Hervé, G. Chauvin, A., Lanos, P., 2013, Geomagnetic field variations in Western Europe from 1500BC to 200AD. Part I: Directional secular variation curve, *Phys. Earth Planet. Inter.*, 218, 1-13, http://dx.doi.org/10.1016/j.pepi.2013.02.002

Hirooka, K., 1971, Archaeomagnetic study for the past 2000 years in Southwest Japan, *Mem. Fac. Sci. Kyoto Univ. ser. Geol. & Mineral.*, 38, 167-207

Hirooka K., 1983, Results from Japan, *Geomagnetism of baked clays and recent sediments*, eds. Creer, K. M., Tucholka, P. and Barton, C. E., Elsevier, 150-157

Hunt, C.P., Moskowitz, B.M., Banerjee, S.K., 1995, Magnetic properties of rocks and minerals, *Rock physics & phase relations*, AGU Reference Shelf 3, 189-204

Jonkers, A.R.T., Jackson, A., Murray, A., 2003, Four centuries of geomagnetic data from historical records, *Rev. Geophys.*, 41, 1006, https://doi.org/10.1029/2002RG000115

Kawai, N., Hirooka, K., Sasajima, S., Yaskawa, K., Ito, H., Kume, S., 1965, Archaeomagnetic studies in southwestern Japan, *Ann. Geophys.*, 21, 574-577

Kitahara, Y., Yamamoto, Y., Ohno, M., Kuwahara, Y., Kameda, S., Hatakeyama, T., 2018, Archeointensity estimates of a tenth-century kiln: first application of the Tsunakawa–Shaw paleointensity method to archeological relics, *Earth Planets Space*, 70, https://doi.org/10.1186/s40623-018-0841-5

Kitahara, Y., Nishiyama, D., Ohno, M., Yamamoto, Y., Kuwahara, Y., Hatakeyama., 2021, Construction of new archaeointensity reference curve for East Asia from 200 CE to 1100 CE, *Phys. Earth Planet. Inter.*, 310, 106596, https://doi.org/10.1016/j.pepi.2020.106596

López-Sánchez, J., McIntosh, G., Osete, M. L., del Campo, A., Villalaín, J. J., Pérez, L., Kovacheva, M., Rodríguez de la Fuente, O., 2017, Epsilon iron oxide: Origin of the high coercivity stable low Curie temperature magnetic phase found in heated archeological materials, *Geochem. Geophys. Geosyst.*, 18, 2646-2656, doi:10.1002/2017GC006929.

Merrill, R.T., McElhinny M.W., McFadden, P.L., 1998, *The Magnetic Field of the Earth*, Academic Press, 531pp

Ohkoshi, S., Sakurai, S., Jin, J., Hashimoto, K., 2005, The addition effects of alkaline earth ions in the chemical synthesis of ε-Fe2O3 nanocrystals that exhibit a huge coercive field, *J. Appl. Phys.* 97, 10K312, https://doi.org/10.1063/1.1855615

Sakai, H., Hirooka, K., 1986, Archaeointensity determinations from Western Japan, *J. Geomagn. Geoelectr.*, 38, 1323-1329, https://doi.org/10.5636/jgg.38.1323

Sasajima, S., 1965, Geomagnetic secular variation revealed in the baked earths in West Japan (part 2) change of the field intensity, *J. Geomagn. Geoelectr.*, 17, 413-416, https://doi.org/10.5636/jgg.17.413

Shibuya, H., 1980, Geomagnetic Secular Variation in Southwest Japan for the Past 2,000 Years by Means of Archaeomagnetism, *MS thesis, Osaka University*, 54pp

Watanabe, N., 1958, Secular Variation in the Direction of Geomagnetism as the Standard Scale for

Geomagnetochronology in Japan, *Nature*, 182, 383-384, https://doi.org/10.1038/182383a0

Watanabe, N., 1959, The direction of remanent magnetism of baked earth and its application to chronology for anthropology and archaeology in Japan: An introduction to geomagnetochronology, *Jour. Fac. Sci., Univ. Tokyo, Sec.* V, 2, 1-188

川井直人・広岡公夫・笹島貞雄・前中一晃・久米昭一・安川克己・伊藤晴明　1966「大阪府および近隣地域の窯跡における考古地磁気について」『陶邑須恵器窯跡群調査報告 I』大阪府文化財調査報告書第 15 輯、大阪府教育委員会、pp.99-104

酒井英男・平井　徹・広岡公夫　1991「磁化測定による考古遺物の熱履歴の検討」『能登滝・柴垣製塩遺跡群』富山大学考古学研究報告第 5 冊、富山大学人文学部考古学研究室、pp.157-165

鳥居雅之・尾谷雅彦・中村　浩　1974「遺跡の磁気探査—須恵器古窯跡に於ける一例」『考古学と自然科学』7、pp.43-57

中島正志・夏原信義　1981『考古地磁気年代推定法』考古学ライブラリー 9、ニューサイエンス社、p.96

畠山唯達・渋谷秀敏、2012「考古地磁気学データが示す日本の地磁気永年変化」『日本地球惑星科学連合大会』STT58-01

畠山唯達・北原　優・玉井　優・鳥居雅之　2014a「岡山県備前市佐山地域 3 古窯の古地磁気学的研究」『備前邑久窯跡群の研究—西日本における古代窯業生産の研究—』岡山理科大学考古学研究室、pp.85-105

畠山唯達・北原　優・望月伸竜・横山　聖　2014b「岡山県備前市佐山地域における磁気探査による古窯探査」『備前邑久窯跡群の研究—西日本における古代窯業生産の研究—』岡山理科大学考古学研究室、pp.135-141

畠山唯達・北原　優・大塚紘司・倉内岳人・森本　蓮・白石　純・齊藤大輔　2021a「史跡周防鋳銭司跡における磁気探査および表面帯磁率を用いた被熱遺構の調査」『史跡周防鋳銭司跡』山口市教育委員会、山口大学山口岳研究センター、pp.176-191

畠山唯達・八木千亜希・白石　純　2021b「岡山県瀬戸内市庄田工田窯跡出土の土器片の磁性」『備前邑久窯跡群の研究 2—西日本における地方窯業生産の研究—』岡山理科大学考古学教室、pp.123-137

浜島多加志・西村　康・川野邊渉　1989「遺跡探査法の再検討」『考古学と自然科学』21、pp.45-56

広岡公夫　1977「考古地磁気および第四紀古地磁気研究の最近の動向」『第四紀研究』15、pp.200-203

Column 2

古地磁気強度測定法と文化財の年代決定

北原 優 *KITAHARA Yu*

はじめに

本コラムでは、前第3章にて解説された「古地磁気学」の一分野である「古地磁気強度測定法」の原理・代表的手法・年代決定への応用について紹介する。

1. 古地磁気強度測定法の原理

被熱した岩石や考古資料から古地磁気強度を復元する際、その最初の糸口となるのが、Néel（1949）によって見出された「磁性鉱物を含む物質が獲得する熱残留磁化の強度は、加熱・冷却時に物質が置かれた空間の外部磁場の強度に比例する」という熱残留磁化の磁場比例則（下式）である。

熱残留磁化強度 = 比例定数 × 外部磁場強度

この比例則を用いて未知の古地磁気強度（外部磁場強度）を復元する際に必要な二要素のうち、熱残留磁化強度は、磁力計による測定によって直接求めることができるが、比例定数につい

ては不可能である。同比例定数は、大雑把に定義すると「試料中の磁性鉱物粒子集団を構成する磁性鉱物の種類・サイズ・形状・個数を反映した定数」であると言える。この各要素が試料によって異なるのは自明であり、一つひとつの試料について、各要素の詳細を正確に把握することも原理的に不可能である。従って、実際に古地磁気強度を測定する際には、試料ごとの比例定数が未知であるということを考慮した実験手法を用いる必要がある。

このような古地磁気強度測定法の最も基本的な考え方は、19世紀末にFolgheraiter（1899）によって提案された以下の方法である。

① 試料が過去の最終被熱時に獲得した自然残留磁化の強度を測定する。

② 人工的に発生させた磁場中で試料をキュリー温度まで加熱して①の残留磁化を消磁した後、室温まで冷却して新たな熱残留磁化を獲得させる。

③ 人工的に着磁させた熱残留磁化の強度を測定する。

④「試料の比例定数が過去の最終被熱時から実験終了時まで不変である」、そして「試料の自然残留磁化が単一成分の熱残留磁化である」という仮定のもとで、①〜③の各値を用いた以下の式により、試料の最終被熱時の古地磁気強度を復元する。

古地磁気強度 =

$$\frac{元々の自然残留磁化強度}{人工的な熱残留磁化強度} \times 人工磁場強度$$

ここで問題となるのが④における二つの仮定である。前者に関して言えば、試料中の磁性鉱物は加熱を伴う実験中に簡単に熱変質してしまう。また後者に関して言えば、試料が記録する自然残留磁化が単一成分の熱残留磁化であることは稀であり、通常は数％から十数％の割合の残留磁化成分が2次磁化に置き換わっている。従って、上記のFolgheraiterによる手法のように、キュリー温度以上の温度まで一挙に加熱・冷却して自然残留磁化の消磁と熱残留磁化の着磁を行う方法では、極めて限定的な試料からしか古地磁気強度を求めることができない。

2. 代表的な古地磁気強度測定法

上記の問題を解決し、実験中に熱変質する試料や2次磁化の寄与が大きい試料に対しても適用可能な巧みな実験手法として「テリエ法」と「ショー法」、およびそれらの改良版がある。

テリエ法はThellier & Thellier（1959）によって考案された実験手法であり、熱残留磁化の加法則と呼ばれる熱残留磁化の基本的な性質を応用したものである。例えば、岩石試料や考古試料を無磁場中でT_1℃の温度（室温＜T_1＜キュリー温度）で加熱したとき、試料の熱残留磁化は部分的に消磁される。試料をより高温のT_2℃（T_1＜T_2＜キュリー温度）で加熱すれば、さらに多くの熱残留磁化が消磁される。そして試料をキュリー温度まで加熱すれば、すべての熱残留磁化が消磁される。これは、試料中の全熱残留磁化が以下のように任意の温度範囲に対応する部分的な熱残留磁化の和として表現できることを意味している。（下式のT_0は室温、T_Nはキュリー温度、（T_1, T_2）はT_1℃からT_2℃までの温度範囲に対応する。）

全熱残留磁化 = 部分熱残留磁化 (T_0, T_1)
+ 部分熱残留磁化 (T_1, T_2)
+…+ 部分熱残留磁化 (T_{N-1}, T_N)

これが熱残留磁化の加法則である。テリエ法ではこの性質を利用し、Folgheraiterによる手法（図1a）では一挙に行っていた消磁と着磁をいくつかに分割した温度範囲で段階的に実施する（図1b）。そしてグラフが直線的になる温度範囲（図1bでは250℃－500℃）から「自然残留磁化強度／熱残留磁化強度」比を求め、これに人工磁場強度の値をかけて古地磁気強度が算出される。このとき、通常、グラフの直線部分より低温側の温度範囲（図1bでは室温－200℃）は2次磁化成分の寄与が大きく、高温側の温度範囲（図1bでは535℃－600℃）は熱変質してい

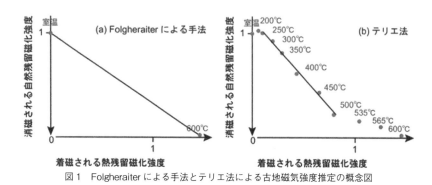

図1　Folgheraiter による手法とテリエ法による古地磁気強度推定の概念図

ると解釈され、古地磁気強度算出のプロセスから排除される。

　オリジナルのテリエ法は、これまでの古地磁気強度研究において最も人口に膾炙した実験手法であり、世界中の研究者が同手法を用いた実験結果を多数報告している。そして後年には、同手法を改良する試みも多く行われている。改良版の代表的なものには、「熱変質チェック付きテリエ法」（Coe 1967）や「IZZI―テリエ法」（Tauxe & Staudigel 2004）などがある。しかし、テリエ法やその改良版には実験の棄却率が高いという問題がある。これは、実験中に加熱を合計20回以上繰り返す必要があるため、多くの試料が熱変質してしまい、グラフ上において十分な割合の「自然残留磁化強度／熱残留磁化強度」比が得られないということに起因している。

　ショー法は Shaw（1974）によって考案された実験手法であり、上記テリ工法の棄却率が高いという欠点を補う手法の代表的なものである。ショー法では、テリエ法と類似の手順を熱消磁の代わりに交流消磁（交流電流を利用した人工的な磁場を作用させることによる加熱を伴わない消磁法）を用いて行い（図2a）、加熱は熱残留磁化着磁時の1回のみに限定される。これによって試料が熱変質する機会を減らすことができる。実験中の熱変質の有無は、加熱前後に ARM（交流電流を利用して加熱を伴わずに着磁される残留磁化）を別途着磁させ、加熱前後の ARM 比が傾き1の直線上にのっているか否かで判断する（図2b）。

　オリジナルのショー法では、加熱前後の ARM 強度に変化が見られた場合は、熱変質が起こったとして結果を棄却したが、後年、ARM 比を熱変質の補正に応用する「ARM 補正」（Rolph & Shaw 1985）というアイディアが提案され、同 ARM 補正とともに

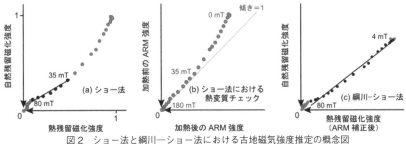

図2　ショー法と綱川—ショー法における古地磁気強度推定の概念図

補正の妥当性を実験中に検証する手順を新たに追加した「綱川—ショー法」（Yamamoto et al. 2003）と呼ばれる手法も開発された（図2c）。

3. 文化財の年代決定への応用

テリエ法が提案された20世紀の中頃以降、西ヨーロッパや東アジアを中心とする世界各地の研究機関では古地磁気強度研究が継続的に実施され、その成果は GEOMAGIA 50 データベース（Brown et al. 2015）等の Web 上のプラットフォームにおいて随時公表されている。以下の図3は、同データベース上に登録された全強度データから考古地磁気強度（考古資料から復元された古地磁気強度）データのみを抽出し、100年単位で移動平均を求めたものである。

ここで、綱川—ショー法や IZZI—テリエ法を含む 2000 年代以降の実験手法によって得られたデータに着目すると、紀元前 4000 年前後から紀元前 1000 年前後にかけて考古地磁気強度

が増加し、そこから現代にかけて徐々に減少するという大局的な変動の傾向が見て取れる。そしてそのような大局的な変動の中に、数百年単位で増加・減少する細かな変動が含まれているのも同時に観察することができる。ヨーロッパにおいては、すでにこれらのデータセットから構築された考古地磁気強度の標準曲線を利用し、土器片や焼土といった埋蔵文化財の年代推定を行う技術が確立されている。そして試料の強度値と標準曲線の比較による確率論的な年代推定を支援するためのソフトウェア（Pavón-Carrasco et al. 2011）も実用化されている。

日本においても、綱川—ショー法や IZZI—テリエ法をはじめとする最新の実験手法を用いた考古地磁気強度研究が近年盛んになりつつあり、2021年（令和3）には、綱川—ショー法を須恵器古窯の床面焼土に適用して得られた考古地磁気強度データセットが、筆者らの研究グループによって公開された

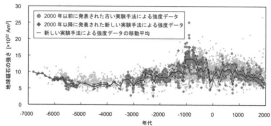

図3 GEOMAGIA 50 データベースに登録されている世界各地の考古地磁気強度
データ（本グラフでは「地球磁石の強さ」に換算）とその移動平均

（Kitahara et al. 2021）。綱川―ショー法による考古地磁気強度研究は、まだまだ開始されたばかりであるが、新たな自然科学的年代推定法としての応用可能性も高く、今後さらなる発展が期待される分野である。

引用・参考文献

Brown, M.C., Donadini, F., Korte, M., Nilsson, A., Korhonen, K., Lodge, A., Lengyel, S.N., Constable, C.G., 2015, GEOMAGIA50. v3: 1. General structure and modifi- cations to the archeological and volcanic database, *Earth Planets Space*, 67, 1-31

Coe, R.S., 1967, The determination of paleo-intensities of the Earth's magnetic field with emphasis on mechanisms which could cause non-ideal behavior in Thellier's method, *J. geomagn. geoelectr.*, 19, 157-179

Folgheraiter, G., 1899, Sur les variations séculaires de l'inclinaison magnétique dans l'antiquité, *Arch. Sci. phys. nat.*, 8, 5-16

Kitahara, Y., Nishiyama, D., Ohno, M., Yamamoto, Y., Kuwahara, Y., Hatakeyama, T., 2021, Construction of new archaeointensity reference curve for East Asia from 200 CE to 1100 CE, *Phys. Earth Planet. Inter.*, 310, 106596

Néel, L., 1949, Théorie du traînage magnétique des ferromagnétiques en grains fins avec applications aux terres cuites, *Ann. géophys.*, 5, 99-136

Pavón-Carrasco, F.J., Rodríguez-González, J., Osete, M.L., Torta, J.M., 2011, A Matlab tool for archaeomagnetic dating, *J. Archaeol. Sci.*, 38, 408-419

Rolph, T.C., Shaw, J., 1985, A new method of paleofield magnitude correction for thermally altered samples and its application to Lower Carboniferous lavas, *Geophys. J. R. astr. Soc.*, 80, 773-781

Tauxe, L., Staudigel, H., 2004, Strength of the geomagnetic field in the cretaceous normal superchron: new data from submarine basaltic glass of the troodos ophiolite, *Geochem. Geophys. Geosyst.*, 5, https://doi.org/10.1029/2003GC000635

Thellier, E., Thellier, O., 1959, Sur l'intensité du champ magnétique terrestre dans le passé historique et géologique, *Ann. Géophys.*, 15, 285-376

Shaw, J., 1974, A new method of determining the magnitude of the paleomagnetic field. Application to five historic lavas and five archaeological samples, *Geophys. J. R. astr. Soc.*, 76, 637-651

Yamamoto, Y., Tsunakawa, H., Shibuya, H., 2003, Palaeointensity study of the Hawaiian 1960 lava: implications for possible causes of erroneously high intensities, *Geophys. J. Int.*, 153, 263-276

第4章

地質学と考古学

能美洋介 *NOUMI Yousuke*

はじめに

　例えば化石の発掘し研究する人々は考古学者であるというような認識はないだろうか？実際には化石の発掘を行うのは地質学や古生物学を専門とする人々である。地質学や考古学では発掘作業を通して資料を得ることが多い。その意味で地質学と考古学は似ている学問かもしれない。地質学は主に地球とその上に生きている生物（人間を含む）の時系列変化を明らかにしようとする。そのための一次資料は鉱物や岩石や化石や地層、もしくは地形である。地質学では、これらの一次資料を分析したり、仮説モデルに適用して論理的な適合性を確認したりして、過去の地球や地球を構成しているそれぞれの物質、または生物などの変遷を紐解いていこうとする。一方、考古学は人々が残してきた遺物などを通じて、人間の生活や活動の変遷を明らかにすることが目的である。そのための一次資料は当時の人々が使用していた道具や構造物である。それらは地中や木々の中に埋もれていることが多いので、考古学者は発掘することでその一次資料に触れることができる。このように、資料を得る方法として地質学と考古学には本質的な違いはなく、異なる時代の異なる対象を扱っていることだけが違っているのかもしれない。資料に対するアプローチにも共通点が多いと思われる。本稿では、地質学から見た考古学資料へのアプローチ方法について、材料と年代という視点から眺めてみる。

1. 遺物の材料

(1) 石器の材料

考古学で取り扱う資料の一つに"石器"がある。石器時代という語もある

図1　国内の主な黒曜岩産地（Suzuki 1970 を参照）

ように、古くから人類は石を道具として利用してきた。石は鉱物等の集合体で硬く変形しにくい性質を持つが、より硬い石で別の石を打ち付ければ、打たれた石は割れて任意の大きさにすることができるし、鋭利なエッジを持つ破片（"貝殻状断口"という）を得るものもある。鋭利な破片は適当に加工されて、石斧や鏃やナイフなどのいわゆる打製石器として生産された。しかし、打ち付けただけでナイフの材料となるような鋭利な割れ口を持つ石材は限られており、そのような石としては黒曜岩が代表的である。なお、黒曜石という名称もしばしば使われるが、地質学では岩石名は〜岩（安山岩、砂岩など）というためここではこれに従った。

　黒曜岩は、地質学的には流紋岩質の溶岩が水中に噴出するなどして急冷されたものである。流紋岩質マグマは珪酸（SiO_2）を 70％ 以上と非常に多く含み、

これが溶融したマグマが急冷されると珪酸は結晶を生成する間もなくガラス化し固結する。つまり、黒曜岩は珪酸を主成分とするガラスの塊である。実は純粋な流紋岩質マグマの活動地は地球上にそれほど多くなく、それらがほとんどすべてガラス化するような特別な場所はさらに

図2　大分県姫島の黒曜石産地（2017 年 8 月著者撮影）

限られている。日本国内では、図1に示すように北海道遠軽町（白滝）、長野県和田峠、伊豆諸島神津島、島根県隠岐島、大分県姫島（図2）、佐賀県腰岳などが知られているが、全国各地の遺跡で見つかる黒曜岩製の石器は、これらのいずれかの産地から運ばれてきたものである（Suzuki 1970 など）。したがって、これらの石器が用いられた時代には、黒曜岩の流通がすでに起こっており、石器を使用していた時代の人々の行動範囲の広さが表れている。

　黒曜岩のような割れ方をする別の岩石に、サヌカイトとチャートがある。これらも同様に打製石器の材料として利用された。サヌカイトは、岩石学的には古銅輝石安産岩であるが、古銅輝石の微細な斑晶を含む安山岩質マグマ（流紋岩マグマよりも珪酸含有量が少ない：SiO_2 約 55% ～ 66%）が急冷したもので、顕微鏡で確認できるサイズの微小な結晶が非常に緻密に詰まった均質な印象を受ける岩相をしている。この岩石も非常に硬く、軽く叩くとカンカンと澄んだ音がする。サヌカイトも産地が非常に限られており、香川県坂出市国分台や大阪府と奈良県の県境にある二上山で産する。いずれのサヌカイトも新第三紀中新世にあたる約 1,400 万年前頃に現在の瀬戸内海一帯で起こった火山活動の産物であるが、狭義のサヌカイトの産出は限られている。サヌカイト製石器は、中国・四国地域はもとより東は現在の岐阜県域に至る広い範囲で発見されている。チャートは、珪酸の含有量が 90% 以上にもなる細粒緻密な岩石である。深海底に積もった放散虫などの珪質の殻をもつプランクトンの遺骸が積もった珪質軟泥が固結したもので、日本列島の基盤となっている付加体地質が分布する場所では時折レンズ状の岩体として出現するので、黒曜岩やサヌカイトに比べれば産地の特殊性は小さい。

（2）土器の材料

　土器は粘土で形を作り、それに熱を加えて固結させたものである。粘土に熱を加えると、粘土鉱物や含まれる石片の一部が解けて粘土間の隙間を充てんし、それが冷えるときにガラス化するため固結が起こる。より高温で熱するとガラス化の度合いが増し陶器、炻器、磁器となる。土器の材料である粘土は、地表付近の岩石が風化することで生成されるので、土器の材料となる粘土や石片などの性質は地域の地質に左右され、これらの化学的性質に地域による特性が生じると考えられる。したがって、土器に含まれる化学成分の分析結果は、材料（粘土や石片）の産地を推定するための資料となる。この分析には蛍光X線分析が用いられる。蛍光X線分析（XRF: X-ray Fluorescence）は、地質学においても多用される分析手法で、主に岩石や鉱物の岩化学組成を知るために利用されている。

　物質にX線を照射すると、構成元素の内側の電子が外部にはじき出されることがある。内側の電子軌道内の電子に空きができると、より外殻の電子が内側の軌道に落ちてくる。その際に余分なエネルギーをX線（蛍光X線という）として放射する。蛍光X線のエネルギーは元素により固有であるため、そのエネルギー、もしくは波長を計測すれば、元素を特定できる。これがXRFの原理である。XRFでは蛍光X線のエネルギーと強さを計測し、構成物質とその量を同時に測定できる。また、多元素を同時に分析することもできる。

　XRFと似た手法にEPMA（Electron Probe Micro Analyzer）がある。EPMAでは測定物質に電子線を当て、放出され特性X線のエネルギー（波長）や強度を測定することで、測定物質を構成する元素とその量を知る。鉱物や金属表面の元素の分布状態をマッピングすることができる。

　これらの分析方法は、土器の製作に使用された粘土の産地の特定だけでなく、石器の原石の産地推定でも利用されている。

（3）石棺

　岡山県内の前方後円墳のうち、岡山市北区新庄下の造山古墳と、瀬戸内市長船町の築山古墳に石棺が残されている。これらの石棺はいずれも熊本県の阿蘇山の活動で形成された溶結凝灰岩が使われている（図3）。

　阿蘇山は30万年前頃から4回の巨大噴火を起こし、特に4回目の活動である約8万8,000年前のAso-4の噴火によって放出された大量の火山砕屑物はマ

グマ片が混ざった火砕流となって九州一円に降り注いだ（図4）。阿蘇近傍では現在の外輪山を形成し、その山麓では火砕流物質が堆積時の熱で焼結した溶結凝灰岩となった。そして、ほぼ同時に現在の阿蘇山を象徴するカルデラが形成されたと考えられている。両石棺の表面を観察すると、灰色からやや褐色を帯びた石基中に、黒色ガラス質でレンズ状に延びた岩片がいくつも見られる。このレンズ状岩片の大きさはまちまちである。そして、この岩片の中に長石と思われる結晶粒子などが認められることがあり、これは本質岩片という噴火の元となったマグマのチップである。また、噴火当時に火山体を構成していた岩石の欠片も見られ、これらの礫には発砲した痕跡が認められるものもある。礫を取り囲む基質部分が多孔質であることや本質岩

図3 造山古墳（岡山市北区新庄下）の石棺
（2019年10月著者撮影）

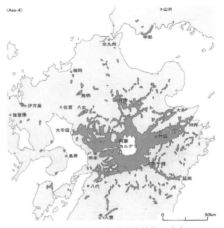

図4 Aso-4の火砕流堆積物の分布
（小野 1984）

片の状態から比較的新しい年代の溶結凝灰岩であることが推測される。これらの肉眼的観察から阿蘇の溶結凝灰岩であろうことは推定できる。また、基質の火山ガラスが残存している状態なので、石質としては比較的柔らかく、加工がしやすい。岡山（吉備国）の古墳の石棺に阿蘇の岩石が使用されていることに加え、全国でも有数の大きさの造山古墳にこの石棺使われたことなどから、当時、吉備と阿蘇の豪族間に深い結びつきがあったのではないか、吉備の国ではそれが高いステイタスシンボルになっていたのではないか、どこで石棺を作り、どうやって石棺を運んだ？など考古学的想像が膨らむ事象である。

（4）石垣

岡山県総社市の鬼城山（きのじょうさん）の山頂には、7世紀後半に築かれた古代の山城跡があ

図5　鬼城（総社市）の高石垣"屏風折れ"　　　図6　御所ヶ谷神籠石（福岡県行橋市）の
（2008年10月著者撮影）　　　　　　　　　　　中門の石垣（2009年5月著者撮影）

る。鬼城山の山頂平坦面を取り囲むように作られた石垣や土塁が残っている
（村上・乗岡1999）。築かれた高石垣や門には花崗岩や花崗岩に関連した成因を
持つ岩石が利用されており、これらの岩石は鬼城山やその近傍に分布する。高
石垣に使用されている花崗岩塊は1m以上の幅を持つものもあるが（図5）、そ
の形は丸みを帯びたもので、花崗岩の風化によって形成されるコアストーンが
使われている。

　花崗岩は珪酸を多く含むマグマが地下深部で時間をかけて冷却してできる岩
石であるが、マグマが冷却すると体積が小さくなるため、花崗岩の岩体には収
縮による割れ目（冷却節理という）が発生し岩体を直方体に分断する。隆起な
どで花崗岩体が地表近くに達すると、節理から地下水や空気が岩体内に入り込
んで風化を起こすので、節理付近は花崗岩由来の石英、長石、粘土鉱物が交じ
った"マサ"となる。この風化は直方体に切り取られた花崗岩塊の表面付近か
らその内部に段階的に進行していく。その様子は、花崗岩の表面を幾重にも重
なる皮が覆っているように見えることから、たまねぎ状風化と呼ばれている。
たまねぎ状風化がまだ到達していない直方体岩体の中心は未風化の花崗岩が丸
く残っている。この部位をコアストーンという（池田1998）。コアストーンは
未風化の岩石なので非常に硬く、石垣などの用途に利用できる。鬼城山の周辺
のでは地表にコアストーンが露出した地形を随所で見ることができる。

　鬼城山に復元された西門から東西方向に土塁が築かれ、城内の土塁上面には
侵食防止の石畳が施工されているが、この石畳にはアプライトが使用されてい
る。アプライトは花崗岩マグマが固結に至る最終段階時に花崗岩マグマから絞
り出された珪酸に富む液体が花崗岩マグマや周辺の母岩内に侵入してできる

白色細粒な岩石である。細粒緻密な岩相を呈していることが多く、このため風化に対する耐性は花崗岩よりも高い。さらに、急速に冷却が起こることから冷却節理の間隔が花崗岩に比べて小さく、板状の石片として採集することができる。このため石畳として利用しやすかったことが考えられる。さらに、アプライトは多くは岩脈として見られるが、時折、規模の大きな岩体水平岩体（岩床）として分布していることがある。鬼城山の山頂付近にはアプライトはまさに岩床をなしていて、そのために風化に耐えて、現在、山頂平坦面を作っていると考えられる（能美 2009）。

　同じ古代山城に福岡県行橋市の御所ヶ谷神籠石（図6）がある。この付近一帯は花崗岩の分布地域であるが、残存する石垣には花崗岩が使用されている。このように、古代の石垣では基本的に現地で産する岩石が使用される。石材の利用において最も困難な作業は運搬であると思われる。花崗岩の密度を約 2.6g/cm³ とすると、1m³ の石材は 2,600kg（2.6t）にもなる。トラックなどの運送手段がない古代では石材は地産地消が原則であると考えられる。

（5）装飾品など

　考古遺物のひとつに「勾玉」がある。C字型でその一方の端に穴があけられており、もう一方の端はだんだんと小さくなっている。数 cm の大きさで首飾りに使われた。古くは縄文時代には登場している。材料は、ヒスイ、メノウ、水晶などがあり、土器製のものも見つかっている。ヒスイやメノウや水晶は鉱物である。鉱物単体を装飾に利用したものは宝石と呼ばれており、現在でも宝石は珍重されるが、ヒスイやメノウなどは、美しい色と磨いた後の輝き、さらにモース硬度が6から7で比較的硬い性質をもっている。

　ヒスイの鉱物名はヒスイ輝石という。曹長石は、ヒスイ輝石と石英に変化して高圧で安定となる。つまり、ヒスイ輝石があるという事は、それだけの高圧環境にさらされたという事の証左になる。ダイヤモンドやルビーなど、多くの宝石に言えることだが、宝石は特殊な環境下に置かれて生成した地球からの贈り物である。ヒスイも同様で、その産出場所は限られており、国内では、新潟県糸魚川市姫川流域と、ここから流下して海岸に到達した富山県の宮崎海岸・境海岸が有名である。岡山県新見市の大佐山でも発見されている。

　メノウは、二酸化ケイ素が火山岩の空洞などに晶出したもので、肉眼では識別できない大きさの細かい結晶の集合体である。二酸化ケイ素の沈殿物なの

で、他の宝石に比べると産出場所の希少性はやや劣るが、カラフルな縞模様や透明感があり宝石としての人気は高い。国内に産地は点在しているが、岡山近傍では島根県出雲地方では古くからの産地として有名である。

2. 遺物埋包層の年代決定

遺物を含んだ地層の形成年代は考古学においても地質学においても基本的な問題である。地層の形成年代を知るための方法には、相対的な年代を求める方法と絶対的な年代を求める方法がある。

（1）テフラを用いた相対的年代決定

埋包された遺物を含む層の上下の地層の年代を決めることで、遺物埋包層の形成年代を相対的に推定する方法である。このような年代決定法のひとつとして、広域テフラを用いる方法がある。テフラとは、火山の噴火によって放出された火山灰や軽石などの砕屑物が堆積したものをさす。広域テフラは、巨大噴火によりテフラが広範囲に形成されたもので、他の方法や記録によって噴火年代（＝テフラの堆積年代）が知られたものが相対年代の決定に用いられる。すなわち、遺物を含む地層がある広域テフラより上位にあるか、下位にあるかを判断し、それによって相対的な年代を決定する。このような年代決定に比較的よく利用される広域テフラの例を図7と表1に示す。これらのテフラのうち、姶良 Tn 火山灰層〔記号：Tn（AT）〕は、鹿児島湾の北奥部の桜島を含む海域の陥没（＝姶良カルデラ）の形成時に噴出したテフラで、姶良カルデラ近傍では入戸火砕流となってテフラは数 m の厚さで堆積し、シラス台地を形成した。上空に運ばれたテフラは偏西風などに乗って遠くまで運ばれ、関東山地の丹沢地域（Tn）にも 10cm に及ぶ軽石を含む火山灰層を形成した。また、岡山県内では蒜山盆地で保存状態が良い Tn（AT）層が観察できる（図8）。蒜山地域の北側では大山が活動中であり、Tn（AT）層が堆積した直後に大山火山の活動による火山灰などが積もったため、Tn（AT）層は浸食されずに残った。この地層を顕微鏡で観察すると、大量の火山ガラスが見られ、それらは湾曲したバブルウォール型をしていることから、水中などで巨大大噴火が起こったことが理解できる（図9）。姶良 Tn の噴火は、約 2 万 9,000 年前とされている（表1）。ここで一例として、ある遺物を含む地層が、姶良 Tn 火山灰層より下位にあることが明らかとなれば、その遺物の年代は 2 万 9,000 年よりも古い。また、同

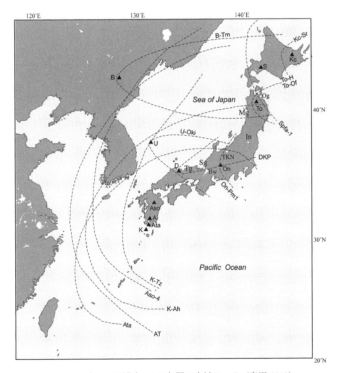

図 7　日本周辺の過去 10 万年間の広域テフラ（奥野 2019）

【▲】Kc：屈斜路、S：支笏、To：十和田、D：大山、A：姶良、K：鬼界、B：白頭山　【○】Og：小川原湖、Mg：一ノ目潟・二ノ目潟・三ノ目潟、In：猪苗代湖、Sg：水月湖、Bw：琵琶湖、Tg：東郷湖、TKN：高野層　【‑‑】Ata：阿多、On-Pm1：御岳第 1、K-Tz：鬼界葛原、Aso-4：阿蘇 4、DKP：大山倉吉、Spfa-1：支笏第 1、Kc-Sr：屈斜路庶路、To-Of：十和田大不動、Tn（At）：姶良、To-H：十和田八戸、U-Oki：鬱陵隠岐、K-Ah：鬼界アカホヤ、B-Tm：白頭山苫小牧

表 1　最近 10 万年における国内の広域テフラ（奥野 2019 をもとに作成）

記号	テフラ名	形成年代
B-Tm	白頭山苫小牧	AD946
K-Ah	鬼界アカホヤ	約 7,300 年前
U-Oki	鬱陵隠岐	約 1 万年前
To-H	十和田八戸	約 1 万 5,000 年前
Tn（AT）	姶良 Tn	約 2 万 9,000 年前
To-Of	十和田大不動	約 3 万 6,000 年前
Kc-Sr	クッチャロ庶路	約 4 万年前
Spfa-1	支笏第 1	約 4 万 2,000 年前
DKP	大山倉吉	約 5 万 9,000 年前
Aso-4	阿蘇 4	約 8 万 8,000 年前
K-Tz	鬼界葛原	約 9 万 5,000 年前
On-Pm1	御岳第 1	約 9 万 5,000 年前
Ata	阿多	約 10 万年前

図8　岡山県蒜山盆地の火山灰層
（2013 年 7 月著者撮影）

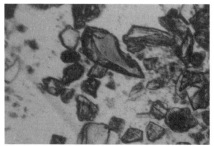

図9　岡山県蒜山盆地の Tn（AT）層中の
火山ガラス（2020 年 10 月著者撮影）

時に Aso-4 火山灰層（約 9 万年前）より上位にあることが見いだされれば、9万年よりも古くなることはないと解釈できる。この例では、広域テフラを使う例を示したが、火山山麓地域などで火山灰層が間欠的に成層しているときには、遺物を埋包している地層の上下の火山灰層の年代を決めることによって、埋包層の相対的な年代を求められる。

（2）テフラの形成の絶対年代

　ここで、テフラの年代決定法について説明する。テフラには噴火を起こしたマグマ由来の鉱物が入っている可能性が高い。高温のマグマ内では鉱物内の元素がマグマとの間で出入りすることがあるかもしれないが、噴火によって空中に放出されればマグマやマグマ内の鉱物は冷却され、その鉱物内の元素は閉じ込められてしまう。火山から放出され、テフラとして堆積するまでの時間は、考古学や地質学における時間感覚ではほぼ一瞬の出来事と捉えられる。したがって、火山灰層の堆積年代は、その火山灰層を形成するための噴火が起こった年代と同時であると解釈される。さて、火山灰層の噴火由来マグマからの鉱物内に放射性元素が閉じ込められていたとする。その放射性元素の一部は一定割合で崩壊し、半減期 T の時間で、その量を 1/2 にする。そこから、さらに時間 T が経過すれば、放射性元素の量は、もとの 1/4 になる（図 10）。もともと鉱物内に閉じ込められた放射性元素の量を N_0 とし、閉鎖されてから時間 t が経過し、その時の放射性元素の N とすれば、藩半減期 T を使って、

$$N = N_0 \left(\frac{1}{2}\right)^{\frac{t}{T}}　\qquad\qquad ……①$$

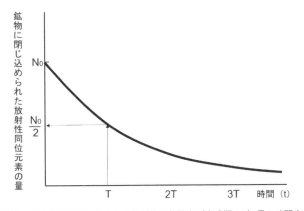

図 10　鉱物内に閉じ込められた放射性同位元素（半減期：T）量の時間変化

の関係が成り立つ。これを経過時間 t について書き換えれば、

$$t = T \log_2 \left(\frac{N_0}{N} \right) \qquad\qquad \cdots\cdots ②$$

となるので、もともと鉱物内にあった放射性元素の量と、その元素の現在量の比を測定すれば、②によって閉鎖時間＝火山灰層の堆積年代が求まる。もし、遺物の埋包層が火山灰層であれば、遺物の堆積年代は絶対年代として求められる。

（3）C^{14} 法

　木片などの炭素を含む遺物や地層の絶対年代測定法について説明する。炭素には質量数 12、13、14 の 3 種類の同位体がある。大部分は質量数 12 の C^{12} が 98.9% で、次いで C^{13} が 1.1% を占め、質量数 14 の C^{14} が 0.00000000012% 存在する。C^{14} は、高度 9,000m 以上の大気上層部で宇宙線と大気分子の反応で生成した熱中性子が窒素 14（N^{14}）に吸収されることによって作られている。そして、半減期 5,730 年で電子を放出しながら崩壊し N^{14} に戻っていく。この一連の変化は地球上では定常的に起こっていると考えられている。したがって、植物などの生物が生きている間は C の循環を起こしており、生物体内の C^{14} の全炭素同位体に対する割合は先に示した 0.00000000012% である。しかし、これが死んで CO_2 の循環が止まれば、その瞬間から生物体内の C^{14} は

壊変していくので、死んで t 年後の生物体内では C^{14} の全炭素に対する割合が
0.00000000012% よりも小さくなっている。ここで、t 年前に死んだ生物の現在
の C^{12} に対する C^{14} の割合を Ct と書き、t 年前の C^{12} に対する C^{14} の割合の初
期値を面倒なので C_0 と書くと、②式は

$$t = 5730 \log_2 \left(\frac{C_0}{C_t} \right) \quad \text{または自然対数を使って} \quad t = \frac{5730}{0.693} \ln \left(\frac{C_0}{C_t} \right) \quad \cdots\cdots ③$$

となる。

　C^{14} の現在量の測定は、かつては C^{14} が壊変して N^{14} になる際に放出される
β線を気体計数管法や、液体シンチレーション法などで測定する方法がとられ
ていたが、最近は C^{14} を直接計数できる加速器質量分析法が使われ、測定年代
の幅も広がった（兼岡 1998）。しかし、C14 の半減期は 5,730 年と比較的短いの
で、考古学的資料に対して適用しやすい範囲にあるが、古い資料については実
用的な年代測定はせいぜい十数万年程度である。

（4）年輪年代法と古地磁気年代法

　地球自身の活動や地球環境の変動パターンの資料が集まってくると、その変
化のパターンをチャート化し、遺物に記録されたそれらの変動パターンがチャ
ートのどのあたりにフィットするかを探すことで年代推定を行う方法がある。
　ひとつは年輪年代法で、地球の寒暖の環境変化が樹木の年輪に記録されてい
ることを利用する方法である。鹿児島県の屋久島では 1 万年近くも生きている
杉がある。これらの杉の年輪を見ると 1 年を示す輪の幅が大きいところと小さ
い所があり、それぞれ温暖な年と寒冷な年に対応すると考えられている。そこ
で、現在から過去に向けて各年輪の幅を計測し例えば平均値を中心軸として経
年変化パターンを描く（"暦年標準パターン"という）。次に、年代を求めたい木
材資料の年輪幅を計測して同様の変化パターンを描き、そのパターンが暦年標
準パターンのどのあたりの変化状況と合うのかを探す。この方法によって、1
年単位の年代決定ができる。ただし、暦年標準パターンや計測資料の変化パタ
ーンをそのまま使うのではなく、5 年単位の移動平均を求めるなど、年輪幅変
動パターンの標準化をあらかじめ行ってからフィッティングを行う（奈良国立
文化財研究所 1990）。
　もう一つの方法は古地磁気年代法である。地球は磁気を有しているので、方

位磁石の N 局はほぼ北を指す。これは地球の内部で作られた磁場が北極付近に S 極、南極付近に N 極を出現させているからである。その様子はしばしば棒磁石に例えられる。この棒磁石は不安定であり、棒の向きは長い時間をかけて追跡するとフラフラと動いていることが知られている。さらに長い時間をかけてみれば、時折逆転していたこともわかっている。さらに、磁石としての強さもわずかながら変動している（山崎 2005）。このように、地磁気は長い年月のうちに変動をしている。一方、地層や土壌の中には磁性を持った鉱物が存在する。磁鉄鉱がその代表である。常温で磁性を持っている磁鉄鉱は、約 580℃を超える温度に加熱すると、それまで持っていた磁性を失う。加熱した磁鉄鉱をその後冷却させると約 580℃よりも下がった時点で、その場の磁場の方向を獲得し再び磁性を有するようになる。したがって、遺物を含む地層や土壌が何らかの熱を受けその後冷却したような場合、その加熱—冷却時の地球磁場の方向を記録していることが予想されるので、試料を定方位で採集しその試料が持つ磁場の方向を見出せば当時の磁極の場所がわかり、これを経年変化する磁極の移動を示すチャート上に落とすことで、その年代を知ることができる。また、磁力の強さの変動パターンに適用することもある。

おわりに

　著者が地質学を専門としているため、地質学の研究方法は考古学のいろいろな場面で役立っているように見える。その一方で、今回は説明から省いたが、年代測定法のひとつにフィッション・トラック法という手法があり、日本国内では考古学の研究者がいち早くこの手法を取り上げた（Suzuki 1970 など）。その他にも考古学で使われている分析手法などで、現在、地質学でも利用されているものもあるかもしれない。実際のところ、地質学は理系で考古学は文系というような便宜的区分けはあるが、研究方法に共通するものが多く、どちらも歴史科学の一分野としてみれば、目指すところに大きな違いはないのかもしれない。文理融合の最前線がこの 2 つの学問領域かもしれない。

引用・参考文献

池田　碩　1998『花崗岩地形の世界』古今書院、p.206
奥野　充　2019「最近 10 万年間の広域テフラと火山層序に関する年代研究」『地質学雑誌』125—1、pp.41-53

小野晃司　1984「2　阿蘇火山　火砕流堆積物とカルデラ」『Urban KUBOTA』22、pp.42-45

兼岡一郎　1998『年代測定概論』東京大学出版会、p.315

奈良国立文化財研究所　1990「年輪に歴史を読む—日本における古年輪学の成立」『奈良国立文化財研究学報』48、p.105

能美洋介　2009「鬼ノ城付近の地形と地質」岡山理科大学「岡山学」研究会『鬼ノ城と吉備津神社「桃太郎の舞台」を科学する』シリーズ「岡山学」7、吉備人出版、pp.8-23

村上幸雄・乗岡　実　1999『鬼ノ城と大廻り小廻り』吉備考古ライブラリィ2、吉備人出版、p.164

山崎俊嗣　2005「海底堆積物から明らかになった古地磁気強度変動像—地球システムの変動の一部としての視点」『地学雑誌』114—2、pp.151-160

Suzuki Masao　1970「Fission Track Ages and Uranium Contents of Obsidians」『人類学雑誌』78—1、pp.50-58

Column 3

地質学との協働に
よる文化財調査

伊藤　創　*ITO Hajime*

　考古学の主役は遺構と遺物だが、他の学問の視点により考古学的な情報が厚みを増す。以下に紹介するのは、考古学に地質学の見解を取り入れた結果、成果が深まった事例である。

1. 試掘調査

　一つ目は試掘調査である。行政では、開発事業に先立って事業用地内に遺跡があるかどうかを事前に確認するため試掘調査を実施することが多い。最近、筆者は山口県山口市の一地区で50箇所の試掘調査を経験した。調査地一帯は、地形的には古代や中世の集落

図1　山口市内の試掘調査で検出された土層

跡などの遺跡があっても不思議ではない場所だ。ところが、実際に調査をしてもそのような遺跡は見つからず、特別な成果はないように思えた。ところが、調査で検出された土層を地質学の専門家、渡邉正巳氏（博士（理学）、株式会社文化財コンサルタント代表取締役）に見てもらったところ、考古学だけではわからなかった情報が見えてきた。ほとんどの調査箇所では、近現代耕作土のすぐ下に厚さ10cm弱の黄色味の強い粘質土（4層）があり、その下は自然堆積層（5層）であった。このうち、4層について渡邉氏から知見を伺ったところ、一つの仮説をご提示いただいた。以下、渡邉さんの仮説を抜粋して引用する。「4，5層は一連の堆積物で、4層上面（若干削平を受けている可能性有り）は時期未定の旧地表面。この土層は生物擾乱（植物の根や、土壌動物：ミミズやダンゴムシ、モグラなどの活動）によって砂粒、腐植（あるいは微粒炭）が混入した（5層が生物擾乱を受けた部分が4層）と考えられます。この土層が耕作土であるかどうかは分かりませんが、砂粒の混じる粘土という4層の特徴は耕作土の特徴に一致します。4層の乱れが自然現象である「生物擾乱」ではなく、人為的な耕作に起因した可能性もあります。」

　実は調査地一帯は、江戸時代の絵図

では農地として描かれている。考古学ではこのことを十分に検証できないが、地質学の見解では4層は生物が活発に活動する土壌であったことはほぼ確実である。地質学により、この地域の開拓史を研究する上で糸口になり得る土層を見つけることができたと筆者は考えている。

2．石垣調査

　二つ目は、城跡の石垣調査の事例である。ここで紹介するのは山口県山口市の山口城跡。なお、正式な遺跡名は「山口藩庁跡」である。この城跡は萩藩（長州藩）により幕末に構築され、明治時代の山口藩庁へと継承された。この城は伝統的な近世城郭とは異なり、砲撃戦を想定した西洋式の稜堡式城郭として築城されたと考えられている。現在、城跡には山口県庁があり、全体としては城跡の雰囲気をやや感じにくいが、当時の石垣が残る箇所は比較的多い。考古学的な石垣の調査で特に注目するのは、石材の大きさ・形・積み方である。城跡では全体的に不定形の大型割石が積まれるが、城跡の大手（正面）付近と裏手（東側）では積み方に違いがある。大手付近は乱積みまたは布積み崩しだが、裏手は乱積みに加えて谷積み・落とし積みが目立つ。なお、この谷積み・落とし積みは、石垣構築の上では、一段劣る技術であるようだ。つまり、大手付近は丁寧に、時間とコストをしっかりかけて石垣を構築するのに対し、裏手は仕様を一ランク落として工事した様子がうかがえる。

　石垣については、考古学的にだいぶん理解することができたと思っていたところ、岩石学（地質学の一分野）の専門家、赤﨑英里氏（山口県立山口博物館学芸員）に現地を見てもらう機会を得た。すると、石垣に石材の使い分けがあることがわかった。大手付近は原則的に花崗岩石材で、裏手は片岩石材を主体に、珪長質貫入岩あるいは火砕岩を含む石材で構築されていたのである。また、片岩は山口城跡のごく近辺の山地で採取可能な石材であるのに対し、花崗岩はそれより離れた場所からでないと産出しないという。花崗岩は、現在でもしばしば墓石や建築材として使われる、丈夫で見た目も美しい良質石材だ。このような石垣の格差は、石材の購入・運搬、及び石垣構築の作業料などのコスト全体と連動しているに違いない。石垣を岩石学の知見と併せて検討することで、幕末の山口城建設プロジェクトの裏事情が垣間見えるようで興味深い。

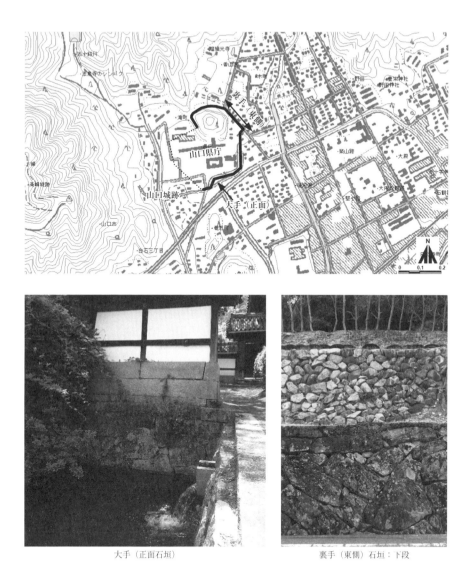

大手（正面石垣）　　　　　　　　　裏手（東側）石垣：下段

図2　山口城跡（山口藩庁跡）の位置（山口県山口市滝町）と石垣

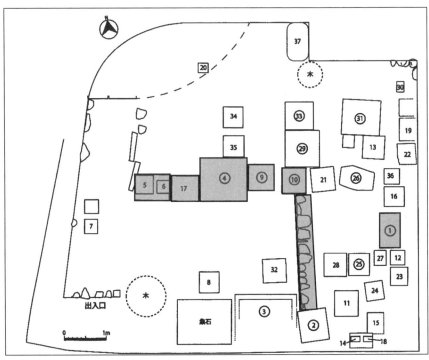

※塗り潰し箇所：デイサイトが使用された基壇・石例

下波多野家墓地　　　　　　　　　デイサイトが使用された基壇（点線より下の箇所）

図3　下波多野家墓地（島根県邑智郡美郷町柏淵）の墓石配置

3. 墓石調査

　三つ目は、江戸時代に村役人を勤めたある旧家の墓石調査の事例である。紹介するのは島根県邑智郡美郷町粗淵にある下波多野家墓地。粗淵には江戸時代に石見銀山で産出された銀を運ぶ銀山街道が通っており、天領である銀山御料の役人が宿泊した本陣跡もある。墓地は現代的な改変を受けた様子がなく、江戸時代の姿を化石のようにほぼ現在に残していることが想定された。考古学的な調査では墓石の形状や石材からその変遷を追跡した。すると、18世紀前半までには宝篋印塔や五輪塔などの中世的な形状の墓はなくなり、それ以後は、自然石（閃緑岩）をほぼそのまま使った墓標や、方形・方柱を基調とする現在の墓石に近い墓標が主流になることがわかった。また、墓石の石材は、自然石墓標を除けばほとんどが地元で福光石と呼ばれる緑色凝灰岩である。このことから、下波多野家墓地では、江戸時代の比較的早い時期に中世的な墓石が衰退し、現在にも通じる形状の墓石が定着したこと、また、福光石を中心とした石材流通の仕組みが、この地域で江戸時代の初期にはほぼ確立したことがわかった。ところが、岩石学の専門研究者、中村唯史氏（島根県立三瓶自然館）に石材を確認していただいたところ、新たな事実に気付かされたのである。

　中村氏を墓地にご案内したところ、墓石だけでなく墓石の基礎石にも着目された。そして基礎石の大半が墓地の比較的近辺で採取可能なデイサイトという石材であることを指摘されたのである。このことは、ほとんどの墓で、別々の製造元に発注したと思われる基礎石と墓石が組み合わされていることを示している。改めてデイサイト製の基礎石の配置や組み合わされた墓石の年代に注目すると、墓地では、18世紀前葉頃、全面的な墓石の配置換えを伴う大規模な改修作業が行われたことを想定できるようになった。下波多野家の墓地調査でも、岩石学の知見が考古学の調査成果を大きく深めたのである。

引用・参考文献

伊藤　創・西尾克己・持田直人　2021「邑智郡美郷町・下波多野家墓地における石塔・墓標の変遷」『世界遺産　石見銀山遺跡の調査研究 11』島根県教育委員会ほか

桑原邦彦　2011「山口御屋形（山口城）の築城年代と縄張り」『山口県地方史研究』第105号、山口県地方史学会

第5章

人類学と考古学

富岡直人 *TOMIOKA Naoto*

　人類学 Anthropology は、「人間とは何か」という我々にとって根源的な問い
を基礎に置き、理系分野から文系分野にわたる幅広い学問領域を有する。

　アメリカインディアン[1] を対象とした人類学において考古学が極めて重要な
役割を担ったアメリカ合衆国では、考古学を人類学として扱う特徴を有し、こ
の研究姿勢は日本考古学にも影響を与えた。特に黎明期の日本考古学には、人
類学が大きな影響を与えていた。それは日本の先史時代の人々がどのような人類
学的特徴を有していたのかが争点となった「人種論」が強く世の中の興味を引
き、それが考古学と人類学の学際研究を促進した事に由来している。現在では日
本考古学は、歴史学としての考古学という色合いが強い。その一方で、民族考
古学・骨考古学・実験考古学のアプローチは、人類学と広く深く関わっている。

1. 人類学の多様性と考古学

　人類学は大まかに分けると①生物としてのヒト、②思考から文化を生み出し
て継承する存在としてのヒトを考究する学問であり、①を人類系、②を民族系
と呼ぶ研究者もいる。①②を独立的に扱うだけでも、多様性と深淵性はある
が、さらにこれらは総合的なアプローチを有している。

　人類学の細目分野は、便宜上知識や概念を系統付けて整理したもので、教
育上は便利であるが、実際に「人間とは何か」という問いかけに答えるとな
ると、これらの分野に境界も壁もない。当然、この人類学という広い間口の
学問に、考古学は多くの関係性を有している。人類学と考古学の学際領域の研
究を遂行するには、それぞれの学問領域の研究者が適切な資料批判 criticism of
materials の下で議論し、高めあう事が望ましい。

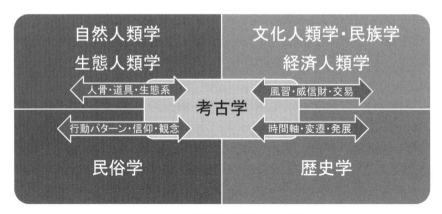

図1　考古学と人類学諸分野や歴史学との関わり
矢印の内部の文字は共有する問題点であるが、常に遺跡の情報が含まれるべきであるものの、煩雑なので省略している。また、それぞれの項目は他分野の研究でも重要な位置を占めるし、時間軸・変遷・発展はそれぞれの研究でも欠かせない内容といえる。

　図1には考古学を中心として、人類学の諸分野や歴史学がどのように関わっているか、模式図を提示した。矢印の内部の文字は考古学と共有される諸学の論点を例示しているが、常に遺跡の情報がこれらの矢印には含められるべきである。また、それぞれの項目は他分野の研究でも重要な位置を占めるし、時間軸・変遷・発展はそれぞれの研究でも欠かせない内容といえる。

（1）自然人類学

　上記「①生物としてのヒト」を主として考究する自然人類学は、Physical Anthropology として構成される為、形質人類学とも呼ばれるが、特に分子生物学等の理化学的分析もこの分野で積極的に用いられる事から、自然人類学と呼ばれる事が一般的である。

　Physical は、「物質的な」「身体の」「自然の」といった意味を有するとともに、「精神的な存在に対置される物質的存在である」「形而下[2)]の」という意味も有する形容詞である。つまり、形而下の存在である生物学的ヒトの骨格や軟部組織の形態や機能、さらには硬組織である骨格の形質、成分、分子生物学的情報等を研究する学問がこの自然人類学に含まれ、人類学の大きな柱となっている。

　日本の自然人類学の研究者が集まっている学会は、日本人類学会である。日本の学会の中でも、日本人類学会は歴史が古く、1884年に坪井正五郎（1863

～ 1913）らによって設立された「じんるいがくのとも」、東京人類学会（1886年設立）を経て 1941 年に改称された長い歴史を有し、日本の知の歴史に深く根ざしている。日本考古学との共通のテーマである「日本人の形成」は、現在もこの学会の重要なテーマとなっている。

　人類にとって極めて根源的な問いかけである「人類の起源」という問題に取り組むのもこの分野の特徴である。以前は化石人骨での研究が主であったが、現在は古 DNA 分析による取り組みが展開し、ミトコンドリア DNA を用いたもの、核 DNA を用いたものが実施され、パレオゲノミクス研究 Paleogenomics Analysis によって、あらたな系統論が提示されている（Cooke et al. 2021）。

（2）文化人類学

　上記「②思考から文化を生み出して継承する存在としてのヒト」を考究する分野として文化人類学 Cultural Anthropology があり、人類学の大きな柱の一つである。文化人類学は人類の文化 Culture あるいは社会 Society について記載し、そのあり方を歴史的・空間的に考究する学問であり、社会人類学 Social Anthropology もその同一分野の別名や隣接分野と考える事ができる。

　文化には有形の人工物、無形の言語や音楽、芸能、行動パターン等が含まれ、それぞれに有形な文化と無形の文化は結び付きを有し、総合的に文化を形成する。入門書として『人類学のコモンセンス－文化人類学入門』（浜本編1994）を掲げておく。本書は、文化人類学の重要なテーマである「文化・自然・性差・血縁・子供観・死・けがれ・暴力・交換・個人・歴史」といった項目について、フィールドワークを踏まえた内容が平易に記述されており、柔軟な思考で考古学との接点を考える上でも役立つ一冊である。

　この学問分野の内容は、次項の「民族学」に共通する部分が多い事から、考古学との関連については、次項で論じる。

（3）民族学

　民族学 Ethnology も主に上記「②思考から文化を生み出して継承する存在としてのヒト」を考究する学問で、人類学のさらにもうひとつの大きな柱であるが、民族学を文化人類学の一分野とする考えもある。民族学は世界各地の民族 ethnos の文化を記載するとともに、その特質を歴史的・空間的に他文化と比較し研究をする学問で、形而下的な分野は勿論、形而上学的な metaphysical 分野を論じる事もある。

　なお、民族とは、独自性のある文化・習慣を共有する集団を指す用語であり、人類の帰属意識でその集団が決まる為、生物学的分類に近い人種とは同一ではない。人類学内の構成としては、自然人類学・文化人類学・民族学は、互いに独立で存在できるのではあるが、分かちがたく近接した学際領域を形成し、不即不離な関係性があり、特に考古学はこれらの学問の成果を利用する面を有している。

　その様な背景から、日本人類学会と日本民族学会1936〜1996年の間、連合大会を開催し、両学問分野の交流が図られていた。なお、日本民族学会は2004年に日本文化人類学会へと改称した。

　民族学と深い関連を有する考古学研究の手法に、民族考古学 Ethnoarchaeology が挙げられる。この民族考古学は、プロセス考古学 Processual Archaeology において重視された研究手法であるが、現存する伝統的生活を営む集団を調査し、そこで得られた民族学的データと遺跡より得られた考古学的データを比較し、時代的・空間的な条件を加味しながら、人類の行動パターンを考究する研究である。そのアプローチは社会学者の研究成果を踏まえ、中範

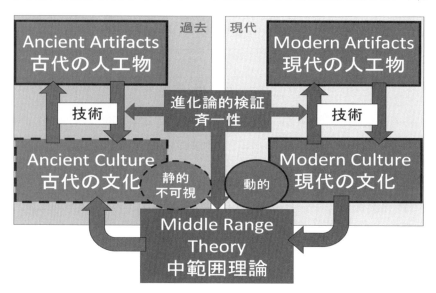

図2　中範囲理論 Middle Range Theory による古代の人工物の説明（富岡 2022 より）

囲理論 Middle Range Theory とも呼ばれ、日本考古学にも影響を与えた（図2）。

（4）民俗学

　民俗学 Folklore も主に上記「②思考から文化を生み出して継承する存在としてのヒト」を考究する学問で、文化人類学の一分野とする考えがある。なお、一般的に民族学は自己以外を含む多民族の研究、民俗学は自己の単独民族の研究という定義がよく知られているが、民族の定義自体が曖昧で、輪郭は鮮明に捉えにくい。Folklore の言葉には、風俗・習慣・信仰・伝説・ことわざ等を含む民俗伝承という文化事象の意味が含まれる。この民俗伝承には非文献・非文字の資料が多く含まれる。この学問では、通常一つの地域集団の伝統的な生活文化・伝承文化を研究対象とし、民間伝承を主な手がかりに考究する研究分野である。

　日本民俗学の創始者で、近代日本を代表する思想家の一人である柳田國男（1875 〜 1962）（1934：p.60）は、「所謂考古学なるものと民間伝承の学問（筆者註：民俗学の事）との提携をさせ、不達の学問の境界を無くして了ひたいと欲している」と述べ、民俗学と考古学の連携に強い期待を示している。この期待は、日本考古学の中では、祭祀考古学、近世考古学、近代考古学、産業考古学の分野で、実を結びつつ有り、特に器財類の総体や部分の名称、使用法・廃棄・遺棄・埋納に関する解釈に大きな影響関係がみられる。ただし、民俗学と異なり、考古学にとって、腐朽しやすい脆弱資料は増加したとはいえ、考究しにくい事から軽視されがちであるという弱点は、拭いきれず存在している。

　ただし、都出比呂志（1986）が指摘した通り、近世以降の発掘資料の増加に伴い、考古学は文献資料に残されなかった民俗の歴史を明確な時間軸を以て考究する事が可能となって来た。今や脆弱資料の弱点を把握した上で、時間軸を重視して捉えられる考古学的資料が、民俗学が論及する豊かな内容を持つ「複雑な総合体」の文化に繋がる事を、万人が理解するべきであろう。福田アジオ（1991）が指摘した通り、このように考古学と民俗学が統合的に研究を展開し、それぞれの分野に有意義な研究成果が蓄積されることが、大いに期待される。

　特にポスト・プロセス考古学研究に含まれる認知考古学や象徴考古学の分野で論じられる過去の人類の思想・観念・意識の問題は、民俗学の課題に重なるものであり、豊かな学際領域の一つとして成長する事が期待される。

（5）その他の分野

　その他にも人類学の諸分野として捉えられるものに、言語学 Linguistics、宗

教学 Theology、心理学 Psychology、人間行動学 Praxeology 等が挙げられる。

　また、医療人類学 Medical Anthropology、生理人類学 Physiological Anthropology、スポーツ人類学 Sport Anthropology、経済人類学 Economic Anthropology、人類生態学 Human Ecology、生態人類学 Ecological Anthropology といった人類学や人類という名が挿入される学問分野も存在する。特に、経済人類学や人類生態学、生態人類学は、考古学にも関連が深い。

　経済人類学は、非市場経済という脈絡で狩猟採集社会や農村の経済に言及し、考古学にも強い影響を与えた。

　人類生態学と生態人類学は、名称が極めて類似している。まず、人類生態学は医学・地理学・社会学・人口学・環境学等の研究領域に関連し、人類が生態系に対しどの様に働きかけ、さらに生態系からの作用を受けて、どの様に人類が各種の営みを持つのかを研究する学問で、現代の可視的な状況を分析する事が多い。

　それに対し、生態人類学は、より強く生態学や文化生態学 Cultural Ecology と人類学の統合を目指し、人類の技術・文化の発展を論じるという時間軸を意識した視座があり、考古学との関係性がより多い学問領域といえる。この研究分野については、次節で詳述する。

2.　人類学と考古学の学際的研究

　既に別章で述べられている通り、考古学 archaeology は人類の歴史・文化を遺跡から復元する学問であり、「人類とは何か」の問いにおいて人類学と通底する。遺跡は、遺物と遺構を構成要素とし、それは人類学にとっても重要性の高いものである。これら遺物と遺構は精緻な発掘によってその存在が客観的に把握され、分析方法の発達や新たなる学問的問いかけによってその研究は進展するものである。

（1）渡辺仁による人間生活のキュービックモデル

　人類学における人間への眼差しを示すものとして、図3の渡辺仁（1919〜1998）による人間生活のキュービックモデル cubic model（渡辺1977）を掲げる。このキュービックモデルは、生態人類学の視点から人間生活を把握するために考案されたものである。人間は環境への適応によって生命を維持しているが、その一連の営みが生活 Life として把握されるのである。

　右手系の座標で呼べば x 軸が活動の範疇 Categories、y 軸が活動の諸側面

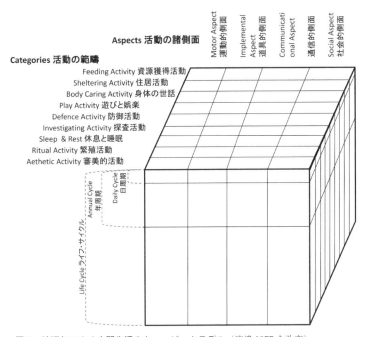

図 3　渡辺仁による人間生活のキュービックモデル（渡邊 1977 を改変）

Aspects、z 軸が時間軸である。このキューブによって、ある人間集団の生活の
あり方が、色々な要素と関係しあって成り立っている事が把握できる。さら
に、時間の経過が短い部分では日周期で生活はめぐり、さらに日周期の生活の
蓄積は、大きな時間的存在の四季や乾期・雨期といった年周期 [3] での変化を
みせる。季節的な生活の変化は、環境の変化を反映したものであり、1 年間の
環境変化に適応する生活は、生活の範疇や諸側面においても変化を生み出し、
人間の適応戦略に影響するのである。さらにそれが累積する事でライフサイク
ル Life cycle が形成されるといえる。
　このように生態人類学の視点からライフサイクルを意識した記載が地域集団
についてなされる事で、一貫した系統的データが形成される。そのデータ群が
比較され議論される事で、望ましい内容の生態人類学的研究が蓄積される。特
に、生態人類学において古層を扱う部分は考古学との学際領域であり、生態系
との関係性を扱う考古学は古生態人類学という側面を有している。渡辺のキュ
ービックモデルは、考古学にも有効であり、活用されるべきモデルといえる。

　動物考古学における貝殻成長線分析や哺乳類歯牙を用いた齢査定分析による
実証的な死亡季節推定は、生業の季節的構造の議論に結び付き、生態人類学の
問題意識に呼応した研究でもある。

（2）自然人類学細目分野と考古学

　自然人類学には形態人類学、人類進化学、化石人類学、生理人類学、人体機
構学、成長学、人類遺伝学、霊長類学、人類動態学等の細目分野が挙げられる。

　これらの細目分野は、考え方によってはほぼ全てが、考古学的発掘によって
得られた人骨を利用して研究する事が可能で、考古学に対して人類の進化・適
応・変異に関する情報を提供する事が期待される。具体的には、人体構造、進
化的由来、生理機能、動作・行動、成長、遺伝、生活、心理等の歴史的展開を
論及する事で、考古学との接点がある。

　現在の考古学に大きな影響を与えている人類学の研究成果に、埴原和郎
（1927 ～ 2004）らが中心になって唱えた日本人形成過程の二重構造説がある。
これは、遺跡出土資料を含めた男性の頭蓋骨 9 計測項目を利用した主成分分析

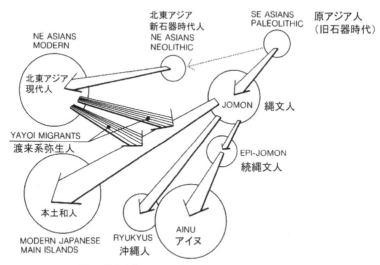

図 4　埴原和郎による日本人形成の二重構造モデル

（男性頭蓋骨 9 計測値の主成分分析に基づく、Hanihara 1991 を改変）

　右上の円を埴原は東南アジア旧石器人としている場合があるが、別論文では原アジア人（旧石器時代）
としている事から、原アジア人（旧石器時代）と併記した。東アジアの旧石器時代化石人骨を南方系
と考えての記述と考えられる。また、本図中の本土和人は本土人とのみ書かれているものを変更した。

によって導かれたモデルである（Hanihara 1991）。図 4 は、この説を示す模式図で、右上方の原アジア人（旧石器人を想定）から縄文人と北東アジアの新石器人が進化し、縄文人はさらにアイヌ・沖縄集団の方向に進化した。これに対して明らかに遺伝的な特徴が異なり、北東アジアからの渡来をうかがわせる渡来系弥生人が弥生時代に現れた。

この渡来系弥生人は本土人集団に影響を与えたものと推定され、この集団に引き寄せられる様な形で、縄文人から本土和人への進化の矢印が上方に存在している。

近年はさらに古 DNA 研究が進み、縄文人の遺伝的多様性やアイヌの方々や沖縄の方々を含めた日本人の成立は多元的であった事が判明し（篠田 2019）、さらには日本人形成過程の三重構造モデルも示されている（Cooke et al. 2021）。

3.　自然人類学の研究史

自然人類学は人類を生物学的に捉える視点で特徴付けられる事から、科学としての生物学や解剖学の展開と、時に宗教との衝突の中で翻弄された。古代から現代にかけての人類学の大まかな歩みを人間の表現や人間観という視座も交えて以下に示す。

（1）古代のヨーロッパの人間観

人類学の発達はヨーロッパでみられたが、その前史にあたる古代における人類の捉え方から説明する。古代の遺跡から出土する芸術作品には、観念的な表現が多かった。これに対し、人間を具象的に芸術作品に示す行為はギリシャ・ローマの彫刻等に抜き出た達成度がみられること、古代ギリシャ・ローマには人間観を培う医学の発達がみられた。

医学の父とも呼ばれるヒポクラテス（BC.460?〜BC.370?）は、紀元前 5〜紀元前 4 世紀の古代ギリシャの医学者で、臨床と観察を重視した人物として極めて重要である。ただし、ヒポクラテス学派が残した人体に関する科学的な視点は未発達で、観念論に流される解釈もあり、現在は完全に否定されている四体液説等を信じていた事が特に有名である（ヒポクラテス著・常石訳 1996）。

ローマ時代の社会や科学の水準をうかがう上で重要な遺跡に、ポンペイ遺跡が挙げられる。西暦 79 年、ヴェスビオ火山の噴火でローマ時代の生活がそのまま埋もれた。そのため、当時の生活様式や美術工芸がそのまま発掘される特

徴がある。ポンペイではギリシャ医学の影響を受け発展していた可能性が、出土した40ものメスや針、スパチュラ等の医療器具の出土から推定される。火山灰に埋もれた遺体が劣化し失われた後にできた空洞に石膏を充填してつくられた像がある。この手法は、脆弱な人骨を施術後除去しにくい石膏で覆い包んでしまうという粗い手法である事から後の時代での新たな分析技術を施す点において問題があった。ただし、この石膏像を観察すると、埋もれた姿勢や苦しみの表情まで看取でき、人類学的資料として一定の貢献はみられた。特に近年は、CTスキャンの技術が応用され、これらの石膏像の中に含まれる骨や歯を用いた人類学的な分析も試みられつつある。

　ローマ帝国時代の2世紀にギリシャを含む地中海沿岸を中心に活動した医学者ガレノス（129?～200?）はヒポクラテスの著作、アレクサンドリアに展開した研究書を渉猟した（ガレノス2011・2016）。さらにガレノスは臨床医として人体を観察した経験とサル等の哺乳類の解剖で得られた比較解剖学的知識を基礎に、人体構造や生理に関する説明を試みた。ガレノスの著作物が現代解剖学からみて不十分であるにせよ、古代にこの様に人体の構造を解明する企てを遂行していた事に、畏敬の念を感じざるを得ない。

（2）ヨーロッパ中世からルネッサンス期の人間観

　ヨーロッパの中世には、ガレノスの解剖学とアラブ・イスラム世界からの医学が受け入れられ、死刑囚の死体を用いた解剖が行われていた事が記録されている。人体の解体のタブーが緩み、科学的視点から解剖学が展開する素地が得られた。

　ルネッサンスは13世紀末葉から15世紀末葉へかけてイタリアに起こり、全ヨーロッパに波及した芸術・思想上の革新運動で、再生、文芸復興とも呼ばれる。ヨーロッパ社会におけるキリスト教による神中心の中世文化から、人間中心の近代文化への転換の端緒を生み出したとされる運動である。

　イタリアのルネッサンス期初期における人体表現は、サンドロ・ボッティチェリ（1445?～1510）の様式的な作品を代表として語ることができる。彼の優雅で繊細な画風は近代絵画に大きな影響を与えた。「ビーナスの誕生」「プリマヴェーラ（春）」等が代表作である。一方で画題は神秘主義的な傾向がみられ、人体表現には骨格の関節や筋肉のあり方を踏まえておらず、実物の人体にはみられない縁取りを示す外形線が描かれている。

　レオナルド・ダビンチ（1452 〜 1519）は、「モナ・リザ」「最後の晩餐」の作者としてつとに有名である。この作品は、ルーヴル美術館所蔵で世界の至宝とも呼ばれ、縁取る描線を用いず、スフマートという技法で陰影を表現した点、骨格や筋肉の構造を理解した上での肉体表現、理論的に構築された構図は、後の芸術家に大きな影響を与えた。彼は、ルネッサンスの完成者、科学と芸術の融合を為した人物とも評される。ルネッサンス運動以前の古典的な中世の「最後の晩餐」図像は様式化され、寓話がわかりやすく示され、誰がユダかもわかりやすく、リアリティーに欠けていたが、レオナルドの「最後の晩餐」は、詳細な人間観察に基いて描かれている。レオナルドは科学解剖を行い、人体の構造の把握を通して、芸術のリアリティーを向上させた。それは一方で科学的知識の向上にもつながった。まさに、レオナルドには自然人類学の萌芽をみることができる。ただし、当時の科学水準では致し方ないが、彼の残したスケッチ類には解剖学的な誤謬も含まれている。

（3）ヴェサリウス『ファブリカ』の登場

　近代医学の幕開けをもたらした医師・解剖学者・教師のアンドレアス・ヴェサリウス（1514 〜 1564）は、1543 年に正確な解剖図譜を伴う『ファブリカ De Humani Corporis Fabrica Libri Septem 人体の構造についての七つの書』を著した（Vesalius 1543〔2015〕）。ヴェサリウスの業績は、中世ヨーロッパの科学の水準を超えてガレノス等によって形成された医学・解剖学界の一般的見解を再検討した事にある。木版画による精緻な解剖図譜と科学的な議論こそが、現代に続く解剖学と美術解剖学の流れを生み出した（坂井ほか 2015）。なお、日本で作成された『ファブリカ』の精緻な復刻本は、岡山理大岡山キャンパス図書館を始め、各地の主要大学の図書館に所蔵されており、科学史上重要な図書を身近に閲覧する事が可能である。読者には、是非閲覧をしてみて欲しい。

　このような図譜による人体の解剖学的知識の学習と解剖による検証が日本に採り入れられるのは、蘭学の発達を待たねばならず、『ファブリカ』の初版発刊 230 年も経た後の 1774 年に、J. A. クルムス（1687 〜 1745）の "Anatomische Tabellen" のオランダ語訳本を杉田玄白、前野良沢が翻訳し、『解体新書』（クルムス著、杉田・前野訳 2016）として著すのを待つ事となった。

（4）化石と聖書

　科学の発達とともに化石の発見が積み重ねられたが、古生物学 Paleontology

が未熟な段階において、正確な理解がなされないまま、誤解に基づいた解釈がなされた。18世紀初めヨハン・ヤーコブ・ショイヒツァー（1672〜1733）がバーデンで出土した動物化石をヒトの一種 *Homo diluvia testis* ―大洪水の目撃者―と同定した。後の研究で、この骨格は哺乳類でさえなく、大型のサンショウウオの化石と判明した。日本ではオオサンショウウオが生息しているので、なおさらこのエピソードは奇妙に思いかねないのだが、ヨーロッパでは絶滅していたので、その点は配慮が必要である。

　その後、17〜18世紀には、人類の起源について進化論体系化以前であるにも関わらず、深い考察がなされ、その論者は生命さえ危険にさらすこととなったが、一方で人類と真猿類化石の追求の必要性が暗に理解される所となった。

　1616年にはイタリア人の哲学者で医師のジュリオ・チェーザレ・ヴァニーニ（1585〜1619、Lucilio Vanini とも）は、人類と類人猿の共通の祖先について言及した。彼の哲学、特に自然界に内在する神性を論じた事等で無神論者と看做され、異端審問の結果フランスで拷問の上、火刑に処せられた。

　創造説 Creationism の立場から近代生物分類の基礎を築き、学名 Scientific Name を二名法 Binominal Nomenclature で表す体系を普及させたスウェーデン人博物学者・科学者・医師のカール・フォン・リンネ（1707〜1778）は、1758年に『自然の体系 Systema Naturae』第10版においてヒトを *Homo sapiens* と記載した。また、同属の存在として *Homo troglodytes* 「穴居人」という意味の学名で記載した。この学名は属名を *Pan* に変えて、チンパンジーの学名に引き継がれている。その実態は、リンネが命名した当時とは異なっているとはいえ、ヒトと類人猿に近い存在として分類された事は、重要であった。

（5）イマヌエル・カントの人間学

　イマヌエル・カント（1724〜1804）は、ドイツの哲学者・思想家である。『純粋理性批判』『実践理性批判』『判断力批判』等の著作で有名であり、ドイツ観念論哲学の祖ともされる。はじめて人間学 Anthropologie という哲学の体系を設定し、「人間とは何か」「人間の本質とは何か」を論及して、その必要性を主張した。なお、この Anthropologie というドイツ語は英語では Anthropology となり、人類学と同じになるが、カントが示した Anthropologie は現在論じられている人類学と比較すると、より啓蒙主義的である事から、ここでは人間学という用語を使う。

　カントは科学的認識の成立根拠を吟味し、認識は対象の模写ではなく、主観が感覚の所与を秩序づけることによって成立すると主張した。また、カントは信仰と科学を分離して考えるという学問の姿勢を示し、その後の科学研究と研究者達と信仰の関係性に影響を与えた。

（6）進化論

　18 世紀末〜19 世紀前半の科学界は、進化論の足音が聞こえる状況であった。

　考古学の黎明期であるこの当時、先史時代を主要利器の素材によって「石器時代・青銅器時代・鉄器時代」に区分する三時代法 Three Age System が 1836 年にデンマークの博物学者・古物学者でコペンハーゲンのデンマーク国立博物館のクリスチャン・ユルゲンセン・トムセン（1788 〜 1865）によって提唱され、先史考古学の方法論の基礎が形成されつつあった。これは先史考古学のアプローチに大きな影響を残すものとなった。この分類法は、古代の欧州で石製・青銅製・鉄製の道具類が時代を代表する遺物として順に現れたという考え方を示すこととともなった。

　この様なアイディアは、古典時代のギリシャ・ローマの歴史学者、17 世紀後半〜18 世紀のヨーロッパの古物研究家も抱いたとされるが、石器・青銅器・鉄器という三時代分類法を実際に資料に適用し、この分類法が時代順に対応することを主張し、さらに、石器・青銅器・鉄器の同定に基づいて、各時代の武器や道具に形態的差異があることを指摘したのはトムセンが最初（ウィリーほか 1979）とされている。

　フランス人博物学者・生物学者のジャン＝バティスト・ラマルク（1744 〜 1829）は、1809 年の『動物哲学』で用不用説 use and disuse theory を紹介し、生物側に主体性を求めたラマルキズム進化論 Lamarckism を示した。イギリス人博物学者・生物学者のエラズマス・ダーウィン（1731 〜 1802）も、"Zoonomia"（1794）、"The Temple of Nature"（1802）等で生物が主体となるラマルキズムに似た進化論を表現した。

　1850 年頃にはフランス人地質学者・古生物学者・考古学者のエドゥアール・ラルテ（1801 〜 1871）が、プリオピテクス *Pliopithecus* やドリオピテクス *Dryopithecus* といったヨーロッパで発見された化石真猿類を研究し、化石人骨の出土を予言した事、ヨーロッパにおいて旧石器時代考古学を切り拓いた事は、進化論前史の中でも高く評価される。

　進化論が主張された時に、すぐに人類の進化の研究が進んだわけではない。そこには宗教思想と科学との衝突が存在した。その内容には、現在も傾聴に値する貴重な内容と、明確な誤謬が含まれている。エラズマス・ダーウィンの孫であるチャールズ・ロバート・ダーウィン（1809～1882）は、イギリスの自然科学者・生物学者・地質学者・地理学者となった。彼は、1859年の著作『種の起源』"On the Origin of Species by Means of Natural Selection"（ダーウィン著、渡辺訳2009）によって進化論を体系化し、生物学、社会科学等に広く影響を与えた。ダーウィンには、生物地理学者アルフレッド・ラッセル・ウォレス（1823～1913）のアイディアを盗み進化論を構築したとする説もある（ブラックマン1997）が、進化論や自然選択説（自然淘汰説）等についての研究のヒントは、1850年代までに広がっていた。チャールズ・ライエル（1797～1875）の著した『地質学原理』"Principles of Geology"にみられる地質学年代の長大さ、経済学者トマス・ロバート・マルサス（1766～1834）が著した『人口論』"Principle of Population; A View of Its Past and Present Effect"（マルサス著、斉藤訳2011）にみられる集団の人口の増大と資源の問題は、ダーウィンの立論に影響したものと考えられている。

　ダーウィンの著書には、『家畜及び栽培植物の変異』（原典1868年）、『ビーグル号航海記』（原典1839～1843年）等もある。

（7）ピルトダウン事件

　ピルトダウン事件は、考古学・人類学上極めて多くの教訓を含むエピソードである（スペンサー著、山口訳1996）。この人骨は、失われた進化の繋がり・ミッシングリンク missing link を追求する研究の中で、失われた繋がりを埋めるものとして現れた。そしてこの「人骨」は、失われた進化の過程を示したかの様であった。

　1908年以降、収集家・法律家のチャールズ・ドーソン（1864～1916）と地質学者A・スミス・ウッドワード（1864～1944）が化石人骨の発見を発表。当時批判もあったものの、復元法の議論などが中心で、矛盾が明確になったのは、アフリカでの化石人骨の発見が増加した結果であり、脳の発達が一般的に遅いことが解明されたことがきっかけの一つといえる。つまり、頭蓋が大きく、突出した顎が特徴のこの骨格の存在は、捏造発覚前には化石人骨の解釈に混乱を与えるものであった。最終的に、贋作の詳細は40数年後（1953年頃）に科学

分析によって明確にされた。中でも、同じ地点に埋存していた化石ならば、同様にフッ素が含まれるべきであるとするフッ素年代測定法の原理によって、頭蓋骨と下顎骨が異なった年代に由来する事が証明された事、歯等に意図的な加工が見出された事は、捏造の証拠となった。

この事件から約 90 年を経て、日本で前期・中期旧石器遺跡捏造事件が 2000 年（平成 12）11 月に発覚した。いずれの捏造事件も、高度な知識を有した人物が捏造に関わると、専門家にも簡単に捏造を見破る事が出来ないという事実を研究者に突きつけた。遺跡・遺物捏造は、古くて新しく、排除が難しい厄介な問題である。

4　化石人骨の概要

（1）猿人

猿人・原人・旧人・新人という人類の分類は、化石人骨の年代からみて、必ずしも有効ではないが、全体的理解に便利である事から本稿ではこの分類で説明を行う。

猿人化石は、アフリカで発見されている。現時点で最古段階の化石人骨と考えられている資料に、サヘラントロプス・チャデンシス *Sahelanthropus tchadensis* が挙げられる。この骨格は、中央アフリカのチャド共和国で発見され、今まで多くの猿人化石が発見された大地溝帯から離れている。分子時計仮説の研究で予想されたよりも古い 700 万年前に生存していたと推定されている事、頭蓋骨のみが出土しており、頭以外の骨格の特徴が不明確である事、直立二足歩行を裏付ける根拠が頭蓋骨の形態のみで、足跡等の傍証も欠けている事等の問題がある。

全身の多くの骨格が発見された古段階の猿人としてエチオピアで出土したアルディピテクス属 *Ardipithecus* が挙げられる。二種の存在が記載されており、アルディピテクス・カダッパ *Ardipithecus kadabba* が約 520〜580 万年前、アルディピテクス・ラミドゥス *Ardipithecus ramidus* は 440 万年前に生息していたと推定されている。

華奢型の猿人は、アウストラロピテクス属 *Australopithecus* に分類される。アフリカの南部と東部を中心に出土し、400 万 〜200 万年程前に帰属すると推定されている。アナメンシス *anamensis*、バーレルガザリ *bahrelghazali*、アフ

ァレンシス *afarensis*、アフリカヌス *africanus*、ガルヒ *garhi*、セディバ *sediba* が記載されている。このうち 250 万年～ 260 万年程前のガルヒは石器と共伴して出土し、考古学年代の旧石器時代の始原はこの頃に設定しうるが、チンパンジーも石器利用が知られている事から、旧石器時代の始原については、今後変更がありうる。これらの化石の中で愛称が付いている化石は非常に有名な資料で、タウング・チャイルドはアフリカヌス Taung-1、ルーシーはアファレンシス AL 288-1 の化石である。

　パラントロプス属 *Paranthropus* は、200 万～120 万年程前に南アフリカと東アフリカに生息していたと推定されている。ボイゼイ *boisei*、ロブストス *robstus*、エチオピクス *aethiopicus* が記載されている。ボイゼイとロブストスは、アウストラロピテクス属とされた時期があったが、現在は頑丈型の形質から独立的にパラントロプス属に属させる事が主流となった。

　猿人と原人が生息していた段階に生息していた最初期のホモ属の化石人骨に、タンザニアで発見されたホモ・ハビリス *Homo habilis* がある。有名な化石では KNM ER 1813 が挙げられる。ホモ・ハビリスは、240 万年～ 140 万年前に生息し、猿人と原人と共存していたと推定されている。また、石器を製作・利用していた事が推定されている。

（2）原人

　200 万～10 万年前に人類がアフリカ、中近東、南アジア、東アジア、東南アジアに適応した段階で、ホモ・エレクトス *Homo erectus* と記載される初期ホモ属が存在する。後に出現するホモ・サピエンスへの系譜が想定されるアフリカのエレクトスについて、ホモ・エルガステル *Homo ergaster* と呼ぶ場合もある。その例にケニアで出土したトゥルカナ・ボーイ Turkana Boy（KNM-WT 15000）が含まれる。

　ジャワ原人は、インドネシアで発見され、帰属年代は約 100～15 万年前と考えられる。北京原人は、中国周口店遺跡で発見され、帰属年代は約 80～15 万年前と考えられる。

　ホモ・フロレシエンシス *H. floresiensis*　フローレス原人とも呼ばれ、インドネシアで発見された化石である。ジャワ原人の系譜にあり、小型化した人類と考えられているが、約 1 万年前までどの様に生息していたのか、まだ十分に解明されていない。

（3）旧人

　約 50 万年前〜3 万年前に原人の拡散範囲に近い範囲ヨーロッパにも広く拡散する。アフリカからユーラシア大陸の熱帯・亜熱帯・温帯に適応した人類に旧人と呼ばれる一群の化石人骨がある。

　ホモ・ネアンデルターレンシス *H. neanderthalensis* は供伴する石器群から、石器製作技術の向上が推測され、さらに芸術性の向上が指摘されている。近年調査が進展し、より複雑な後期旧石器まで製作していた可能性が指摘されている。

　後に出現したホモ・サピエンス *H. sapiens* と比較すると頑丈な頭蓋や体部の骨格が特徴と指摘できる。

　現在までに多くの骨格が発掘されているが、資料が増加する毎に論争があらたな展開をみせ、現在までも種・亜種の分類や、系統について議論が分かれている。特に、頑丈な骨格（太短体型・筋肉質）を持つにも関わらず、サピエンス種との共存後何故絶滅したか、議論が続いている。

註

1)　アメリカインディアンは、イヌイット Inuit、エスキモー Eskimo 以外のアメリカ大陸先住民の総称として利用される用語である。この名称は、クリストファー・コロンブスがアメリカをインドと誤った為生じた事から、ネイティブアメリカン Native American とする用語が適切と考える研究者もいる。ただし、ワシントン D. C. のスミソニアン博物館群にインディアン博物館があるように、先住民族自身がインディアンという用語を選択する状況もあることから、本章では歴史的無理解や差別的意図を含まない事を前提としてインディアンという用語を用いた。

2)　形而下 physics とは、時間・空間という現象世界に形を有して存在し、可視的に確認できるもの、実体のあるものの事を指す。反意語として形而上 metaphysics という言葉があり、こちらは実体のない理念的なものの事を指す。この基準を利用し、形而下学 Physics、形而上学 Metaphysics という学問の分類が存在する。

3)　年周期は annual cycle の翻訳にあたるが、太陽の公転がひとめぐりする間での環境変化も含み、中緯度地域である冷帯や温帯の地域では四季に応じた環境の変化がみられる。一方、低緯度地域の熱帯や亜熱帯地域では、乾季・雨季がみられる場合があるが、年間の気候が大きく変化しない。極地や高緯度地域では、寒冷で年間を通して気温が低く、季節的変化が把握しにくい。

引用・参考文献

ウィリー，ゴードン，R、サブロフ，ジェレミー A.（著）、小谷凱宣（訳）　1979『アメリカ考古学史』学生社（原著：Willey, Gordon R. and Sabloff, Jeremy A. 1974. *A History of American Archaeology*. Thames and Hudson, London）

ガレノス（著）、坂井建雄、池田黎太郎、澤井　直（訳）　2011『西洋古典叢書：G070 解剖学論集』京都大学学術出版会

ガレノス（著）、坂井建雄、澤井　直（訳）　2016『西洋古典叢書：G097 身体諸部分の用途について 1』京都大学学術出版会

クルムス，J.A.（著）、杉田玄白・前野良沢（訳）　2016『解体新書　復刻版』西村書店

坂井建雄、フレデリック・クレインス（訳）　2015『『ファブリカ』『エピトメー』解題』雄松堂書

店

シコード，J.（著）、河内洋佑（訳） 2006・2007『ライエル 地質学原理（上）（下）』朝倉書店

篠田謙一 2019『新版 日本人になった祖先達―DNAが解明する―』NHKブックス

スペンサー、フランク（著）、山口 敏（訳） 1996『ピルトダウン』みすず書房

ダーウィン、チャールズ（著）、渡辺政隆 2009『種の起源〈上・下〉』光文社古典新訳文庫

都出比呂志 1986「日本考古学と社会」『岩波講座日本考古学 7 現代と考古学』7、pp.31-70

富岡直人 2022『入門欧米考古学』同成社

日本人類学会（編） 1984『人類学―その多様な発展』日経サイエンス

浜本 満・浜本まり子（編） 1994『人類学のコモンセンス―文化人類学入門』学術図書出版社

ヒポクラテス（著）、常石敬一（訳） 1996『ヒポクラテスの西洋医学序説』小学館

福田アジオ 1991「考古学と民俗学―協業のための予備的考察―」『国立歴史民俗博物館研究報告』
    35[国立歴史民俗博物館、pp.185-209

ブラックマン、アーノルド・C.（著）、羽田節子、新妻昭夫（訳） 1997『ダーウィンに消された男』
    朝日選書

マルサス、トマス・ロバート（著）、斉藤悦則（訳） 2011『人口論』光文社

柳田國男 1934『民俗伝承論』共立社

山田康弘 2008『人骨出土例にみる縄文の墓制と社会』同成社

渡辺 仁 1977「生態人類学序説」『人類学講座12 生態』雄山閣、pp.3-29

Cooke, N. P., Mattiangeli, V., Cassidy, L. M., Okazaki, K., Stokes, C. A., Onbe, S., Hatakeyama, S., Machida,
    K., Kasai, K., Tomioka, N., Matsumoto, A., Ito, M., Kojima, Y., Bradley, D. G., Gakuhari, T. and
    Nakagome, S. 2021'Ancient genomics reveals tripartite origins of Japanesepopulations' in "Science
    Advances", 7(38): pp.1-15

Dart, R.R. 1925. Australopithecus africanus: The Man-Ape of South Africa. *Nature* 115, pp.195-199

Hanihara, Kazuro 1991. Dual Structure Model for the Population History of the Japanese. *Japan Review* 2.
    pp.1-33

Kulmus, J. A. 1732. *Anatomische Tabellen* [Bey die Janssons von Waesberge]

Vesalius, Andreas. 1543（2015）. *Fabrica* [Yushodo]（This facsimile of *Fabrica* in 2015, was produced
    from the original copy issued in 1543）

土井ヶ浜遺跡の人類学と考古学

沖田絵麻　*OKITA Ema*

1. 土井ヶ浜遺跡とは

　土井ヶ浜遺跡は山口県下関市に所在する。響灘に面した砂丘上に立地する弥生時代～江戸時代の墓地遺跡である。遺跡の発見は1931年（昭和6）に遡り、1953年から現在までに19次にわたる発掘調査が実施された。1962年には遺跡の重要性が認められ、国史跡に指定された。1990年（平成2）には遺跡の中心部を保護した上に弥生時代埋葬遺構を復元展示する土井ヶ浜ドーム（図1）が、1993年には史跡に隣接して土井ヶ浜遺跡・人類学ミュージアムが開館し、土井ヶ浜遺跡と自然人類学に関する研究をおこなうと共に、その成果や重要性を発信している。

　土井ヶ浜遺跡の調査には、人類学・考古学だけでなく様々な関連分野の研究者が関わり、当時の環境、人々のルーツや形質、生業、文化等の解明を試みている。ここでは、近年明らかになった成果の一部を紹介したい[1]。

図1　弥生時代埋葬跡の復元展示の様子（土井ヶ浜遺跡・人類学ミュージアム提供）

2. 土井ヶ浜遺跡の人類学

第1次〜第5次発掘調査の指揮を執ったのは当時九州大学医学部教授の金関丈夫氏であり、当初から弥生人骨の調査を目的としていた。その背景には、当時は縄文時代と古墳時代の人骨資料は豊富であったが、その間を繋ぐ弥生人骨の資料がほとんど無かったため研究が進んでいなかったという事情がある。19回の発掘調査で約300体の弥生人骨が出土し、日本人の形成過程を考える上で欠かせない遺跡となった。

(1) 形質

出土人骨は、保存状態（現生標本にも劣らないほど良好）と資料数（統計的研究に適している）の点で、形質研究に適した資料である。研究の結果、土井ヶ浜弥生人は高身長、高・狭顔で顔の彫りが浅い特徴を持ち、前時代の縄文人骨（低身長、低・広顔で顔の彫りが深い）とは形質的に大きな隔絶が存在することが明らかになった。この形質変化の説明として金関氏が出した仮説が「渡来・混血説」である。縄文時代の終わり頃から弥生時代の初め頃にかけてアジア大陸から人々が日本列島に渡来し、在地の集団（縄文人）と混血することで形質が変化したとするこの説は、弥生時代以降の日本列島における人類集団の成立を解明する大きな一歩となったのである。

1993年から始まった人類学ミュージアムと中国の研究者による共同研究によって、中国山東省の漢代の人骨と西日本の渡来系弥生人（土井ヶ浜遺跡や北部九州の弥生人に代表される、高身長で高・狭顔の「北部九州・山口タイプ」の弥生人）の形質の近似が明らかになり、渡来・混血説の裏付けとなった。

(2) 遺伝

ミトコンドリアDNA解析によって、土井ヶ浜弥生人と中国の漢代人骨との間の高い遺伝的類似性が明らかになり、従来の渡来・混血説の裏付けとなった。

遺伝の影響を強く受ける歯の形質について、歯冠サイズおよび歯冠サイズプロポーションの比較、そして歯冠・歯根の非計測的形質の頻度比較の研究が実施された。その結果、渡来系弥生人にも地域的変異が存在し、土井ヶ浜と北部九州の弥生人の出自や集団の成り立ちが異なっていた可能性が指摘された。

(3) 古病理

土井ヶ浜弥生人に多くみられる古病理学的所見に、齲歯と外耳道骨腫がある。

齲歯はいわゆる虫歯のことである。齲歯率は食生活と関連し、世界的にみると狩猟採集を生業とする集団の方が農耕を生業とする集団より齲歯率が低

い。土井ヶ浜弥生人の齲歯率（残存歯中の齲歯の割合）は約24％で、水稲農耕をおこなっていた北部九州弥生人よりも高く、しかも若い時から齲歯が多い傾向がある。さらに、土井ヶ浜弥生人は北部九州弥生人と比べて歯牙の咬耗が強く、生前喪失歯率が2倍近く多いことから、同時代の北部九州弥生人に比べて若年期に栄養障害などの強い環境ストレスを受けることが多かった可能性がある。

　外耳道骨腫は側頭骨の外耳道の入口に生じる良性の骨腫である。潜水漁をする海士・海女に多くみられることから、冷水や水圧の刺激が成因の一つと考えられている。土井ヶ浜遺跡における出現率は高く、約29％である。また、外耳道骨腫が認められた人骨の約90％が男性である。当遺跡における外耳道骨腫が潜水漁に起因すると仮定すれば、土井ヶ浜遺跡では主に男性が従事していたことになる。

（4）食性
　食性を調べるため32体の弥生人骨の炭素・窒素同位体分析が実施された。その結果、陸上のC3植物やそれを食べる草食動物よりも窒素同位体比が高いことから、彼らが水産資源を高い割合で摂取していたことが明らかになった。炭素と窒素の相関関係からは、同位体の特徴が異なる3種類以上

の食料資源利用がされており、そのひとつが水田で栽培された稲である可能性も示唆された。

3．土井ヶ浜遺跡の考古学

（1）古地理復元による土地利用の推定
　地形地質調査やボーリング調査[2]等から、古地理変遷が推定されている。土井ヶ浜遺跡の周辺では、約8000年前から開始された縄文海進時には現在より1kmほど内陸に海岸線が前進し、内湾～浅海が形成されていた。これを裏付けるように、このとき堆積した縄文早期～中期の海成層からは海産の貝が確認された。縄文後期以降は海岸線が後退し、湾口を塞ぐように砂堆が形成され、弥生前期にかけて固定化した砂丘上に土井ヶ浜遺跡が形成された。この時期、砂丘の南北の海岸低地は塩性湿地となり水田不適地であったことから、その奥に位置する谷底低地が水田に利用されたと推定される[3]。また、周辺地区の発掘調査では、海岸低地や谷底低地を囲む丘陵部にいくつかの弥生時代遺跡が確認された。これらにより、丘陵部に小規模集落を営む複数の集団が谷底低地で農耕をおこない、土井ヶ浜砂丘を共同墓地としていた空間利用が想定できる。

（2）遺物素材産地からみる他地域との交流
　土井ヶ浜遺跡からは多様な副葬品・

装身具類が出土している。土器の胎土分析からは、北部九州からの搬入品の存在が推測された。貝輪[4]には、琉球列島産のゴホウラやアツソデガイ等が使われている。石製玉類にはヒスイ、アマゾナイト、碧玉が使用されており、その原石産地として朝鮮半島や北陸地方が推定されるものがあるが、不明なものも多い。副葬品ではないが、二面出土した小型仿製鏡は、北部九州で製作されたものと考えられている。このように、土井ヶ浜弥生人は北部九州と密接な関りを持ち、北陸や朝鮮半島、琉球列島の産物を入手できる情報・交易の手段を持っていたことが推測できる。当然、物だけでなく人の行き来による遺伝的交流も想定されるであろう。

註
1)　ここで紹介する研究成果は、土井ヶ浜遺跡・人類学ミュージアム編 2014『土井ヶ浜遺跡 －第1次～第12次発掘調査報告書－』（下関市教育委員会、土井ヶ浜遺跡・人類学ミュージアム）によった。
2)　新潟大学災害・復興科学研究所と下関市教育委員会による共同研究。詳細は https://www.nhdr.niigata-u.ac.jp/pdf/report_2017/2017-09_Kobayashi_Y.pdf）参照。
3)　土井ヶ浜遺跡から800mほど東の谷底低地末端部に立地する片瀬遺跡D区において、弥生時代前半の水田跡が確認されている。
4)　貝殻製の腕輪のこと。

第6章

動物学と考古学

富岡直人 *TOMIOKA Naoto*

はじめに

　日本の近代考古学は、アメリカ人動物学者 E. S. モース Edward Sylvester Morse の大森貝塚群（東京都）の研究に始まるが、この取り組みこそ日本における動物考古学の始まりでもあった。モースは、来日前にハーバード大学ピーボディー考古学民俗学博物館の学芸員で解剖学者でもあった J. ワイマン によるフロリダでの貝塚調査のフィールドワークに参加し、動物学と考古学の両分野の分析を経験していた。この経験が、大森貝塚の調査・研究に活かされていた。

1. 動物考古学の視野

　動物考古学は、環境考古学の一分野であり、動物学と考古学の学際領域にある。動物考古学は、自然環境と社会環境の構成要素である動物を考究するという点に止まらず、季節的に変動する資源動態を解明する可能性や、人類の狩猟・採集・牧畜という文化動態を描出する可能性を考古学にもたらす極めて重要な分野である。

　動物考古学を学ぶには動物学からの入り口と考古学からの入り口があると考えて良い。つまり、それぞれの学問としての基礎を理解する必要がある。さらに、それぞれの学問で利用される分類学・型式学を理解する事も求められるし、近年は分子生物学の理解も求められる。

（1）動物遺存体記載の視点

　考古学資料の中に絶滅動物が含まれる事は、現在の考古学では常識であるが、19世紀にヤペトゥス・ステーンストルップ（1813 〜 1897）ら地質学者・動物学者が人工遺物と共伴した動物遺存体 animal remains により明らかにした

表 1　動物遺存体群で把握するべきポイント

```
①　動物遺存体の出土位置・層位は何処か
②　動物遺存体がどのような遺物と一緒に出土したのか
③　動物遺存体に加工・処理の痕跡が残されているか
④　同じ棲息域の動物遺存体で構成されているか
⑤　同一種の動物遺存体はどのような齢構成か
⑥　動物遺存体の形態は現生標本とどのように異なっているのか
```

ことが嚆矢であった（Daniel 1975）。

　これらの研究を通して出土動物遺存体群についてチェックするべきポイントは表 1 の様に把握されるようになった。E. S. モース（1838 ～ 1925）も、大森貝塚群の発掘と研究において、これらの点に意識を払っている事が把握されている。

　ここでは、表 1 について、どのような事が解釈されるか記してみよう。

　①　動物遺存体がどの層位、どの地点・場所から出土したのか。まとまるのであれば、それは同一時期、同一の脈絡で集まった（集められた）集合と推定される。

　②　動物遺存体が同一層位・地点で一緒に出土した遺物は何か。このように一緒に出土した遺物を共伴遺物と呼ぶ。もし遺物と共伴したなら、それは過去の人類がもたらした動物遺存体である可能性が高く、人間の動物に対する行動をうかがわせるとともに、遺物の考古年代は動物遺存体の年代を間接的に示す可能性がある。

　③　動物遺存体に人為的な加工・処理の痕跡が残されているか。それは、動物に対し人間が意図的に加工・処理をした行為を示す。良く観察される痕跡としてはカットマーク cut mark、火を受けた痕跡がある。

　④　同一種の動物遺存体の自然状態の環境で一緒に生息する動物遺存体のみで構成されているのか、異なった環境に生息するものが含まれているのか。もし異なった環境に生息するものが含まれていたら、それらは人為的に集められた可能性が高まる。

　⑤　齢構成とは、日齢・月齢・年齢といった概念を含めたものである。このような齢階梯を把握できると、動物遺存体群が死亡した時季が一緒か、異なっているかといった情報や、同じ様な年齢階梯のものがまとまって死亡していたのか、異なった年齢階梯のものが集まっていたのかといった情報が把握できる。同一種のものが同じ時季にまとまって死亡している場合は、偶発的に大量

死した可能性があり、自然災害による死亡や、人為的な大量殺傷の可能性がある。一方、違う齢階梯が含まれる場合は、異なった体格に対する複数の捕獲技術の選択がなされていた可能性や異なった棲息地での捕獲活動があった事、異なった時季での捕獲活動の展開をうかがわせる。

⑥　E. S. モースは大森貝塚群の報告で、出土貝殻やヒトの脛骨の形態を現生標本や他遺跡出土資料と比較をしている。特に大森貝塚で指摘されたヒトの扁平脛骨 flattened tibia は、その後、人類学で縄文人骨に特徴的な形質として把握される事となった。

（2）動物考古学の学び方

　動物考古学で重要な同定方法を学ぶには、近年は良好な参考図書がある。ただし、これらの図書が一般化する一方で、初学者が印刷物に頼って実際の比較標本集めを軽視していないか、不安な面もある。動物の骨格の同定では、体の形態は勿論、結節、突起、関節、孔を現生標本と比較する事が重要である。つまり二次元で描かれ数枚の展開図で示された画像で、骨格を同定するのは難しい。骨格を分類するには比較する為の現生標本を収集したり、研究機関で閲覧したりして、その特徴を把握する事が必要である。

　また、実践的な動物考古学で要求される技術は、部分的に出土する動物遺存体より、動物分類に沿って同定をし、記載するというものである。動物分類には、表2に示す界門綱目科属種という階梯が存在し、この上位の分類から下位の分類まで、どこまで分類できるか、しっかり把握することが望まれる。

　表2の最下段に示されたイヌの記載例を観て欲しい。このイタリック体で示されている先頭の大文字から始まる語 Canis は属名 genus を示す。それに続く lupus は種名を示し、これはオオカミ、特にタイリクオオカミを示す種名である。それに続く familiaris は、イヌを示す亜種名である。

　さらに Linnaeus は命名者リンネ Carl von Linne（1707 ～ 1778）を示し、それに続く 1758 という数字は、イヌが命名で記載された年を示している。カール・フォン・リンネはスウェーデンの生物学者、博物学者である。

　まとめると、この Canis lupus familiaris Linnaeus, 1758 という一連の文字列で、標準和名イヌという動物が学名として表現されており、この学名はリンネが 1758 年に記載したという情報が盛りこまれているのである。余談ながら、この命名者リンネこそ、生物分類学の父と呼ばれる人物で、ラテン語で示され

表2　生物分類の階層構造とイヌの記載例

階層構造		分類例	
界	kingdom	動物界	Animalia
門	phylum	脊索動物門	Chordata
綱	class	哺乳綱	Mammalia
目	order	ネコ目（食肉目）	Carnivora
科	family	イヌ科	Canidae
属	genus	イヌ属	*Canis*
種	species	オオカミ	*lupus*
亜種	subspecies	イヌ	*familiaris*

イヌ

属	種	亜種	命名者	記載年
Canis	*lupus*	*familiaris*	Linnaeus,	1758

る属名と種名を組み合わせる事で生物の学名を示すシステムを構築した研究者である。現代でも、この方法が利用された『国際命名規約』International Code of Nomenclature によって生物分類がコントロールされている。

（3）動物考古学の視座

　動物考古学について重要な取り組みをした人物にオーストラリア出身でイギリスロンドン大学において先史考古学研究を展開したV. G. チャイルド（1892～1957）とイギリス人考古学者J. G. D. クラーク（1907～1995）があげられる。チャイルドらによってロンドン大学考古学研究所に環境考古学部門が設立され、地質学・植物学・動物学出身の研究者が集まり、考古学研究に取り組む体制が作られた。この中で動物考古学は大いなる発展を遂げた。

　J. G. D. クラークは中石器時代のスター・カー遺跡（ヨークシャー州スカーバラ市）での1941～1951年の発掘に花粉研究者、地質学者、動物学者の参加を促し、放射性炭素分析も導入して『スター・カー遺跡における発掘 Excavation at Star Carr』（1954年）を発表し、人工遺物にみる技術の論及のみならず、環境や自然の利用についても論及する考古学の論考のスタイルを強く示す重要かつ記念碑的な研究書となり、日本の研究者達にも影響を与えた。

　ドン・ブロスウェル（1933～2016）とエリック・ヒッグス Eric Higgs（1908～1976）は、『考古学の科学 Science in Archaeology』を1963年に著し、年代決定技術、動植物遺存体の利用法、人類の遺体の研究法等について研究例や分析法について55名の著者が言及した内容をまとめ、考古学を理解する自然科学

者の取り組みがこの分野に寄与することを明確に示した。

（4）　生態学的視座

　動物学では、動物の軟部組織や動物行動・生態が極めて重要な情報になる。しかし、動物考古学での多くの場合は、軟部組織や行動は過去に失われてしまい、不可視の領域に存在することになってしまう。勿論、斉一性という考え方で、現在生きている動物を参考に、失われた動物学的情報を類推する事は出来るが、それは仮説の上の議論である。

　一方で、軟部組織も含め動物に対する理解を深めないと、動物遺存体からは、十分な情報が得られない事が指摘される。軟部組織や動物行動についての情報は、現生動物の観察から情報を得る必要がある。さらに現在日本の海岸線の直接的・間接的な人為による改変が激しく、干潟や自然海岸は次々に失われている。今のうちに急いで現生の貝類についての研究を蓄積する必要がある。

2.　各種動物遺存体の情報性

（1）貝類

a.　貝殻

　貝類は軟体動物門のなかでも貝殻を有するものの総称である。貝類には、二枚貝とも呼ばれる斧足綱（ふそくこう）（おのあしこう）、巻貝とも呼ばれる腹足綱（ふくそくこう）、複数の貝殻がキャタピラの様に組み合わさって背面に配列される多板綱（たばんこう）、細長い筒状の殻を持つ掘足綱（くっそくこう）などがある。実際には貝殻を持たないタコ類、イカ類、ウミウシ類、ナメクジ類も軟体動物門であるが、貝類とは普通は呼ばれない。一方、カメノテやフジツボも硬い殻を有するので貝類に間違われがちであるが、節足動物門蔓脚（まんきゃく）類（つるあし）に属する別の生物である。また、触手動物や環形動物でも石灰質やリン酸（るい）カルシウムの殻を作る種があり、貝類と間違われることがある。

　中国では後期旧石器時代の山頂洞遺跡（さんちょうどう）（北京周口店）から穿孔された斧足綱が出土した。近接する日本列島域でも後期旧石器時代には貝類が捕獲されたり、貝殻が拾われたりしていた可能性は高いであろう。

　斧足綱には、砂泥底のような底質の中に入って棲息するもの、ホタテガイのように水中を頻繁に移動して棲息するもの、マガキのように底質に殻ごと固着して棲息するもの、イガイ科のように底質に足糸で固着して棲息するものなどがいる。

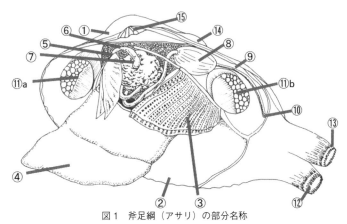

図1　斧足綱（アサリ）の部分名称

①貝殻（右殻）　②外套膜　③鰓　④足　⑤口　⑥食道　⑦胃　⑧囲心腔　⑨腸　⑩肛門
⑪a 前閉殻筋　⑪b 後閉殻筋　⑫入水口　⑬出水口　⑭靭帯　⑮主歯（蝶番）

　斧足綱の体の組織には、図1のように生きるために必要な循環器・呼吸器・消化器と貝殻の成長に欠かせない外套膜などの軟部組織がある。外套膜は、貝殻の形成に関わる器官で、軟部全体を覆い貝殻と接している。鰓は、入水管から導かれた水から酸素を得るための呼吸器官である。

　斧足綱には、貝殻を閉じるための閉殻筋と呼ばれる通称貝柱と呼ばれる筋肉＝閉殻筋がある。その張り付いていた痕は閉殻筋痕と呼ばれ、しばしば同定で着目する部分である。一方で、靭帯はゴムのかたまりのように硬く弾力を有し、貝殻に付着して貝殻を開ける力を生じさせる組織である。

　巻貝である腹足綱のアカニシの貝殻を図2に示す。腹足綱は、強い筋肉を持った足で歩き回るものが多く、匍匐生活に適した感覚器である触角や目が発達している場合が多い。腹足綱の螺旋状になる貝殻の最も尖った部分は殻頂、螺旋状の貝殻の上部を螺頭、殻の中心に形成される軸を殻軸、軟部組織が殻外に出る部分を殻唇と呼ぶ。貝殻表面の肋は、螺肋、縦肋で、縦肋は成長線とも呼ばれる。また、蓋を持つものも多く、サザエやスガイ、マメタニシ等は石灰質の蓋を持ち、アカニシやオオタニシ、カワニナ等はタンパク質であるキチン質の蓋を持っている。

　腹足綱の場合、軟部組織には神経が発達した頭部、足部が明確に存在する。呼吸器官については、斧足綱と同じく鰓を有するものが多いが、陸上生活に適した有肺目と呼ばれるカタツムリ類の仲間は、外套膜が変化して出来た肺を持

つことが特徴である。

　現代の調理の場合、小型貝類では、軟体部全てを食用に供することが多いが、大型貝類では、外套膜や鰓と閉殻筋や足とも呼ばれる筋肉部分を切り分け、可食部と廃棄部分に分けることがある。特に、貝毒についての知識が発達している現代では、中腸腺や唾液腺を取り除いて食するという慣習も広く定着している。

　遺物としては、貝殻とも呼ばれる硬組織が残りやす

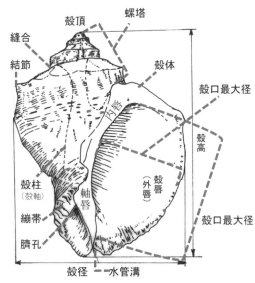

図2　アカニシの貝殻の部分名称と計測ポイント

いが、これは殻質と呼ばれる炭酸カルシウムを主成分にする部分と、殻皮はコンキオリンと呼ばれるタンパク質を主成分にする部分から構成される。貝殻の炭酸カルシウムは日本に多い酸性土壌を中和させ、さらにアルカリ性に変えてしまう程の能力を秘めている。

b.　貝殻成長線分析

　貝殻の断面や殻表には、成長に従って成長面に形成された成長線という構造が観察できる。この線について、現在生息している貝類との比較を経て分析すると以下の様な内容を把握する事が可能となる。

　1.　死亡季節≒採集季節が割り出せる。当時の集団の季節的な生活を推定することに利用できる。

　2.　成長速度から、個体の生息環境が推定される。サンプル数が増えると、採集された貝類集団の栄養状態等の生息条件の特徴が推定できる。

　3.　酸素同位体比分析から、水温の変化も推定できるが、淡水の影響のある環境では数値の変化はより複雑となる。

c.　環境推定

　貝殻は出土地の近隣で採集されたものと、時には100kmも離れた様な遠隔

地からもたらされたものが遺跡からは出土する。目安としては、多く出土する
貝殻は、遺跡の近隣より採集された可能性が高く、稀に出土するものや、加工
されて装身具になっている様な貝殻は、遠隔地からもたらされた可能性が考え
られる。この項では、貝塚から多く出土する貝類からどのような生息環境＝採
集環境が推定されるのか、解釈について述べる。

　約7,000年前は世界的に温暖な時期と考えられ、完新世におけるヒプシサー
マル hypsithermal（最暖期）とされる。この時期には日本各地の平野は縄文海
進のため形成が停滞しており、河口部は溺れ谷が形成された。この頃の貝塚か
らは、ヤマトシジミ、ハイガイ、マガキ等、環境の変化に耐性の高い貝類がみ
られた。なお、縄文海進という用語には注意が必要である。本来は汀線が内陸
にまで入り込んでいた現象を指して「海進」と呼ぶのであるが、そこにはヒプ
シサーマルにともなう世界的な海水準上昇という原因と、河川堆積の進行がま
だ顕著でなかったため河川下流域や沿岸部の平野の形成が顕著ではなかった原
因の二つが指摘できるのである。

　先述の貝種のうちハイガイの存在は当時の気候が温暖であったことと、ヤマト
シジミやハイガイの存在は河川の堆積作用により河川下流域や河口部に砂や砂
泥の浜辺が形成されたことをうかがわせる。

　ヤマトシジミは、感潮域群集に分類され、潮汐の影響を受ける汽水域の砂泥
底に多く棲息するもので、現在も日本各地に棲息するが、近年海外では外来生
物として生息域を拡大していることが知られ、環境への順応力の高さが指摘でき
る。このような順応力の高さから、環境変化が激しかった縄文時代早期、前期
段階でも生息域を拡大したのであろう。

　ハイガイは、干潟群集に分類され、岡山では16条の肋条があることからシ
シガイと呼称され親しまれ養殖もされていたが、現在瀬戸内海では絶滅状態に
ある。潮間帯の泥底に棲息する習性を持つとともに、亜熱帯種とも分類され、
温帯地域でもやや暖かい海に多く棲息し、現代では瀬戸内海や有明海で分布す
ることが知られていたが、瀬戸内海のものは現在生息数が激減している。この
二種の貝類は、海進期の特徴的な貝類として特筆される。ハイガイは、南関東
では1,500年前頃にみられなくなるが、これは寒冷化にともない、本来は暖か
い海を好むハイガイが生息しにくくなったための現象と考えられる。

　マガキは、汽水〜内湾のやや塩分濃度の低い塩水に生息する貝種である。泥

底〜岩礁にまで生息することができ、特に寒冷な水域では大きなカキ礁を形成することが知られている。泥底や砂底で生息するマガキは小さい礫や貝殻に付着して成長することがあり、付着物から採集場所の環境が推定される。東京湾で最古段階の約 9,500〜9,200 年前に形成された夏島貝塚（神奈川県横須賀市、杉原ほか 1957）の貝層がこのマガキを主体としていた。また、約 8,000 年前に想定されている海進の停滞期に東京湾の一部でカキ礁が形成されたことが推定されている（小杉 1990）。

（2）　魚類（軟骨魚綱・硬骨魚綱）

a.　魚類の骨格

　魚類は脊椎動物の半分程を占める動物であるが、分類学的にやっかいな存在で、魚上綱 Pisces という分類は経験的にわかり易い存在ではあるが、研究上は廃されている。本稿では、無顎上綱 Agnatha（ヌタウナギの仲間やヤツメウナギの仲間）と、顎口上綱 Gnathostomata に含まれる軟骨魚綱 Chondrichthyes、硬骨魚綱 Osteichtyes といった魚型の動物を指す言葉として利用する。鳥類や哺乳類は顎口上綱に属し、硬骨魚綱の系統に属する扱いとなる。魚類の内、無顎上綱は遺跡からほとんど見つからない。遺跡で出土し易いものは、軟骨魚綱では椎骨と歯、硬骨魚綱では頭の骨、椎骨が挙げられる。椎骨は最も基本的な骨格で出土する事も多いので、良く覚えて頂きたい。図 3 に硬骨魚綱のスズキの骨格の図を示す。前方が腹椎、後方が尾椎と呼ばれる。腹椎は上（背側）

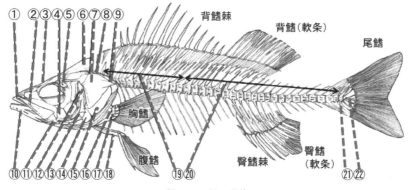

図 3　スズキの骨格

①前上顎骨　②主上顎骨　③前頭骨　④方骨　⑤翼耳骨　⑥上後頭骨　⑦主鰓蓋骨　⑧上擬鎖骨
⑨擬鎖骨　⑩歯骨　⑪角骨　⑫舌顎骨　⑬前鰓蓋骨　⑭間鰓蓋骨　⑮下鰓蓋骨　⑯烏口骨　⑰肩甲骨
⑱骨盤骨　⑲腹椎　⑳尾椎　㉑尾部棒状骨　㉒下尾軸骨

に突出する神経棘(きょく)、横から下（腹側）に二つ突出する肋骨がある。尾椎は、上（背側）に突出する神経棘、下（腹側）に突出する血管棘がある。頭の骨で椎骨に接続する部分が基後頭骨、その後ろに第1椎骨、その次に第2椎骨が接続する。なお、尾椎の後端には尾部棒状骨と下尾軸骨が存在し、尾鰭(おびれ)に接続する。

　頭の骨の主要なもので、上顎を構成する主上顎骨、前上顎骨、口蓋骨*、下顎を構成する歯骨、角骨、鰓蓋(さいがい)を構成する主鰓蓋骨、前鰓蓋、間鰓蓋骨、下鰓蓋骨、主鰓蓋骨と下顎骨を支える骨群である舌顎骨、方骨、胸鰭に接続する肩甲骨、擬鎖骨、烏口骨、脳を囲む頭の骨を構成する鋤骨*、前頭骨、副蝶形骨、翼耳骨*、腹鰭とそれに接続する骨盤骨、舌を構成する上舌骨*、角舌骨*、基舌骨*、鰭を支える担鰭骨、背鰭のうち骨棘を有する背鰭棘(はいききょく)、柔らかい軟条の背鰭(はいき)、肛門の近くにある臀鰭(きき)のうち骨棘を有する臀鰭棘と軟条で構成される臀鰭、尾の後端にある尾鰭等が挙げられる。

　これらを初学者が全て記憶するのは困難なので、入手できた硬骨魚綱の一種を解剖し、骨格が軟部組織と肉離れがわるかったら、場合によっては水煮する様に加熱して標本を製作し、それぞれの骨をチャック付きポリ袋に入れるか、標本を台紙に貼る等して固定し、骨格名称を付す等の作業を行い、魚類の骨格に親しむ事が望ましい。魚類標本を製作する場合は、多人数で一つの種類の骨格標本を作るより、多人数で複数の標本を作って、比較する事で観察眼が養われるので、実習の際に留意して欲しい。また、現在経済的価値が高く広く流通している魚類は、遺跡から出土する率が高い、これは経済的価値の高い魚類は生息数が多く、季節的に大量に捕獲できる特徴がある事に通底しており、そのような魚類は養殖も試みられている事が多い。養殖魚は稀に骨格が変形したり、脆弱になったりしている事があるので、可能であれば天然ものの標本を入手する事が望ましい。また、漁獲地域が把握できる場合は、入手年月日とともに漁獲地域の情報も記録しておくべきである。また、基礎的な計測値である全長 Total Length、標準体長 Standard Length、標準体高 Standard Height、標準体幅 Standard Width、湿重量（乾燥させていないそのままの重量。単位 g）は、解剖する前に記録するべきである。

b. 魚類の生息域

　このような魚類の骨格が出土する背景を検討しよう。まず魚類には、生息域で分類した海水に棲息する海水魚（海産魚とも）、河口等の汽水域に棲息する汽

水魚、淡水に生息する淡水魚という呼び方がある。海水魚には、マダイ、チダイ、ヒラメ、マグロ、サワラ、タラ等が挙げられる。汽水魚には、ボラ、スズキ、クロダイ、マハゼ等が挙げられる。淡水魚には、ナマズ、ギギ、コイ、タナゴ類（ウミタナゴは別科に属す海水魚）、キンブナ、ギンブナ等が挙げられる。

　世界各地の沿岸域に分布する貝塚等から出土する魚類遺存体を概観すると、遺跡の付近に存在した潮流と水域に影響された特徴的な魚類がみられる。特に漁場として有名な地域は、付近に潮境（あるいは潮目）と呼ばれる海域を有する場合がある。潮境は一般に異なる水塊あるいは海流の境界域を示す用語である。寒流と暖流の潮境の場合、収束現象によりプランクトンが濃密に集まり、寒暖両系の魚群も集まりやすく、優良な漁場が生まれる。

　例えば、日本では黒潮と親潮の潮境として三陸沿岸が例示されやすいが、より広い範囲である福島県・宮城県・岩手県の沿岸部で1年の間でも夏には南下し冬にかけて北上するという現象もみられる上に、さらに数十年のサイクルで南北に移動する現象も知られている。つまり、潮境は現代で把握されている位置を固定的に捉えない方が良いであろう。さらに津軽海峡より暖流系の対馬海流の分岐流である対馬暖流が流入することでさらに三陸沿岸は複雑な潮境を形成している。

　重要なことは、遺跡から出土する魚類がどのような生息地を好むものなのか、把握することである。

c.　サケマス論

　縄文文化が東日本で華やかであった根底には、サケマス類（サケ科）とドングリ類という資源があったからという説を示したのが山内清男で、その学説は1940年代より示されていたが、1964年に文章化され、その説は上記のサケ・マス論という名称が与えられた。ただし、サケ・マスという名称はサケ科の通称で、本来は表に示すサケ科魚類のサケ属・イワナ属・イトウ属が対象となる魚類といえ、その体格は体長（表3）で示される通りかなりの開きがみられる。

　山内清男は、縄文時代遺跡からサケ類の骨格が出土しにくい点について骨を粉末に加工した可能性を指摘しているが、民族例では遡上してきた河川に戻したりする例も知られている。

　動物遺存体の検討にも積極的であった渡辺誠は、遺跡からサケ科がほとんど検出されないことを根拠に、懐疑論を示した。これに対し、松井章らは、フ

表3　サケ科の標準的な標準体長 （中坊ほか 2000 『日本産魚類検索』 より）

属名	種名	体長
サケ属	マスノスケ	85
サケ属	サケ	70
イトウ属	イトウ	70
サケ属	ベニザケ	50
サケ属	ギンザケ	50
サケ属	カラフトマス	50
サケ属	サクラマス（降海）	40
イワナ属	アメマス（降海）	40
サケ属	ニジマス	30
イワナ属	オショロコマ	20
イワナ属	アメマス（陸封）	20
サケ属	サクラマス（陸封）	10

ルイで遺跡の土壌を水洗し、細かく破片になったサケ科が遺跡から検出される事を示し、山内賛成論を指示した。

　現在は、そのサケ科魚類が果たして食料としての重要性をどの程度有していたのか、またサケ科のどの部分が遺構から出土するか、といった、サケ科利用文化の量的・質的内容が問題となり、出土量の多寡も冷静に評価する素地が育って来ている。

　日本列島域にみられる、サケ科には、サケ属・イワナ属・イトウ属が存在する。一方出土率が高い犬歯状歯や担鰭骨は、属レベルでの同定は困難である。サケ科は硬骨魚綱のなかで比較的原始的な形態をし、網状や孔が多数骨格表面に形成される点が特徴的で、椎骨の椎体は成魚の場合には、表面が網状構造、内部には多孔の筒状構造がみられ、他の硬骨魚綱と異なった形状を示している。そのため、椎骨は小破片になっても他の硬骨魚綱の骨格と分けることができる場合が多い。

　特にサケ科の骨格であることが推定できても椎骨の破片などでは種の同定は困難な場合がほとんどである。例外として、第1椎骨を挙げておこう（図4）。この第1椎骨ならイワナ属・サケ属からイワナ属を分類することは容易で、富岡は2000年（平成12）より同定に利用している。前位関節の形態は種毎に明らかな違いを示しており、同じサケ科に属する資料でも容易に同定が可能である。

　なお、椎骨を含めた骨格の大きさは、種の同定には利用できないものの、あ

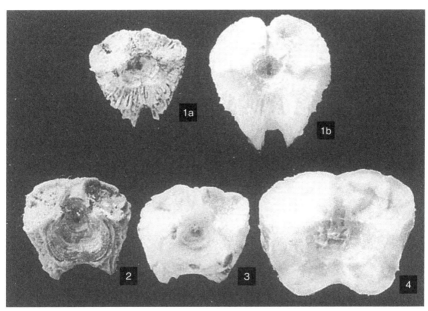

図4　サケ科第1椎骨

1a：サケ・札幌市 K435 遺跡 4HE-6 出土　1b：サケ・現生標本
2：ベニザケ・現生標本　3：マスノスケ・現生標本　4：イトウ・現生標本

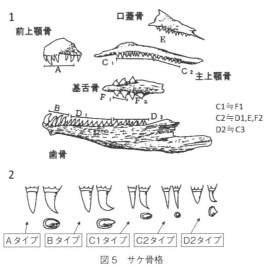

図5　サケ骨格

1：口器　各アルファベットは各骨格に植立する歯のタイプを示す
2：歯のタイプ　分類は金子浩昌の研究を参考とした

る程度グループを限定することに利用できる（表3）。その場合には未成魚が含まれる可能性も考慮すべきなので、特定をするならば、先述の第1椎骨を検出することが必要である。やや大型のサケ科は、サケをはじめ、サクラマス（降海型）、カラフトマス、ギンザケ、マスノスケ、ヒメマスが含まれる可能性がある。

　小型のサケにはアメマス（降海型・河川型）、サクラマス（河川型）、オショロコマが含まれる可能性がある。

　それぞれに生態が異なることから、できるだけ詳細な分類ができることが望ましい。それが可能な部位として第1椎骨を挙げることができる。

　犬歯状歯はサケ科の咀嚼関係の骨格に植立し、前上顎骨、主上顎骨、口蓋骨、歯骨ばかりでなく、舌の骨（基舌骨）にまでみられる（図5）。これらの歯は、太さ、大きさからA, B, C1, C2, D2タイプに分類される（金子浩昌の分析を参考に一部改変）。

（3）　鳥類

a.　鳥類の骨格

　鳥類の骨格を図6に掲げる。鳥類の骨格は、魚類に比較すればかなり癒合した骨格が多いが、その癒合は哺乳類と異なっており、爬虫類に近い骨格があ

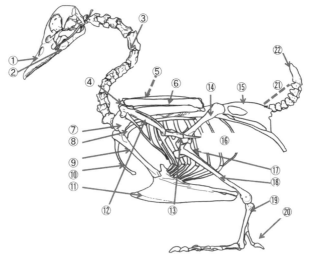

図6　カモ科（ガチョウ）の骨格

①頭蓋　②歯骨　③頸椎　④手根骨（橈側・尺側）　⑤橈骨　⑥尺骨　⑦上腕骨　⑧肩甲骨
⑨烏口骨　⑩癒合鎖骨　⑪胸骨　⑫手根中手骨　⑬指骨（第2）　⑭大腿骨　⑮複合仙骨
⑯肋骨　⑰腓骨　⑱足根脛骨　⑲足根中足骨　⑳趾骨　㉑尾骨　㉒尾端骨

る。飛行する鳥類は、骨格の緻密な硬骨部分が少なく、軽量であり、内部の海綿状 の組織が細く、哺乳類のそれと印象が異なる。哺乳類の骨格と異なる例には、歯骨、手根中手骨、足根脛骨、癒合鎖骨、癒合仙骨等が挙げられる。また、同じ名称の骨格でも大きく形態が異なる。そのような例には、頸椎、上腕骨、橈骨、尺骨、大腿骨等が挙げられる。

　特に鳥類が哺乳類と異なって有している気嚢は、骨格に入る場合がある。その為、上腕骨等気嚢が入る骨格には、窓の様な孔がある事は、鳥類の特徴である。

　鳥類も魚類と同様、マーケットで骨付きの体が売られており、その為解剖が容易に出来るが、ブロイラーで育てられたニワトリは、成長していないので、骨端が軟骨であり、骨格標本としては観察に向かない。お肉屋さんに廃鶏の入荷が可能か相談して、成長したニワトリを手に入れて解剖する事が良いであろう。また、野生の鳥類は、鳥インフルエンザ等の感染症が近年問題となっているので、安易に解剖をする事は避けるべきである。

　鳥類の骨格は、頭蓋の骨は癒合して成立している上顎骨と頭蓋骨がある。下顎は歯骨であるが、下顎骨と表記される場合もある。脊柱のうち大きく動かせる部分は頸椎で、胸椎は肋骨が強く接合している。哺乳類は呼吸の為に胸椎に接続する肋骨は動くがこれは鳥類と大きく異なる点である。また、胸郭には哺乳類と比較すると大きい場合が多い胸骨、烏口骨があり、烏口骨は前肢と接合して胸部を支える。この烏口骨には、過去の人類が鳥類の腕の筋肉を食肉用に切り外した際のカットマーク（切創）が残されている場合が多い。烏口骨に近接して癒合鎖骨が存在し、生前は胸郭の前で翼の運動を支えている。この骨は中間の一点で二つの骨が角度をもって接合しているので、如何にも折れそうな形状であるが、その中間部分は比較的丈夫である。そのため人類によって Wishbone として占いに用いられる。この骨の両端を二人で持ち、引っ張り合ったり、曲げたりして、折れた骨の長い方を持っていた人物が幸運であるという遊びの様な占いである。

　複合仙骨は胴の後半部分を支える重要な骨格で、この内側に内臓がある。そのため遺跡出土資料では、複合仙骨が破損している場合が殆どである。複合仙骨の後ろに尾椎と尾端骨が接続する。

　翼を支える前肢の骨格は、肩甲骨、上腕骨、橈骨（とうこつ）、尺骨（しゃくこつ）、橈側手根骨、尺側手根骨、手根中手骨、第 1 指骨、第 2 指骨等がある。尺骨は風切羽が接続す

る為、小さな突起が並ぶ場合が多く、破片になっても把握しやすく種が同定される可能性がやや高い。

　後肢には、大腿骨、足根脛骨、腓骨、足根中足骨（単に中足骨と呼んだり、蹠蹠骨とも呼ぶ）、第1趾骨、第2趾骨、第3趾骨、第4趾骨がある。哺乳類に比較すると、独立した膝蓋骨、踵骨、距骨がない。

b.　仙北湖沼域における縄文時代後・晩期の鳥類狩猟

　宮城県大崎市にある中沢目貝塚は、北上川とその支流がある低地帯の一角にある蕪栗沼に面した立地で、遺跡が営まれた縄文時代後・晩期には今よりも広大な湖沼域が広がっていたと考えられる。中沢目貝塚（須藤ほか 1995）からは、多量のカモ科が出土し、大きい体格のものにはオオハクチョウやガンの仲間のヒシクイクラスのサイズのものがある。オオハクチョウは全長では 140cm 近くもある。

　いわゆるカモのサイズのものは、マガモ・カルガモクラスの大きさのものから、コガモクラスのものまで含まれ、これらは便宜的にカモ A クラス、B クラス、C クラス、D クラス、E クラスと呼んでいる。カモ A と B クラスは全長約45 ～ 60cm 程度で、このクラスの体格のカモ類が最も多く出土している。一方、最も小型の E クラスは全長約 40cm と極めて小型で捕獲数は少ない。骨格の成長度は、骨端部が軟骨であったか、硬骨になっているかという点を観察するが、出土資料のほとんどの骨端が硬骨であったことから、成長が進んだ個体が捕獲されていたことが推定される。

　中沢目貝塚は、細かく細分された貝層を詳細に分析しているが、冬鳥であるオオハクチョウやヒシクイは、複数の骨格が同一層や隣接する層で出土することから、季節的に捕獲され廃棄された様子がうかがわれる。

（4）　哺乳類

　哺乳類は、人間も属する綱であり、身近な動物の代表といえる。日本の遺跡より出土しやすい骨格は、草原や森林に生息し、低地から丘陵に良くみられるイノシシとニホンジカである。

a.　ニホンジカ

　ニホンジカ Cervus nippon　は、偶蹄目シカ科の一種で完新世の日本に適応し、現在イノシシと並んで国内に多数生息する哺乳類である。

　全国に分布するニホンジカには地理的変異が大きく、体格差がある。北に

は大型のシカであるエゾシカ *Cervus yesoensis* が生息している。ニホンジカ *C. nippon* は、大陸に生息するものを *C. hortulorum* とし、エゾシカを除き、それ以外をニホンジカ *C. nippon* として一括する分類がある。遺跡より出土するシカの骨格も細分せず、エゾシカ、ニホンジカ、あるいはシカと記載することが多い。

　一方で、ホンシュウジカ *C. centralis*、キュウシュウジカ *C. nippon nippon*、マゲシカ *C. nippon mageshimae*、ヤクシカ *C. nippon yakushimae*、ツシマジカ *C. nippon yakushimae*、ケラマジカ *C. nippon keramae* に細分する考え方もある。

　縄文時代にはイノシシを模した動物形土製品は多く見られるがシカを模したものはない。一方で、弥生時代になるとシカの姿が銅鐸や土器にみられる。時代に応じてニホンジカを巡る人々の捉え方に変化が生じた証左と考えられよう。

　ニホンジカの骨格を図7に掲げる。ニホンジカのうち特徴的なものとしてオスに生える角を挙げる事ができる。ニホンジカの角はオスにのみ生え、さらに毎年生え変わる。これはウシの仲間であるカモシカと異なっている。カモシカはメスも角を持ち、さらに落角することはない。

　角は4月頃に落ち、そこから皮膚に覆われた角＝袋角が形成される。袋角の前半には袋の中と角の中に血管が走り、カルシウムを含めた栄養が供給され角が形成される。この成長の途中で角が傷むと奇形の角が形成される。秋には発

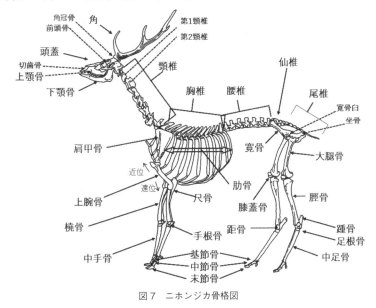

図7　ニホンジカ骨格図

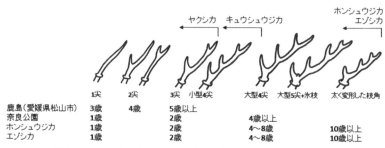

図8　ニホンジカの角にみられる成長の地域性（大泰司2003を改変）

情期を迎え、オスジカは角突き合いを行う。10月頃には「角が枯れる」と表現される通り、表面を覆っていた袋状の組織が失われ、カルシウムの多い骨の様な角が姿を現す。現代の様な角切を行わない限り、通常のニホンジカは秋10月〜春3月頃迄枯れた角が前頭骨に生えた状態となる。先述の通り4月頃にこの前頭骨の角冠の下の部分より角が外れ落角となるのである。角の形にはバリエーションがあり、年齢によって小枝の数や形が変化する。また、島嶼で隔離され小型化した個体群ではホンシュウジカやエゾシカと異なった年齢形質の現れ方や小枝数の違いがある。ヤクシカは角が3尖まで、キュウシュウジカは4尖、ホンシュウジカとエゾシカは大型で5尖と氷枝が出る状態まで枝角が増す。ただし、老化が進むと角の太さが増すものの、枝角の長さは短めになる傾向がみられる。また、角は栄養状態等によって比重が変ることも知られている。

b.　仙北湖沼域における縄文時代後・晩期のニホンジカの利用

　先述の宮城県中沢目貝塚（縄文時代後・晩期：須藤ほか1995）では、出土哺乳類骨格の37%がニホンジカ、24%がイノシシ、ニホンジカかイノシシか判別できなかったものを含めると、ニホンジカとイノシシと推定される骨格が81%を占める。一方、西日本ではイノシシの出土量比が増加する。この中沢目貝塚出土ニホンジカは、歯牙の萌出と臼歯の咬耗から推定した齢を集計した所、成獣（2.5歳以上）の出土率が高く、一方でイノシシは幼齢（生後6カ月前後）・若齢（1歳〜3歳未満）の個体群が多く出土していた。これは、ニホンジカ狩猟が主に成獣の捕獲を狙ったものであったことをうかがわせる。

　ニホンジカの骨格は202点が同定され、右下顎骨、右踵骨の出土数4点が他の骨格と比して最も多く、最小個体数MNIが4となる根拠となっている。個

体数の判定には利用できないが、この数値よりも格段に多いものが角の破片19点と中手骨＋中足骨の破片16点である。これらは、骨角製品の素材となるため、加工され端（はした）が多数貝塚内に持ち込まれたものと考えられる。このような詳細な分析によって、縄文人が選択的に骨格を選んで遺跡に持ち込んでいた事、無駄なく利用していたことがうかがわれるのである。

引用・参考文献

大泰司紀之　2003「哺乳類の齢査定と季節推定」『環境考古学マニュアル』同成社、pp.210-220

小松正人　1990「完新世における東京湾の環境変遷史の時期区分」『関東平野』3、pp.39-58

須藤　隆・富岡直人ほか　1995『縄文時代晩期貝塚の研究2　中沢目貝塚Ⅱ』東北大学文学部考古学研究会

Danil, Glyn, 1975, *150 Years of Archaeology*, Langenscheidt Kommanditgesellschaft

第7章

植物学と考古学

那須浩郎 *NASU Hiroo*

　過去の人々は何を食べ、どのような環境で暮らし、どのように資源を利用しながら生きていたのだろうか？この疑問に答えるためには、遺跡から出土する植物の情報が欠かせない。考古遺跡から出土する植物を調べることで、人と植物の関係史についての情報を得ることができる。このような分野は、考古植物学や植物考古学（Archaeobotany）あるいは、古民族植物学（Palaeoethnobotany）と呼ばれている。例えば、住居址の炉の堆積物には、炭化した植物の種子や果実、木材が含まれていることが多い。これらは、当時の焚火や調理時の残渣だと考えられるので、そこから当時の人々の食料や燃料に利用した植物を推定することができる。また、遺跡の堆積物に含まれる花粉や植物珪酸体（プラントオパール）を分析することにより、遺跡周辺の植生を復元したり、当時の人の干渉により成立した植生（人為生態系）を推定したりすることが可能になる。さらに、土器に種子や果実の圧痕が残されていることもあり、堆積物からは得られない植物利用の情報も得られるようになってきた。最近は、石器や人骨の歯石に付着したデンプン粒、土器付着物の炭素・窒素安定同位体や脂質、DNA など分子レベルで植物の痕跡を分析する新手法も登場しており、多方面から人と植物の関係史が検討されるようになっている。

1. 植物がなぜ遺物として残るのか？

　植物は有機物なので、枯れたあとは、土壌動物や微生物に分解されて土壌の一部となり、現在まで残ることはない。しかし、いくつかの特別な条件に置かれた場合、何千年も前の植物が現在まで残ることがある。例えば、植物が火を受けて炭化した場合は遺跡に保存されることが多い。完全に燃えて灰になってしまう場合もあるが、200℃〜600℃くらいの温度で燃焼すると、植物の部位

図1　遺跡から出土した炭化と未炭化のイネ
左から炭化米、炭化米破片、炭化小穂軸、炭化籾殻片、未炭化の籾殻片

や燃焼時間などの条件にもよるが、炭になることが多く、炭化した状態で現在
まで保存される。炭化するとこれ以上微生物に分解されなくなるので、物理的
に破壊されない限り残存することになる。

　炭化しなくても植物が残る場合がある。分解者である土壌動物や微生物の活
動が抑えられる環境では、植物が分解されずに保存される。例えば、低湿地遺
跡のように地下水位が高い遺跡では、堆積物が還元状態になる。このような環
境では、酸素がほとんど無くなるので、微生物の活動が抑えられ、堆積した植
物の葉や種子などが分解されずに保存される。また、ミイラが保存されるよう
な極端に乾燥した環境やマンモスが保存されるような極端に寒冷な環境でも、
植物が乾燥した状態で保存されることがある。残念ながら日本列島では、この
ような環境はほとんど無いので、炭化した植物か、水浸けの状態で保存された
未炭化の植物が分析の対象となる（図1）。

2.　どのように植物を調べるか？

　植物は根、茎、葉の栄養器官と花、果実、種子などの生殖器官から構成され
ている。通常、植物の分類は、これらの各器官の特徴を総合して分類される。
しかし遺跡では、これらの各器官がバラバラになった状態で出土することが普
通である。そのため、遺跡から出土する植物の種名を調べるためには、種子や
果実、木材、花粉などのバラバラになった各器官から、それぞれ同定しなけれ
ばならない。この点が通常の植物分類学との大きな違いである。ここでは、遺
跡から出土する植物の部位のうち、よく見つかる部位を紹介し、その分析方法
と特徴を解説する。

（1）種子・果実

　種子や果実、葉、鱗茎などの肉眼でその存在が識別できる器官（約0.25mm以上）のことを大型植物遺体 Plant macro-remains（大型植物化石 Plant macro-fossils）と呼んでいる（那須・百原 2010）。このうち、種子と果実（これらをまとめて種実と呼ぶ）は特に遺跡から出土することが多く、データベースも整備されつつある（石田ほか 2016）。種子と果実は生殖器官なので、成熟すると子孫を残すために母植物から自然に散布されて堆積物に取り込まれる。また、これらは人の食料としてよく利用されるので、人に集められて貯蔵されたり、炉などで調理されたりすることが多いため、遺跡から見つかりやすい。

　炭化した種子や果実は、フローテーション Flotation（水洗浮遊選別）と呼ばれる方法で収集される（図2）。炭は砂や粘土よりも比重が軽いため、堆積物を水に入れて撹拌すると炭化物が水面に浮かび上がる。この浮遊物をふるいで回収することで、堆積物から炭化物だけを選別することができる。住居址の炉や床面の堆積物を収集してフローテーションを行うことで、当時の食料残渣の一部を知ることが可能になる。

　一方、低湿地遺跡などの未炭化の種子や果実、あるいはフローテーションでは水に浮かない比重の重い炭化種子は、ウォーター・セパレーション Water

図2　フローテーションによる炭化種実の収集手順の例
1：試料の情報をラベルに記入　2：試料の体積を計量　3：水を張ったバケツに試料を投入すると炭化物が浮かび上がる（浮遊物）　4：浮遊物を0.25mm目のフルイの上に流す　5：フルイの上に回収された炭化物　6：バケツに残った沈殿物は0.5mmのフルイで回収して水洗選別

separation（水洗選別）により収集される。堆積物をふるいの上で直接水洗し、砂や粘土をやさしく洗い流し、植物だけを取り出す方法である。どちらの方法でも、種子の最小サイズに近い 0.25 〜 0.3㎜目のフルイを最小のサイズとして種子を回収する。ただし、細かい目のふるいは目が詰まりやすく、大量の堆積物を処理するには作業効率が悪いため、通常は、ふるい目のサイズにあわせて水洗する堆積物の分量を変える。こうすることで、大きいサイズの葉や果実から小さいサイズの種子まで、効率よく回収することができる。

　分析する堆積物の量は、初めにテスト分析をすることで、効率よい分量を知ることが出来る。まず１ℓずつフローテーションを行い、出現する種数をリストにする。出現種数を１ℓずつ積算していくと、体積が１ℓ増加するごとに種数も増加していくが、ある時点で種数が増加しなくなる。この種数が飽和したときの体積が、その堆積物を分析するのに最も効率の良い分量になる（図3）。

　フローテーションや水洗選別により得られた植物残渣は、肉眼や実体顕微鏡を用いて種類ごとに選別される。これらを現生の比較参照標本と照合しながら種類の同定を進める。遺跡から出土する炭化種子は燃焼の影響で収縮したり、発泡したりしている場合が多い。そのため、比較標本も電気炉などで炭化させたうえで比較すると、より正確な同定を行うことができる。

　ただ単に種を同定するのではなく、種子や果実の状態から、当時の人の行動

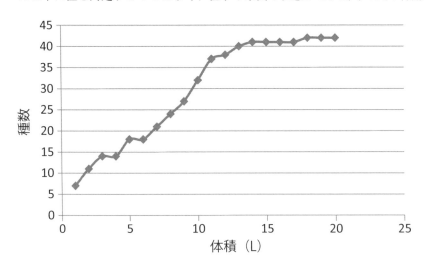

図3　堆積物１ℓごとの種数累積曲線

を推定することも可能である。例えば、イネひとつとっても、稲穂、稲籾、籾殻、玄米などの様々な状態がある。稲穂からはどのように収穫したかがわかるし、稲籾からは貯蔵の状態が分かるかもしれない。籾殻の集積は、人がイネを脱穀したことを示している。玄米のみが出土すれば、籾摺り後の状態だということが分かる。どのような状態で出土するのかを、出土遺構とあわせて考えることで、当時の人がどのように植物を加工していたのか、その行動に迫ることが可能である。そのための実験考古学的な研究も重要である。

　土器やレンガなどに種実などの植物や昆虫などの生物の痕が残っていることがある。これを粘土やシリコンなどで象り(かたど)したり、デジタルマイクロスコープやX線CTなどで3次元像を復元したりする手法が圧痕法である（小畑2019）。シリコンで象りする方法はレプリカ法と呼ばれ（丑野・田川1991、図4）、簡便でかつ詳細なキャスト（鋳物）を得られることから急速に普及し、縄文時代の植物利用や弥生時代の農耕開始期についての研究に大きく貢献している（設楽ほか2019）。圧痕で見つかる種実は、炭化種実では見られないものもあるため、フローテーションと併用することで当時の植物利用の全体像に迫ることができる。また、土器についた種実の痕なので、土器の制作の場に集積した植物の情報を得られることが特徴である。ひとつの土器に大量の種実圧痕が見つかることもあり（中山・佐野2015、会田ほか2017）、当時の人々の植物に対する認識を考えるうえでも興味深い。

　種子や果実だけでなく、葉、茎、根などの栄養器官も残る場合がある。葉

図4　レプリカ法の手順

1：圧痕を洗浄　2：土器を保護するための離型剤（パラロイド）を圧痕に薄く塗る　3：シリコン（基材と硬化材）　4：基材と硬化材を同量ずつ混ぜる　5：シリコンを圧痕に注入　6：ピンで抑えて硬化を待つ　7：硬化したシリコンを外す　8：離型剤をアセトンで洗浄

は、薄く弱い器官であり、壊れやすいが、低湿地遺跡の河川のよどみの堆積
物や、火山灰などでパックされた堆積物から見つかることがある。葉の先端や
基部、縁、葉脈など多くの部位が残っていれば、種を同定することができ、当
時の植生を推定することもできる。また、土器の底部に葉の痕（木葉痕）が残
っていることがあり、クズの葉などが土器制作時の敷物として利用されていた
ことが分かっている。葉の同定には、葉の葉肉部分を除去して葉脈だけを保
存したクリアードリーフ標本が重要であり、国立科学博物館でデータベース
（https://www.kahaku.go.jp/research/db/geology-paleontology/cleared_leaf/）が公開さ
れている。

（2）木材

　植物の茎は、主として木材の状態で出土する。木材は木の幹や枝の一部であ
る。横断面（木口）、接線断面（板目）、放射断面（柾目）の3断面の細胞構造
を50～200倍程度の高倍率で観察することで同定できる。未炭化の木材はカ
ミソリ等で薄い切片を切り出し、プレパラートを作成して光学顕微鏡で観察す
る。炭化材の場合は、手で割って新鮮な断面を作成し、それを金属顕微鏡や走
査型電子顕微鏡で観察する（図5）。これも種実と同様、現生の参照標本との比
較により同定する。

　木材には自然木と加工木がある。自然木からは当時の遺跡周辺の森林植生を
復元することができる。一方、加工木からは当時の利用植物や木材加工技術に
ついての情報を得ることができる。例えば、伐採痕のついた幹が出土するこ
とがあり、当時、どのような道具で伐採が行われたかを知ることが出来る。ま
た、鋤や鍬などの木製の農耕具からは、当時の農耕技術を推定することがで
きる。これらの遺跡出土の木製品についても、データベースが整備されている
（伊東・山田編2012）。また、縄文時代にはクリの木が多数出土しており、伐採
実験から、クリの木が当時の石斧で伐採しやすい樹種だったことが判明してい
る（工藤2004）。

　植物の茎は繊維として利用される場合があり、低湿地遺跡で出土する編みか
ごなどの編組製品は、木材の分析と同様に、茎の横断面の細胞の配列から同定
が試みられている（鈴木2020）。また、タマネギなどの鱗茎は、茎の基部が肥
大した栄養器官だが、これらが炭化して残る場合がある。縄文時代の土器の中
から炭化したノビルかツルボとみられる鱗茎が見つかっており、調理して食べ

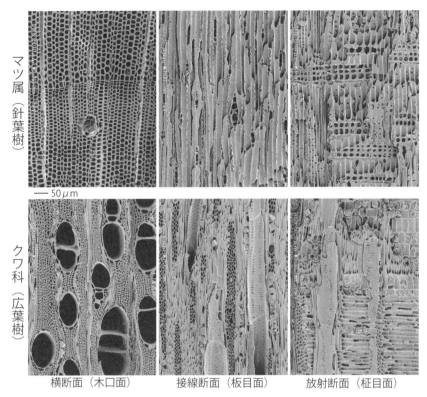

マツ属（針葉樹）

—— 50μm

クワ科（広葉樹）

横断面（木口面）　　　接線断面（板目面）　　　放射断面（柾目面）

図 5　木材組織の SEM 画像

られていたと考えられている（米田・佐々木 2017）。根は、恒に土壌中に存在する器官なので、未炭化の場合は、堆積当時の根なのか、より新しい時代の根や現在の植物の根が混入したものかを形態で判断するのは難しい。ましてや根の形態だけで種を特定することも現時点では難しく、研究の進んでいない部位である。しかし、根茎が肥大してイモになる植物も多く，ヒトのイモ利用の歴史を知るうえで重要である。京都府の松ヶ崎遺跡では、縄文時代前期のヤマノイモ属のムカゴが炭化した状態で見つかっている（Matsui and Kanehara 2006）。ムカゴはイモではなく、腋芽がデンプンを蓄えて肥大したものだが、当時ヤマノイモが利用されていたことを間接的に示している。また南米ペルーでは 4,000 年前のジャガイモが乾燥した状態で見つかっており、デンプン粒の検討から栽培種だと同定されている（Ugent et al. 1982）。

（3）花粉

　花も植物の重要な生殖器官である。花の時期は短く、組織もあまり丈夫ではないため、花が遺跡に残ることはめったにない。しかし、花粉だけはよく保存される。花粉はスポロポレニンと呼ばれる丈夫な高分子化合物で出来ているため、特に低湿地の堆積物では分解されずに残る場合が多い。そのため、堆積物中に保存された花粉（図6）を調べることで、過去の植生を復元することができる。これを花粉分析 Pollen analysis と呼ぶ。

　堆積物の中の花粉は、KOH やアセトリシスなどの酸やアルカリで花粉以外の有機物を除去し、塩化亜鉛などの重液を加えて遠心分離することで抽出する。花粉は 20~200μm ほどの大きさしかないため、400~1000 倍の光学顕微鏡や走査型電子顕微鏡（SEM）を使って検討する。花粉は種類によってさまざまな形態をしており、属レベルの同定が可能であるが、クリ、アサ、ウルシなどの特定の分類群では種レベルの同定も可能になってきた（吉川ほか 2016）。

　花粉分析の結果は、花粉ダイアグラムと呼ばれる特別なグラフで表示される（図 11 を参照）。これは各サンプルから出土した花粉の百分率を堆積物の柱状図に沿って時系列に配置したもので、時期ごとの花粉組成の変化が明瞭になる。これを適切に解釈することで、植生の変化を読み取ることが可能になる。花粉ダイアグラムを読むときにはタフォノミー Taphonomy（堆積過程）に注意したい。例えばマツなどの花粉を大量に生産する風媒花の花粉は、相対的に多く検出される。一方、花粉の生産量の少ない虫媒花の花粉は花粉ダイアグラムでは現れない場合が多い。また、大きな湖の湖底堆積物のように堆積する場所（堆積盆）が広ければ、広範囲の植生を反映した組成となり、逆に森林内の凹地や遺跡の井戸の堆積物など狭い堆積盆の場合は、ごく身近な植生を反映した組成になる。花粉分析により復元された植生が、どの範囲の植生を反映しているかを恒に意識して解釈する必要がある。

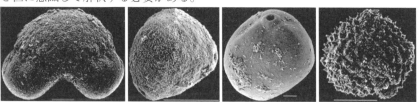

図6　ラスポサス湖の湖底堆積物に含まれる花粉化石の SEM 画像（藤木利之博士提供）
左からマツ属、クワ科、トウモロコシ、ブタクサ　スケールは 10μm.

（4）植物珪酸体

　植物珪酸体 Phytolith（プラン
トオパール）は、植物の葉や茎
などの細胞に溜まった珪酸（シ
リカ）の結晶である（図7）。植
物にとってケイ素は重要な栄養
素である。ケイ素は、土壌中で
は酸素と結合して珪酸の状態で

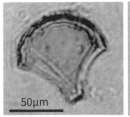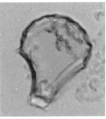

図7　イネの植物珪酸体（Alison Weisskopf 博士提供）
左：野生イネ　　右：栽培イネ

存在し、水溶性のため植物に吸収される。植物はこれを体内で重合し、固体の
珪酸体 Silica body の状態で体内に蓄積する。珪酸体は植物の葉や茎をピンと
伸ばし、体を支える役割がある。植物の種ごとに珪酸体が蓄積する細胞の形が
異なるため、植物が枯死すると、母植物の細胞の形をした珪酸体が土壌に戻る
ことになる。これを分析することで、当時の植物についての情報を得ることが
出来る（杉山 2000）。植物珪酸体は主にイネ科植物に多く蓄積されていること
から、イネ科植物の有無やその変遷を調べるのに用いられてきた。特に乾田化
した地下水位の低い水田跡では、有機物が残らず、水田遺構が見つかってもイ
ネの証拠が見つからない場合が多い。植物珪酸体は無機物なので、このような
環境でも保存されるため、水田跡の検出に貢献してきた。最近は、植物珪酸体
の形態タイプから水感受性を判断する手法も開発されており、これにより当時
の稲作がどのような水分環境のもとに営まれていたのかも明らかにされつつあ
る（Weisskopf et al. 2015）。

3.　植物から何がわかるのか？

（1）栽培植物の進化と農耕の起源

　遺跡から出土する植物を調べることで、栽培植物の進化と農耕の起源につい
て調べることができる。私たちの食生活を支えるイネやコムギ、トウモロコシ
などは、すべて栽培植物である。栽培植物は、もとは野生に生育する野生植物
だった。この一部が、人の干渉により栽培植物に進化した。この野生植物から
栽培植物への進化をドメスティケーション Domestication（栽培化・馴化）とい
う。人は野生植物に干渉（採集や伐採）することで、無意識に野生植物に選択
圧をかけている。これが継続すると、野生植物の集団に遺伝的あるいは形態的

な変化が生ずる。これがドメスティケーションのはじまりである。その後、人は自らに有用な形質を持った集団に注目するようになり、その集団を維持したり、増殖させたりするために、さらに干渉を強化する（管理や栽培）。そうすると、植物側の形質もさらに変化し、人の側もより有用になった植物にますます依存するようになる。この継続により、野生植物は栽培植物へと進化し、もはや人の庇護が無ければ生きていけない植物になる。一方、人の側も栽培植物への依存度が高まると、もはや栽培植物なしでは社会を維持できなくなる。これが農耕社会のはじまりである。ドメスティケーションは、このような、人と植物の共進化の関係が成立する過程でもある。

　ドメスティケーションが起きると、人の利用に都合が良いように、野生植物の形質の一部が変化する。例えば、種子のサイズが大きくなったり、種子散布機構が喪失して収穫しやすくなったりする。例えば野生のムギ類には、穂が成熟すると種子を散布させるために、穂軸から小穂という種子を包んでいる構造を容易に脱落させてバラバラに散布する性質がある。これにより野生のムギは子孫を繁栄させることができるのだが、食べ頃になったムギの種子を収穫しようとするヒトにとっては、都合の悪い性質である。ヒトは野生のムギ類を収穫して栽培をする過程で、この性質をおそらく無意識的に喪失させた。現在の栽培種のムギは、種子が成熟してもヒトが脱穀をしないかぎり、小穂が自然には脱落しない構造になっている。これらの形質変化は、遺跡から出土する植物から直接調べることができるので、ドメスティケーションが、いつ、どこで、どのように起きたのかを調べることができる。

　西アジアの新石器時代の遺跡では、エンマーコムギやオオムギの炭化した穂軸の脱落痕が調べられ、栽培型と野生型の出現頻度が調べられた。11,000 年前の遺跡ではまだ栽培型の穂軸は見られなかったが、10,500 年前の遺跡では、わずかに栽培型の穂軸が見つかった。その後、栽培型の穂軸の割合が徐々に増加し、8,000 年前頃の遺跡では、野生型よりも多く見つかるようになった。このように、ムギ類のドメスティケーションは、西アジアの肥沃な三日月地帯（トルコ東部〜シリア）で始まり、3,000 年くらいかけて徐々に定着したことが明らかにされている（Tanno and Wilcox 2006）。同様に、イネ（ジャポニカ米）も、中国の長江流域で 9,000 〜 7,000 年前頃にかけて、徐々に脱落性喪失の進化が進み、ドメスティケーションが起きたことが分かっている（Fuller et al. 2009）。中

図 8　植物のドメスティケーションが独自に起きた地域（Larson et al. 2014 より作成）
A：アフリカセンター　B：西アジアセンター　C：インドセンター　D：中国センター　E：ニュー
ギニアセンター　F：北米センター　G：中米センター　H：南米センター

米のメキシコでは、9,000 年前にトウモロコシのドメスティケーションが起き
ているが、徐々に品種改良されて穂軸に実を多くつけるようになるまでには
6,000 年くらいかかっており、3,000 年前頃になってようやく生産性が高くなっ
たと考えられている（那須ほか 2019）。このようなドメスティケーションは世
界の 8 つの地域で独自に起きたと考えられており（Larson et al. 2014）、これら
の地域はドメスティケーションセンターと呼ばれている（図 8）。近年、日本列
島の中央高地でも 6,000 ～ 4,000 年前頃の縄文時代前期～後期にかけてダイズ
とアズキの野生種の種子が大型化している証拠が見つかっており（小畑 2015、
那須 2018、中山 2020）、縄文時代にダイズとアズキのドメスティケーションが
独自に起きていた可能性がある。

　ダイズの祖先野生種はツルマメ、アズキの祖先野生種はヤブツルアズキとい
う植物で、それぞれ東アジアに自生している。これまでダイズとアズキは中国
でドメスティケーションされ、弥生時代以降に日本列島に伝わったとされてき
た。ところが、日本の縄文時代の遺跡からダイズとアズキの炭化種子が、サイ
ズが小さいものから大きいものまで見つかっている（那須ほか 2020、図 9）。

　さらに、土器の圧痕からもダイズとアズキの種子の痕がたくさん見つかって
おり、中には、ひとつの土器から 200 粒近くのアズキの種子の痕が見つかる例
もある（会田ほか 2017）。これらの縄文時代のダイズとアズキはドメスティケ
ーションされた栽培種なのだろうか？それとも野生種なのだろうか？これを確
かめるために、ドメスティケーションによる形質変化のひとつである種子の大
型化に着目し、種子サイズの時系列での変化を追ってみた。すると、ダイズも
アズキも 10,000 年前頃の縄文時代早期から見つかり出すが、5,000 ～ 4,500 年

図9　縄文時代のダイズとアズキの炭化種子
左から現生ツルマメ（ダイズ原種）　縄文ダイズ（縄文後期：津島岡大遺跡）　現生ダイズ（丹波黒）
現生ヤブツルアズキ（アズキ原種）　縄文アズキ（縄文後期：津島岡大遺跡）　現生アズキ（大納言）
スケールは2mm.

前頃の縄文時代中期に種子サイズが大きくなる。ただし、この時期に全国で大きくなるわけではなく、現在の長野県と山梨県などの中央高地から多摩丘陵などの関東西部を中心とした地域でサイズが大きくなっているようである。その後、縄文時代後期になると、現在の栽培種と同程度の大型のダイズとアズキが、中央高地だけでなく、近畿～九州でも見つかるようになる。このように、ダイズとアズキは、日本列島に稲作が伝わる弥生時代以前に種子の大型化の形質変化が起きていたことが明らかになった。この種子の大型化のタイミングは、中国大陸や朝鮮半島よりも早く起こっていることも明らかになっており、ダイズとアズキが中国だけでなく日本列島でも独自にドメスティケーションされた作物である可能性が出てきた。現在さらなる証拠を求めて、遺伝学と連携した学際調査が進められている。

（2）文明の盛衰と環境変動

　遺跡から出土する植物はまた、人の社会がどのように環境に応答し文明を発祥させたのか、あるいは、環境を破壊して衰退させたのかを教えてくれる。マヤ文明は、中米のユカタン半島を中心に、3,000年前頃から16世紀まで栄えた古代文明のひとつである。この文明の盛衰の要因を探るのに、遺跡から出土する植物の情報が有用である。最近、メキシコのアグアダ・フェニックス遺跡から3,000年前のマヤ文明で最古最大の公共建築物が発見された（Inomata et al. 2020）。この遺跡では、定住集落の証拠がほとんどなく、出土した植物の分析からも、大規模なトウモロコシの生産の証拠は見つかっていない。これまで、文明の発祥には、農耕の発達と定住が重要だと考えられてきたが、文明発祥に

図 10　セイバル遺跡の発掘調査（グアテマラ）

は必ずしも農耕や定住は必要ではないということが示されている。

　3,000 年前頃に発祥したマヤ文明は、1,000 年前頃（古典期終末期）に衰退したことが知られている（Kennett et al. 2012）。この原因として、気候変動や森林破壊の影響が考えられているが、これを詳細に復元するためには、当時の植物の情報が有効である。例えば、筆者らが調査したマヤ低地南部のセイバル遺跡では、フローテーションにより抽出した炭化木片を分析した結果、先古典期中期前半ではマメ科などの広葉樹が多かったのに対し、先古典期後期前半（紀元前 400 ～ 50 年）以降、徐々にマツが増加し、古典期後期（紀元 600 ～ 829 年）には 40％近くまで増加することが明らかになった。ところが、古典期終末期から現在までの堆積物からは再びマツが減少し、クワ科やサポジラ科などの広葉樹が増加した。このように、セイバルでは、都市と農地の拡大に伴って周囲の広葉樹の樹木が伐採されて減少したことで、代わりに乾燥や荒れ地に強く、成長の早いマツが多く利用されるようになったと考えられる。そして、遺跡が放棄された後には広葉樹の森林が回復し、現在のような密林に覆われるようになった（那須ほか 2019）。

　このようなセイバル遺跡における森林利用の変化は、周辺の湖の堆積物から

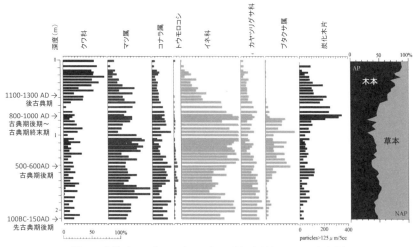

図 11　花粉ダイアグラム（ラスポサス湖）（那須ほか 2019 を改変）

も確認することができる。湖の堆積物のコアをボーリングにより掘り出し、堆
積物に含まれる花粉や木片を調べると、セイバル遺跡周辺の植生の変化を知る
ことができる（図 11）。これによると、2,000 年前頃の先古典期後期には、クワ
科などの熱帯性常緑広葉樹の花粉は少なく、マツの花粉が多い。木本と草本の
比率を見ると草本の方が多く、この頃には農耕とともに建築利用や燃料材など
の利用も相まって、熱帯林は少なくなっていたと考えられる。その後、1,500
年前頃の古典期には、炭化木片の量が減少し、ブタクサ属の花粉が急増する。
ブタクサは日本でも要注意外来生物として定着しており、花粉症の原因にも
なっているが、中米ではトウモロコシ農場の耕地雑草として優占する植物であ
る。この頃のブタクサ属花粉の増加は、トウモロコシの集約農耕の増加を示し
ていると考えられる。継続してマツの花粉がクワ科よりも多く、セイバル遺跡
でマツの木材利用が増加したことと調和的である。ところが、1,200 ～ 1,000 年
前頃の古典期終末期になると、花粉の組成が急変する。これまで多かったブ
タクサ属花粉が急減し、トウモロコシ花粉やイネ科の花粉も減少し始める。一
方、炭化木片が急増する。この時期にトウモロコシの集約農耕が破綻したよう
である。しかし、トウモロコシの花粉はその後も出現しているので、従来の焼
畑によるトウモロコシの生産は継続していたと考えられる。トウモロコシの花
粉が出現しなくなる 900 年前頃以降では、イネ科などの草本の花粉も急減する

一方、クワ科の花粉が急に増加する。セイバルが放棄され、都市が解体して人口が分散したことで、熱帯林が回復したと考えられる。このように、遺跡から出土する木片と周辺の湖の花粉分析の結果を総合することで、森林環境の変化と森林利用の変化を詳しく復元することができ、社会の変化との対応関係を検討することが可能になる。

引用・参考文献

会田　進・酒井幸則・佐々木由香・山田武文・那須浩郎・中沢道彦　2017「アズキ亜属種子が多量に混入する縄文土器と種実が多量に混入する意味」『資源環境と人類』7、pp.23-50

石田糸絵・工藤雄一郎・百原　新　2016「日本の遺跡出土大型植物遺体データベース」『植生史研究』24、pp.18-24

伊東隆夫・山田昌久（編）　2012『木の考古学』海青社

丑野　毅・田川裕美　1991「レプリカ法による土器圧痕の観察」『考古学と自然科学』24、pp.13–36

小畑弘己　2015『タネをまく縄文人：最新科学が覆す農耕の起源』吉川弘文館

小畑弘己　2019『縄文時代の植物利用と家屋害虫：圧痕法のイノベーション』吉川弘文館

工藤雄一郎　2004「縄文時代の木材利用に関する実験考古学的研究 - 東北大学川渡農場伐採実験」『植生史研究』12、pp.15-28

設楽博己・守屋　亮・佐々木由香・百原　新・那須浩郎　2019「日本列島における穀物栽培の起源を求めて―レプリカ法による土器圧痕調査結果報告―」設楽博己編『農耕文化複合形成の考古学（上）農耕のはじまり』雄山閣

杉山真二　2000「植物珪酸体（プラントオパール）」辻誠一郎編『考古学と植物学』同成社、pp.189-213

鈴木三男　2020『びっくり‼縄文植物誌』同成社

中山誠二　2020『マメと縄文人』同成社

中山誠二・佐野　隆　2015「ツルマメ（*Glycine max* subsp. *soja*）を混入した縄文土器：相模原市勝坂遺跡等の種子圧痕」『山梨県立博物館研究紀要』9、pp.1-24

那須浩郎　2018「縄文時代の植物のドメスティケーション」『第四紀研究』57、pp.109-126

那須浩郎・百原　新　2010「大型植物化石（種実化石）」日本第四紀学会編『デジタルブック最新第四紀学』日本第四紀学会

那須浩郎・藤木利之・山田和芳・篠塚良嗣・大山幹成・米延仁志　2019「マヤ文明の盛衰と環境変動―セイバル遺跡とラス・ポサス湖に記録された農耕と森林利用の歴史」青山和夫・米延仁志・坂井正人・鈴木　紀 編『古代アメリカの比較文明論』京都大学学術出版、pp.38-47

那須浩郎・山本悦世・岩崎志保・山口雄治・富岡直人・米田　穣　2020「津島岡大遺跡から出土した植物種子の再検討」『岡山大学埋蔵文化財調査研究センター紀要 2018』pp.12-16

吉川昌伸・吉川純子・能城修一・工藤雄一郎・佐々木由香・鈴木三男・鯵本眞友美　2016　「福井県鳥浜貝塚周辺における縄文時代草創期から前期の植生史と植物利用」『植生史研究』24、pp.69-82

米田恭子・佐々木由香　2017「庄・蔵本遺跡出土の土器付着炭化鱗茎の同定」『徳島大学埋蔵文化財調査室紀要』3、pp.79-88

Fuller, D. Q., Qin, L., Zheng, Y., Zhao, Z., Chen, X., Hosoya, L. A. and Sun, G. P. 2009 The domestication process and domestication rate in rice: spikelet bases from the Lower Yangtze. *Science*, 323, pp.1607-1610

Inomata, T., Triadan, D., López, V. A. V., Fernandez-Diaz, J. C., Omori, T., Bauer, M. B. M., Hernández,M. G., Beach, T., Cagnato, C., Aoyama, K. and Nasu, H. 2020 Monumental architecture at Aguada Fénix and the rise of Maya civilization, *Nature*, 582, pp.530-533

Kennett, D. J., Breitenbach, S. F., Aquino, V. V., Asmerom, Y., Awe, J., Baldini, J. U., Bartlein, P., Culleton, B.J., Ebert, C., Jazwa, C., Macri, M.J., Marwan, N., Polyak, V., Prufer, K.M., Ridley, H.E., Sodemann, H., Winterhalder, B., and Haug, G. H. 2012 Development and disintegration of Maya political systems in response to climate change, *Science*, 338, pp.788-791

Larson, G., Piperno, D. R., Allaby, R. G., Purugganan, M. D., Andersson, L., Arroyo-Kalin, M., Barton, L., Vigueira, C.C., Denham, T., Dobney, K., Doust, A.N., Gepts, P., Gilbert, M.T.P., Gremillion, K.J., Lucas, L., Lukens, L., Marshall, F.B., Olsen, K.M., Pires, J.C., Richerson, P.J., de Casas, R.R., Sanjur, O.I., Thomas, M.G., and Fuller, D.Q. 2014 Current perspectives and the future of domestication studies, *Proceedings of the National Academy of Sciences*, 111, pp.6139-6146

Matsui, A., and Kanehara, M. 2006 The question of prehistoric plant husbandry during the Jomon period in Japan, *World Archaeology*, 38, pp.259-273

Tanno, K. I. and Willcox, G. 2006 How fast was wild wheat domesticated?, *Science*, 311, pp.1886-1886

Ugent, D., Pozorski, S., and Pozorski, T. 1982 Archaeological potato tuber remains from the Casma Valley of Peru, *Economic Botany*, 36, pp.182-192

Weisskopf, A., Qin, L., Ding, J., Ding, P., Sun, G., and Fuller, D. Q. 2015 Phytoliths and rice: from wet to dry and back again in the Neolithic Lower Yangtze, *Antiquity*, 89, pp.1051-1063

第8章

民族誌研究と考古学

メコンデルタ出土のガラス製腕輪とインドのガラス製作民族誌を題材として

德澤啓一 *TOKUSAWA Keiichi*　　平野裕子 *HIRANO Yuko*

1. 民族誌と考古学の関係

　民族誌（Ethnography）とは、フィールドワークで得られた知見を整理した著述（オーラルヒストリーや映像等を含む）であり、また、こうした記録作業そのもののことを指す。こうした民族誌は、文化人類学（Cultural Anthropology）、民族学（Ethnology）等の研究フィールドとなり、そこに内包される人間、言語、身体、生業、宗教、物質等のあらゆる分野にアプローチが行われることになる。そして、さまざまな考古学的事象を解釈するため、その枠組みを構築するために依拠する有用な傍証（Collateral Evidence）となる。

　ただし、考古学的な過去の解釈に有用な"未開"の民族誌は、グローバリゼーションの進展に伴って、最早、きわめて限られた後発開発地域にしか残されていない。そのため、稀少となった現生の民族誌を追い求めるとともに、過去に記載された民族誌を参照し、"未開"を検索するしか手段がなくなりつつある。

　考古学は、出土品とその出土状況から過去を復元する場合、これらを詳細に観察・分析するという手続きからスタートする。当時の物質が出土品となるまでのコンテクスト、すなわち、製作—使用—廃棄という遺跡形成過程（Site Formation Process）を精査するとともに、出土品の外形的な特徴を観察し、その後、機器分析等によって、原産地の推定、成分等の質的特徴を明らかにしていくことになる。

　しかしながら、こうした考古学的な分析のルーティーンだけでは、遺跡、遺物、出土状態が発生したコンテクストの復元がきわめて難しい。とりわけ、過去の人間の行為とその背後にある動機や理由、すなわち、原因と結果を合理的に解釈するためには、文化的、社会的、経済的、政治的な"未開"が通底

する民族誌を参照することで、その解釈の枠組みである中範囲理論（Middle Range Theory）を形成し、これに対して、発掘調査の結果としての考古学的現象を当てはめるという手続きをとる。こうしたアプローチを民族考古学（Ethnoarchaeology）という。一方、考古学の理論や方法を民族誌に照射すること、すなわち、文化人類学や民族学のフィールドを考古学という異なる視点から見ることで、とりわけ、物質文化に関する新しい知見を獲得する分野を考古民族学（Archaeoethnology）という。

2.　民族考古学の方法

　現生民族誌研究は、主として、参与観察（Participant Observation）とインタビュー（Interview）をもとに、調査対象に関する知見を整理・分析し、記録するところからはじまる。ただし、言語を習得し、現地に溶け込むことで、そこの構成員としての視点を獲得することが必要であり、そうすることで、そこに暮らす人々を深く理解し、その背後にある心性等を考察する入口に立つことができるようになる。しかしながら、参与者（Participator）と被参与者（Informor）は、同じ時代に生きながら生まれや育ち（Lifehistory）が大きく異なる場合、被参与者の行為やその背後にある文化的・社会的側面に関しては、参与者の合理的かつ適切な解釈が難しいことがある。これを文化相対主義（Cultural Relativism）という。また、参与者の思考が自らの経験や価値観等に拘泥し、誤った事実認識に陥ることを自文化（民族）中心主義（Ethnocentrism）という。このように、参与者と被参与者の論理や価値等の判断基準に隔たりがあることは当然であり、また、考古学との関係でいうと、現代の尺度で過去を測り、表象（Representation）するという手続きは、これらと同じような乖離を孕むことに留意する必要がある[1]。

　本稿では、遺跡から出土したベトナムのガラス製腕輪を題材として、その製作技法や生産様式の具体的な内容を類推するため、インドにおけるガラス製作民族誌を参照するという民族考古学の方法と手続きを例示する。本来であれば、残存する民俗学（Folkrore）的知見を援用することが望ましいものの、ベトナム国内にこうした民俗誌が現存していない[2]。こうした中で、広範な地域に跨る複数の類似する民族誌の中から、先述した"未開"が通底する民族誌を選択し、これを代表させることの適否を吟味する手続きが必要となる。

3. 考古資料の観察

（1）ベトナムのガラス製作

　東南アジアから多くのガラス製品が出土しているものの、これらは、西方（とくにインド）からもたらされたと考えられ、インドの出土品との比較によって、年代や産地が推定されてきた。しかしながら、近年、東南アジアで発見・収集される数や種類が増加することによって、域内での一貫したガラス生産（素材ガラスから製品の製作まで）が想定されるようになった。

　東南アジアのガラス生産に大きな影響を与えたインドでは、B. C. 1200年頃、ガラス生産が開始され、東南部海岸のアリカメドゥ（Arikamedu）遺跡において、B. C. 3〜2世紀からムティサラ（Mutisalah）[3] に代表されるガラス製作が行われた（Lamb 1965）。また、この地域を特徴付けるインド・パシフィック・ビーズ（Indo-Pacific Beads）[4] は、B. C. 250年頃からA. D. 17世紀まで大量生産された（Francis 2002）。とくに、東南アジアでは、ビーズは、交易ネットワークを構成していたさまざまな遺跡から出土しており、その製作技術とともに、マレー半島のクローントム遺跡（Khlong Thom：Veraprasert 1992）、ク

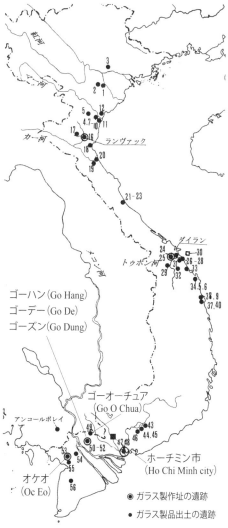

図1　ベトナムにおけるガラス生産址及び
ガラス製品出土遺跡の分布
（平野ほか 2010 を抜粋、一部改変）

アラセリンシン遺跡（Kuala Selinsing: Evans 1932）、プジャン渓谷遺跡群（Pengkalan Bujang: Nick Hassan 1990）、タイ湾沿岸のバンドンターペット遺跡（Ban Don Ta Phet: Glover 1991）等に広がりを見せている。そして、東南アジア初期国家である扶南の外港として知られるオケオ（Oc Eo）港市遺跡をはじめとするメコンデルタ（ベトナム南部及びカンボジア南部に位置するメコン河下流域を指す）の遺跡に波及したと考えられる（図1）。

　このうち、ベトナム中部及び北部は、ダイラン（Dai Lanh）やランヴァック（Lanh Bach）等の生産址が僅少であり、ガラス製品の出土は埋葬に伴う副葬品が多い。

　一方、ベトナム南部のうち、メコンデルタはベトナムでガラス製品が最も多く出土する地域である。オケオをはじめとする複数の生産址が発見されており、坩堝や未成品等の製作残滓が複数見い出されたことで、ガラス製品の加工に留まらず、ガラス生産が想起されるようになった。これらは、オケオ文化発展期（4～6世紀頃）の生産址から多く発見され、主として、バサック（Bassac）河流域とヴァンコータイ（Van Co Tay）川流域（タップムオイ（Tap Muoi）湿地帯と呼ばれる地域）に分布している[5]。このうち、ヴァンコータイ川流域では、1～7世紀に位置付けられるゴーオーチュア（Go O Chua）遺跡、3～7世紀に位置付けられるゴーハン（Go Hang）遺跡、ゴーデー（Go De）遺跡、ゴーズン（Go Dung）遺跡において、ガラス製品が出土している。

（2）ベトナム南部（メコンデルタ）のガラス製腕輪

　これらのうち、ガラス製腕輪は、ゴーオーチュア、ゴーハン、ゴーデー、ゴーズンから30点が出土している。ロンアン省博物館が所蔵しており、展示室に陳列中であったゴーズン遺跡出土の2点の完形品を含む。また、ホーチミン市歴史博物館が所蔵する「マルレ・コレクション」には、オケオから出土したガラス製腕輪1点が含まれている（収蔵番号：BTLS1860）。

　ここでは、断面がD字形状ないしは五角形を呈するガラス製腕輪を取り上げ、実体顕微鏡を用いた低倍率観察で確認できた外形的特徴を整理し、製作技法にかかわる考古学的所見を記載する。

　まず、以下の6点があげられる。①環形は正円で

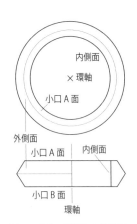

図2　ガラス製腕輪の凡例図

なく、とりわけ、内側面（図2）は、直線が連続し、8角形状に曲折することで環形をなしている（図3-a・4-a）。②断面形は、三角形状、D字形状、五角形状、楕円形状を呈し、漸移的な形状のバリエーションがある（図3-b）。③原環が環状に輪繋ぎされた痕跡はない。また、透過照明を用いて、ガラスの脈理と気泡の状態を観察すると、④環軸に直交し、環形方向の気泡筋と気泡列を確認できる。⑤気泡筋は、外側面から見ると、幅広な産状を呈するものの、気泡筋の先端に向かって窄まり、尖った形状となっている（図3-c・4-c）。⑥内側面及び小口面に顕著な環形方向の顕著な擦痕が残されている個体がある（図4-b）。

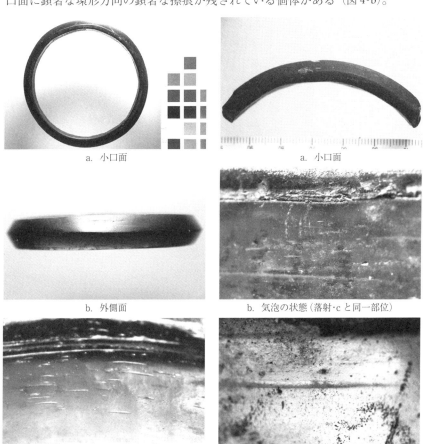

a. 小口面

a. 小口面

b. 外側面

b. 気泡の状態（落射・cと同一部位）

c. 気泡の状態（透過）①

c. 気泡の状態（落射・bと同一部位）

図3　ゴーズン遺跡出土ガラス製腕輪とその脈理及び気泡の状態

図4　オケオ遺跡出土（マルレ・コレクション）のガラス製腕輪

　これらの属性から、以下の4点が考えられる。①原環が引き伸ばし法で作出された。②直線状の気泡筋がある程度の長さで途切れ、環形にあわせて列状に並んでいることから、原環の作出後に再加熱されたものの、再加熱の程度が低かったことが推測できる。また、③外側面からの観察で幅広な気泡筋が顕著なとおり、外側面—内側面間を押圧するような工程が介在したと考えられる。④内側面から小口面にかけて、研磨調整された個体がある。

　こうしたメコンデルタのガラス製腕輪の属性や特徴をもとに、合理的かつ適切に製作技法を解釈するため、インド北部のガラス製作民族誌を参照することにしたい。

4. 民族誌の参照

(1) インドのガラス製作民族誌

　現在、アジア・アフリカ地域の一部において、伝統的なガラス製作が残されている。このうち、アジア地域では、インド亜大陸を中心として、インド、バングラデシュ、パキスタン、スリランカ等において、ガラス生産とともに、ガラス製腕輪、ビーズ等の製作に関する現生民族誌を見ることができる。

　とくに、インド亜大陸を中心とする地域では、女性のガラス製腕輪の着装が一般的であり、伝統的な民族衣装に合わせて、腕輪の色合わせが行われ、また、結婚式等の参列する行事の性格、婚姻の有無等を表象しており、ガラス製腕輪は、社会や家庭に身を置くために欠くことができない女性のための装置となっている（図5）。かつて、腕輪の材質は、身分や世帯の経済力を表象していたものの、近年、都市部では、現代的な生活様式や女性の社会進出にあわせて、ガラスの脆弱性を排除するため、ステンレス、真鍮、あるいは、金銀等に材質が変更されるようになってきた。一方、農村部では、未だ、ガラス製腕輪が一般的であり、家事や生業に伴う日常的な破損によって、買い替え需要が減退するような状況が生じておらず、ガラス製作の活況が維持されている。

　こうした伝統的なガラス製作の民

図5　ガラス製腕輪の市場（デリー）

図6　インドのガラス製作址と民族誌の分布（Kanungo2004 を抜粋、一部改変）

族誌は、アリカメドゥやパパナイドゥペトゥ（Papanaidupet）に代表されるとおり、考古学的なガラス製作址の分布と同じくしており、インド亜大陸に拡散していたと考えられる。しかし、18世紀以降、イギリスによる植民地支配を契機として、グジャラート（Gujarat）州からラジャスターン（Rajasthan）州、そして、デリー（Delhi）にかけてのパキスタンと国境を接するインド西辺でガラス製作が行われるようになる。その後、19世紀に入ると、域外からビーズが大量輸入されるようになり、インドにおける伝統的なビーズ製作が衰退した。これらの地域から多くのガラス職人が移転し、その後ウッタルプラーデッシュ（Uttar

表1　ウッタルプラーデッシュ州の生産様式の比較（徳澤ほか2009）

	プラダルプール	ジャラサール	マレハラ	フィロザバッド
工房（工場）数	50軒以上	3軒	4軒以上	200軒
工房（工場）あたりの労働者数	15人	14人	24人	300人（下請け3～4人）
労働日	週5日（火・金休）	週6日（金休）	週6日（金休）	週6日（日休）
労働時間	午前5時～午後5時	午前8時午後2時	午後10時～午前6時	午前6時～午後2時
労働者の年齢	10歳以上	18歳以上	12歳以上	18歳以上（下請け10歳以上）
技術伝承	祖父、父	祖父、父	祖父、父	研修（期間1年）
製作器種	腕輪（500kg/15人日）、ビーズ（10,000個/15人日）	ビーズ（30kg/人日）	素材ガラス、腕輪（4,000個/人日）	ビーズ（22,400個/24人日）
原料供給（原料形態）	フィロザバッド	フィロザバッド	フィロザバッド	フィロザバッド（ケーキ）
炉の形態（耐用期間）	薪炉（4ヶ月更新）	薪炉（3～4ヶ月更新）	薪炉（4ヶ月更新）	ガス炉（2ヶ月更新）

Pradesh）州アーグラ（Agra）近郊のガラス製作民族誌の村々が形成されたと考えられている（Coles and Budwing, 1997、図6）。

　なお、こうしたガラス製作をはじめとする伝統的な職能者は、低位カーストに属しているものの、一方で強固な職業ネットワークの中に存在することで、その地域の中の他のカーストと比較して、ドミナント（優勢な）・カーストとして、優越した経済的・社会的地位を獲得している。

　現在、ガラス製腕輪の製作は、アーグラ近郊のプラダルプール（Purdalpur）、ジャラサール（Jalasar）、マレハラ（Marehara）フィロザバッド（Firozabad）の4つの村で見ることができる（表1）。このうち、伝統的な製作技法が残されている村は、プラダルプール、ジャラサール、マレハラであり、このうち、回転技法を用いるプラダルプール、ジャラサールは、メコンデルタのガラス製腕輪の製作技法を想起させる。一方、フィロザバッドは、コイル・リング技法で原環成形され、製作技法が著しく異なるとともに、ガラス製作のための設備が機械化され、工場内分業及び下請けが組織され、伝統的な生産様式から逸脱するようになった。

（2）プラダルプールのガラス製腕輪製作

　ここでは、メコンデルタのガラス製腕輪と比較するため、回転技法を用いるプラダルプールの伝統的なガラス製腕輪製作を取り上げたい。製作技法は、下記の①～⑤のとおり、工程と技術的の内容を整理することができる。

　①伝統的な薪炉バタ（Bata、図7-a）でフィロザバッド製の粗割された原料ガ

ラスのケーキ（Cake）やガラス製品等の廃材を溶解・溶融させる（図 8-a）。②風字形状の坩堝で再溶融・再溶解させた素材ガラスを鉄製の L 字状工具サリヤ（Saliya）で角立てして、鉄製の竿状工具サリヤ（鉄製の L 字状工具と同一名称）で素材環（タネ）を巻き取る（図 8-b・c）。③断面 U 字状の外コテであるパモー

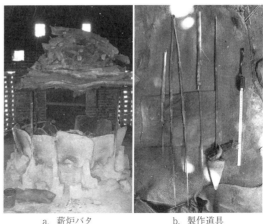

a.　薪炉バタ　　　　　　b.　製作道具

図 7　ブラダルプールのガラス製作工房

ラ（Pamola）で型当てしながら、素材環を回転させて、断面 D 字状の原環を作出する（図 8-d）。④鉄製の短い L 字状工具サリヤで原環を土製の三角錐状の内コテであるパタール（Patal、図 7-b）に挿入する（図 8-e）。パタールを片手で回転させながら、ガラス製腕輪の環径位置まで差し込んで、原環の環径を押し広げる（図 8-f・g）。パタールには、腕輪と指輪の 2 つの直径位置があり、原環の溶融熱で黒色化している。また、挿入方向を入れ替えることで、断面形の歪みを調整する。⑤ガラス製腕輪は、炉口脇の鉄製のアイロン形の徐冷台に仮置きされて、冷却後これらを束ねて出荷単位とする（図 8-h）。

（3）フィロザバッドの工業化されたガラス製腕輪製作

近年、着装する女性の意識の変革とともに、とくに、若い女性が個性を強調するようになり、ガラス製腕輪の色調や文様・装飾が多様化・複雑化してきた。そのため、伝統的な製作技術では女性が求める新しい意匠表現が難しくなり、化学塗料や添加物を用いて、皮膜塗装・貼付装飾が施されるワックス・バングル（Wax Bangle）と呼ばれるガラス製腕輪が大量生産されるようになった。フィロザバッドのワックス・バングルの製作技法は、下記の①〜⑧のとおり、工程と技術的内容を整理することができる。

①ラジャスターン州産の砂、グジャラート州産のソーダ、輸入化学薬品の着色剤を攪拌混淆し、ガス炉で溶解・溶融させる（図 9-a）。②鉄製の竿状工具サリヤで引き上げられた素材ガラスは、再度、ガス炉で再加熱されて、色調の

a. 失敗品を再利用した素材ガラス

b. 巻き付けで素材環を作出

c. 素材環

d. 素材環の型当て

e. 素材環の引き伸ばし①

f. 素材環の引き伸ばし②

g. 原環の成形

h. 束ねられたガラス製腕輪

図8　ブラダルプールにおけるガラス製腕輪製作

a．ガラス原料の溶融

b．素材ガラスの整形

c．引き伸ばして巻取軸に巻き付け

d．輪線原環

e．輪線単位の切り離し

f．輪繋ぎ①

g．輪繋ぎ②

h．ワックス塗装

図9　フィロザバッドにおけるガラス製腕輪製作

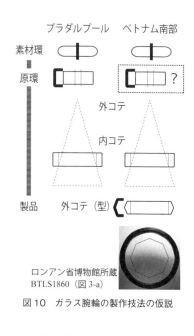

プラダルプール　ベトナム南部

素材環

原環

外コテ

内コテ

製品　　外コテ（型）

ロンアン省博物館所蔵
BTLS1860（図3-a）
図10　ガラス腕輪の製作技法の仮説

減り張りが付けられる。③素材ガラスは、機械で成形するため、マンドレルの挿入口の形状にあわせて、截頭四角錐形状に手作業で整形される（図9-b）。④截頭四角錐形状の素材ガラスは、「原環成形のために、素材ガラスを引き伸ばし、これを巻き取り成形する機械」（以下「引き伸ばし機械」という）の送り出し口に差し入れられる。素材ガラスの先端は、巻取軸に圧着され、定速・定張力で、螺旋状に巻き取られることで、定形断面・厚幅偏差のない均一なコイル・リング状の輪線原環が作出される（図9-c・d）。⑤輪線原管は、巻取軸にあわせて、側面を截断することで、輪線単位の原環に分割される（図9-e）。⑥工場で製作された輪線単位は、手押し車等で下請けの個人工房に持ち込まれる。個人工房は、家内制であり、主として、手先の細やかな8歳前後の子供や女性が輪繋ぎの作業に従事している（図9-f）。⑦バネ状に食い違った輪線単位の両端は、噛み合わせが矯正され、オイルあるいはガスランプで輪繋ぎされる（図9-g）。⑧原環は、別の下請けに持ち込まれ、化学塗料が吹き付け塗装され、原環と異なる色調に変更されることもある（図9-h）。そして、さまざまな装飾が貼り付けられる。

5. 考古資料に対する民族考古学的アプローチ

（1）ガラス製腕輪の製作技法に関する仮説—プラダルプールの民族誌から—

　肉眼や顕微鏡を用いた低倍率観察では、ガラス製腕輪の外形的特徴と内在する気泡の微細形態という限られた属性しか認識できない[6]。こうした属性を起点として、製作技術の具体的内容や時系列に沿った製作工程等を立ち上げることはきわめて困難である。そのため、複数の民族誌を瞥見し、選択的な援用によって、製作技法の仮説を構築し、これを検証するという手続きをとる。

　メコンデルタの2世紀以降の所産となるガラス製腕輪の製作技法の仮説を構

築するためには、インド
北部の 4 つの民族誌の中
であれば、プラダルプー
ルの事例を援用すること

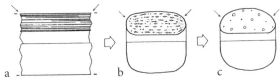

が適切といえる。すなわ

図 11　再加熱に伴う気泡の変化（小瀬 1985 を抜粋、一部改変）

ち、一定の形状の断面形を成形するため、外コテ等を用いて、素材環の面取り
を行っているところに、メコンデルタのガラス製腕輪との共通性を見い出すこ
とができるからである。

　プラダルプールでは、巻き付け法で作出された大きなビーズ状の素材環に対
して、三角錐形の内コテを用いて、回転技法で環径を広げることで原環が作出
される。メコンデルタのガラス製腕輪の観察属性のとおり、回転技法による
ならば、気泡が環軸直交方向に伸長し、輪繋ぎの痕跡も生じないということ
になる。環軸直交方向の気泡の産状を見ると、途切れた短い線形の気泡筋（図
3-a・4-b・c）が連続した状態であり、素材環の引き伸ばし後、再加熱されたと
考えられる。ただし、列点状の気泡（図 11-b）となっていないことから、再加
熱の程度がそれ程強くないことが推測される。また、短い線形の気泡筋は、円
筒形状に抜けているというよりは、扁平な産状（図 4-c）を呈し、外側面の山
形の断面形にあわせて、斜向しているように見受けられ、環軸直交方向から加
圧されたと考えられる[7]。

　また、メコンデルタのガラス製腕輪は、小口 A 面（円錐状内コテ頂部側）と
小口 B 面（円錐状内コテ底部側）の環径が異なるとおり、パタールと類似する
内コテが用いられたと考えられるものの、小口上下の環径差が小さいことか
ら、プラダルプールのように、天地返しをしていたと考えられる。あるいは、
パタールのような裾広の三角錐形ではなく、終端に近いところが円柱形に近い
形状の内コテであった可能性もある。

　ただし、メコンデルタのガラス製腕輪の内側面の環形を見ると。ほぼ 2cm
単位で直線的形状が曲折し、これが連続しているとおり、必ずしも、プラダル
プールの製作技法と一致するとは限らないようである。すなわち、パタールの
ような内コテで素材環の環径を拡大後、内側面の環形が八角形状の直線的形状
が 2cm 間隔で曲折しているとおり、パモーラのような外コテや台石状の開放型
に押し当て、外側面を断面五角形状に作出したと考えられる。また、型当ての

際、内側面及び小口面に環軸直交方向の顕著な線状痕が残されており、これも原環を回転させながら、内側面側から加圧し、凹部が断面五角形状の外コテや型で圧延した痕跡と見做すことができそうである（図10）[7]。

　このように、考古学的事象の解釈にあたっては、民族誌をそのまま援用するのではなく、外形的な特徴や質的特徴等の所見と整合させながら、考古学的なコンテクストを復元してく必要がある。

（2）ガラス製作の生産様式に対する示唆——フィロザバッドの民族誌から——

　また、製作技法に限らず、こうした民族誌を参照することで、メコンデルタのガラス製作にまつわるさまざまな環境や条件等を想起することができる。

　プラダルプールでは、50軒以上の工房が伝統的なガラス製作の操業形態を受け継いでいる。すべての工房では、職人が男性であり、中には、12歳程度の少年も含まれている。職能身分制であるカースト制を背景として、彼らは生まれながらにして、ガラス製作に従事する職人となることが定められている。小学校を卒業してからは、座布団1枚程度の広さのバタの区画を割り当てられ、生涯ガラス製作に従事するというライフヒストリーを送る（図12）。彼らは、素材ガラスからガラス製腕輪やビーズを製作し、製品として出荷するまでのすべての工程を担いながら、職人としての全ての職能を備えるようになる[8]。工房内の職人間の技術的な関係は、バタを共有しながらも、独立的（水平的）な協業・協働関係にあるといえる。

　一方、フィロザバッドでは、200軒以上の工場が林立し、引き伸ばし機械やガス炉等が導入され、プラダルプールに残されていた伝統的な施設・設備が近代化されていた。また、工場に集約されている労働者の身分は、カーストに規制されているものの、職人組合が結成されており、ドミナント・カーストとし

図12　バタの区画と製作者
（プラダルプール）

図13　工場から下請けに運ばれる原環
（フィロザバッド）

て、この地域の中で、経済的・社会的に優遇された立場にあると考えられる。こうした中で、生産する品目とその工程にあわせて、職人を分業的に配置し、工場内での垂直的分業・協働関係を構築し、近代的な工場制を達成することで、インドを代表するガラス生産地にまで成長した[9]。加えて、こうした成長を支えたのは、長時間労働や児童労働等であり、このうち、児童労働に関しては、政府の取り組みもあり、2001 年の 1,266 万人から 2011 年には 435 万人に大幅に改善されている[10]。しかしながら、これは見かけ上の統計であり、フィロザバッドの垂直的な分業構造は、工場外の下請け構造と接続し、工場から下請け家庭に大量の原環が運び込まれ（図 13）、就学前児童を含む子どもが 1日 40 ルピー（日本円で 80 円）でガラス製腕輪の輪繋ぎの内職に従事するようになった。

　このように、プラダルプールとフィロザバッドでは、生産様式に大きな隔たりがあり、身分制、女性や子どもの関与等をはじめとして、紀元前後のメコンデルタのガラス生産やその背後にある社会の構造を考察する上で多くの示唆を与えてくれる。

6.　まとめ

　このように、インド北部のガラス製作民族誌を参照し、メコンデルタのガラス製腕輪の製作技法に関する仮説を立ち上げた。これは、民族誌と一致しない部分があるものの、比較的蓋然性の高い仮説であると考えている。

　民族考古学の役割には限界があり、過去の出来事の仮説を証明することはどこまでもできない。仮説の検証は、考古資料の属性と民族誌的事実の矛盾を認めるとともに、これを解消し、蓋然性を高めることに過ぎないことに留意する必要がある。

　また、仮説を検証し、補強する手段の一つとして、実験考古学の実践があげられる。ガラス製腕輪の観察属性と合致する産状を再現することによって、そこで行使された製作技術が介在した可能性が高いと見做されることになる。しかしながら、同じ結果に至る再現実験のアプローチやプロセスが複数あるとおり、再現＝証明とならず、やはり蓋然性を高める状況証拠の域を出ることはない。

　なお、先述したとおり、適切な事例を選択的に援用できるほど、最早、民族誌の多様性が残されていない。現在、さまざまなセクターにおいて、グローバ

リゼーションに伴う近現代化が急速に進展している中で、民族考古学的な方法を適用できる範囲とそこから立ち上げられる仮説の確度が著しく低減してきている。民族誌研究、そして、考古学にとって、考古学的解釈のフレームワークの土台となる民族誌は、亡失の危機に瀕しており、可及的速やかに、これらを記録保存していくことがきわめて重要な取り組みになってきている。

　なお、本稿は、2008 年以降のインド、ベトナムにおけるフィールドワークを踏まえたものであり、科研費・課題番号 21H00603（研究代表者：山形眞理子）の成果の一部である。

註

1)　生業やものづくりの民族誌のうち、技術に関する側面は、経済的な利得に繋げるための合理的判断が優先される傾向があり、文化間、民族間、年代間に介在する文化相対主義的な誤解や齟齬が生じる要素が小さいといえる。一方、参与者は、学術等の非営利的な目的のために、生業やものづくりの技術の理解に取り組むものの、そこに、「質を高め、量産化を達成し、さらに、コストを低減させるための、独自の技術や仕組み」が内包され、そこに経済的利益の源泉が埋め込まれていることがある。そうした場合、これらの盗用を疑われ、参与が認められなくなるケースがある。

2)　民族学と民俗学の 2 者は、その定義と区別にさまざまな見解があるものの、ここでは、民族学の理論と方法を用いて、自文化を理解する領域、すなわち、国内を対象としたものを民俗学・民俗誌と表記しておく。

3)　インドネシア・マレー語で False Beads といい、不透明の赤色やオレンジ色のバリウムを含まないビーズ。

4)　アフリカから東アジアにかけて、東西交易で拡散した径 5mm 以下の単色ビーズ（青色系が中心）であり、管切り法という中空のガラスを引き伸ばし、冷却固化後、輪切り状に切断する技法で製作されたビーズ。この中の一群として、ムティサラがある。

5)　バサック河流域では、オケオを中心とする遺跡群、ヴァンコータイ川流域では、ゴータップ、ゴーハン、ゴーデー、ゴーオーチュア遺跡等が確認されている。オケオでは、主として、ビーズ類が出土するものの、ヴァンコータイ川流域では、ビーズ類とともに、腕輪・耳飾り等の多様なガラス製装身具を伴出するという特徴がある。これらの地域では、オケオ文化発展期以降、ガラス製品の製作・加工が本格化したと考えられている。とりわけ、オケオは、東南アジア有数の出土数を誇るとともに、港市内の建築址において、工房跡があったとされる（Malleret, 1961）。

6)　ガラス製作の工程は、高温で溶融させる工程が連続するとおり、後の工程の加熱によって、前の工程の痕跡が消失してしまうことから、途中の工程の製作痕跡が残されていない。観察属性のほとんどは、最終工程の結果としてのガラスの脈理と気泡しか見い出すことができない。また、遺跡形成過程に伴う風化や損耗の程度によって、ガラス表面の微細形態の評価を難しくしていることがある。

7)　プラダルプールのように、原環の拡張前に五角形状の断面を作出する場合があるものの、原環成形後に型当てし、断面五角形状に整形する場合もあると考えられる。そうした場合、内側面に小口の鋳張りが突出すると考えられ、その後、内側面、小口 A 面及び B 面において、張り取りのための研磨に伴う研磨の痕跡としての擦痕が残されることになる。また、ベトナム国内では、すでに、ガラス製作の民族誌が消失しているものの、骨董街に卸す贋物を製作している村がある。ここでは、組み合わせ鋳型を用いて、原環を鋳造しており、その後、電動のサンダ

ーとポリッシャーを用いて、鋳張りを除去している。そのため、観察属性としては、表面が擦痕で覆われており、内在する気泡が「浮いた」状態となっている。

8)　近年では、フィロザバッドを除いて、原材料から素材ガラスを生産することがなくなり、伝統的な溶融炉も姿を消した（Sode and Kock 2001）。いち早くガラス生産の近代化を成し遂げたフィロザバッドでは、ガス炉が導入され、素材ガラス及び各種ガラス製品が大量生産されるようになり、国内市場を席捲した。その結果、プラダルプール、ジャラサール、マレハラでは、素材ガラス生産から撤退し、フィロザバッドを上流とする素材ガラスの供給網に組み込まれている。

9)　プラダルプール等の伝統的なガラス製作工房では、女性の関与が皆無であったことに対して、フィロザバッドでは、工場裏等において、原材料等の運搬や廃ガラスの仕分け等の雑業に従事する女性が見られた。

10)　朝日新聞「児童労働絶てぬ悪習　インド働く子供 435 万人」2014 年 12 月 11 日木曜日 10 版（国際）10

引用・参考文献

小瀬康行　1985　「管切り法によるガラス小玉の成形」『考古学雑誌』第 73 巻第 2 号、日本考古学会、pp.83-95

平野裕子　2007　「メコンデルタ出土古代ガラスの基礎的研究—オケオ港市を中心に—」『地域の多様性と考古学—東南アジアとその周辺—』雄山閣、pp.189-202

平野裕子・德澤啓一・NGUYEN Thi Hoai Huong　2010「ベトナム南部ロンアン省出土のガラス製装身具の製作技法—ヴァンコータイ川流域におけるガラス生産と型当て整形について—」『社会情報研究』第 8 号、岡山理科大学総合情報学部社会情報学科、pp.21-34

Alok Kumar Kanungo, 2004, Glass Beads in Ancient India and Furnace-Wound Beads at Purdalpur : An Ethnoarchaeological Approach, *Asian Perspectives*, Vol.43, No.1 University of Hawaii Press, pp123-150

Coles and Budwing, 1997, *Beads: AnExplorration of Bead Traditions around the worlf*, Simon and Schuster Editions

Evans, 1932, Excavation at Tanjong Rawa, KualaSelinsing, *Journal of the Federated Malaya States Museum* 15(3), pp.79-160

Francis , P., 1994, *Beads of the world*, Schiffer Publishing Ltd.

Francis , P., 2002, *Asia's Marintime Bead Trade: 300 B.C. to the present*, University of Hawai'i Press

Glover, 1991, Beads and Bronzes: Archaeological Indicators of Trade between Thailand and the Early Buddist Civilizations of Northern India, in Haellquist,K.R.(ed.) *Asian Trade Routes*, London: Curzon Press, pp.117-287

Jan Kock and Torben Sode, 1994, *Glass, glass beads and glassmakers in North Iddia* The Danith magazine BYGD.

Lamb, A., 1965, Some Observations on Stone and Glass Beads in Early Southeast Asia, *Journal of the Malaysian Branch of the Royal Asiatic Society* 38(2): 87-124.

Malleret, L., 1961, L'Archeologie du delta du Mekong, Tome III, Paris: l'Ecole Francaise d'Extreme-Orient.

Nick Hassan Shuhaimi B.N.A.R., 1990, Recent Researh at KualaSelinsing, Perak, *Bulletin of the Indo-Pacific Prehistory Association Indo-Pacific Prehistory* 1990 Vol.2, pp.141-152

Tokusawa. K., Nguyen Thi Hoai Huong and Y. Hirano, 2009, "The Microscope analysis of ancient glass ornaments in Mekong delta, found from Long An Province", *19th Congress of the Indo-Pacific Prehistory Association*, Hanoi: December 5th at Vietnam Academy of Social Sciences Building, Vietnam

Torben Sode and Jan Kock, 2001, Traditional Raw Glass Production in Northern India: The Final Stage of an Ancient Technology, *Journal of Glass Studies*, Vol43, The Corning Museum of Glass Corning, pp155-169

Veraprasert,M., 1992, Klong Thom: An Ancient Bead-Manufacturing Location and an Ancient Entrepot. In Glover, I., P.Suchitta and J.Villiers(eds.) *Early Metallurgy, Trade and Urban Centers in Thailand and Southeast Asia, Bangkok*: White Lotus, pp.149-161

おわりに

　本書を編集・執筆された亀田修一先生、白石純先生は、岡山理科大学に奉職され、考古学と関連科学の研究に取り組まれ、岡山理科大学の考古学と関連科学の推進に大きく貢献されました。

　また、本書の執筆者は、岡山理科大学の専任教員及び非常勤講師であり、両先生のもとで、日々ご指導・ご助言をいただきながら、考古学と関連科学に関する研究に邁進してまいりました。

　私どもは、長年にわたる惜しみない御学恩に感謝の意を込めるため、両先生編になる『講座 考古学と関連科学』を上程することにした経緯がある事を紹介させていただきます。

　両先生は、故・鎌木義昌先生にはじまる岡山理科大学の考古学の学統を受け継がれ、数多くのご業績を残されました。また、両先生からの薫陶を受けた卒業生は、全国の発掘現場、教育委員会、博物館などで活躍されています。

　鎌木先生の古稀記念論集は、「考古学と関連科学」というタイトルでした。現在、自然科学を中心とする考古学と関連する分野の研究者が岡山理科大学に結集し、相互の領域に乗り入れた研究を盛んにしていることは、私どもの一つの特徴となっています。

　そのため、両先生のご退職を前に、岡山理科大学の考古学と関連科学のあり方をいま一度整理し、『講座 考古学と関連科学』として世に示すことにしました。

　末尾ながら、今後の両先生のご健勝とご発展を祈りつつ、「おわりに」の筆を置きたいと思います。

　なお、本書は『考古科学を通じた基盤教育と専門教育の連携に関するパイロット事業』（代表者：富岡直人）と題したプロジェクトの成果の一部であり、岡山理科大学の競争的資金『教育改革推進事業』の補助を得たことを付記しておきます。

　また、本書の趣旨と経緯をご理解いただき、株式会社雄山閣代表取締役社長宮田哲男氏、同編集部桑門智亜紀氏には、本書の出版に多大なご支援をいただきました。記して深謝申し上げます。

2022 年 1 月

富岡直人

著者紹介 （掲載順）

三阪一徳 （みさか・かずのり）
岡山理科大学 教育推進機構 学芸員教育センター 講師

山形眞理子 （やまがた・まりこ）
立教大学 学校教育・社会教育講座 特任教授

宮本真二 （みやもと・しんじ）
岡山理科大学 生物地球学部 生物地球学科 准教授

畠山唯達 （はたけやま・ただひろ）
岡山理科大学 フロンティア理工学研究所 教授

富岡直人 （とみおか・なおと）
岡山理科大学 生物地球学部 生物地球学科 教授

那須浩郎 （なす・ひろお）
岡山理科大学 教育推進機構 基盤教育センター 准教授

北原　優 （きたはら・ゆう）
岡山理科大学 フロンティア理工学研究所 博士研究員 （日本学術振興会特別研究員）
岡山理科大学非常勤講師

能美洋介 （のうみ・ようすけ）
岡山理科大学 生物地球学部 生物地球学科 教授

伊藤　創 （いとう・はじめ）
山口県教育庁 社会教育・文化財課 文化財専門員
岡山理科大学非常勤講師

沖田絵麻 （おきた・えま）
土井ヶ浜遺跡・人類学ミュージアム 学芸員
岡山理科大学非常勤講師

徳澤啓一 （とくさわ・けいいち）
岡山理科大学 教育推進機構 学芸員教育センター 教授

平野裕子 （ひらの・ゆうこ）
上智大学 アジア文化研究所 客員研究員
岡山理科大学非常勤講師

編者紹介

亀田修一（かめだ・しゅういち）

岡山理科大学 生物地球学部 生物地球学科 教授
九州大学大学院文学研究科修士課程修了
　　博士（文学）
専門：考古学
主な著書・論文
『考古資料大観 第3巻 弥生・古墳時代 土器Ⅲ』
小学館（編著、2003年）
『日韓古代瓦の研究』吉川弘文館（単著、2006年）
『吉備の古代寺院』吉備人出版（共編著、2006年）
『古墳時代研究の現状と課題』（上・下）同成社（共
編著、2012年）

岡山県瀬戸内市庄田工田窯跡の
発掘調査時の亀田修一先生（2020年夏）

白石　純（しらいし・じゅん）

岡山理科大学 生物地球学部 生物地球学科 教授
岡山理科大学大学院総合情報研究科博士課程修了
　　博士（学術）
専門：考古理学
主な著書・論文
『土が語る古代・中世―土器の生産と流通―』吉
備人出版（単著、2016年）
「須恵器の胎土」『季刊考古学』第142号、雄山閣
（単著、2018年）
「中世土器研究における胎土分析―胎土分析法に
　　よる分析事例から―」『中近世土器の基礎研究』
　　27、日本中世土器研究会（単著、2019年）

岡山県瀬戸内市庄田工田窯跡の
発掘調査時の白石純先生（2020年夏）

2022 年 3 月 25 日 初版発行　　　　　　　　　　　　　　　　《検印省略》

講座　考古学と関連科学

編　者	亀田修一・白石　純
発行者	宮田哲男
発行所	株式会社 雄山閣
	〒 102‑0071　東京都千代田区富士見 2‑6‑9
	T E L　03‑3262‑3231 ㈹／ FAX 03‑3262‑6938
	U R L　http://www.yuzankaku.co.jp
	e‑mail　info@yuzankaku.co.jp
	振替：00130‑5‑1685
印刷・製本	株式会社ティーケー出版印刷